TAROT y KABALA

TAROT y KABALA

Samael Aun Weor

EDITORIAL

PROLOGO

Los legítimos representantes del Círculo Consciente de la Humanidad Solar, han sostenido siempre que la Kábala es la genuina depositaria del Ocultismo Nato y el complemento indispensable para poder conocer e interpretar otras dos grandes Ciencias Herméticas como lo son: La Alquimia y la Astrología. De allí la máxima que señalo siempre que "No se puede ser Alquimista sin ser Kabalista y Astrólogo" e igualmente "no se puede ser Astrólogo sin ser Kabalista y Alquimista".

"Los orígenes de la Kábala, ha dicho con sobrada razón el Maestro Samael Aun Weor, se pierden en la noche aterradora de todas las edades", ya que el Universo en cual vivimos y nos desenvolvemos fue hecho en base a Medidas Kabalistas relacionadas con el Número, Peso y Medida, con que fue elaborada la ecuación existencial de este Día Cósmico o Mahavantara.

El Padre Eterno Cósmico Común y los Sabios Cosmocratores Planetarios, dice la tradición que se remonta al origen de los tiempos, cantaron las sílabas de la Kábala Cosmogónica, haciendo que la Creación cristalizara y descendiera de las más elevadas Dimensiones Superiores del espacio hasta el Mundo Tridimensional Euclidiano. Las inteligencias Divinas registraron ese evento cósmico en símbolos y así nació la Kábala Simbólica. Esta asimismo fue percibida por los Preceptores de la Humanidad y la explicaron a los hombres ansiosos de conocer sus orígenes dando de este modo nacimiento a la Kábala Ceremonial que mediante la Kábala Ritual ha repetido, milenio tras milenio, la sagrada fórmula que contiene la síntesis del Poder Mágico para que aquellos que la logren alcanzar puedan volver a ser imagen y semejanza del Creador, o lo que es lo mismo, volver al punto de partida original.

Kábala, nos dice el excelso autor de esta obra, es una palabra que en sí misma ya oculta una Enseñanza Divina leída a la inversa. Así obtenemos: LABAKA, término éste que castellanizado correctamente nos da origen (apelando a la Kábala Fonética) a: LA VACA o imagen representativa del Dios Madre presente en todas las antiguas civilizaciones que hablaron a la posteridad de su grandiosa Edad de Oro en la que tuvieron desarrollo trascendental.

Ciertamente la Bendita Diosa Madre del Universo (representada por todas las Inmaculadas Concepciones de las distintas Teologías que en nuestro mundo han existido) se encuentra sintetizada en la Sabiduría de Hermes y de todos aquellos que han pisado verdaderamente el Anfiteatro de la Ciencia de todas las realizaciones estelares. Ella, el Eterno Femenino Divinal, guarda en sus entrañas la clave de la Liberación y con sobrada razón los Egipcios añadieron la máxima sagrada que acompaño a la Diosa Madre del Nilo en toda su trayectoria o manifestación celeste: "YO SOY AQUELLA QUE SIEMPRE HA SIDO, QUE ES, Y QUE SIEMPRE SERA, A QUIEN NINGUN MORTAL HA LEVANTADO EL VELO"...

Sí, amable lector, para aprender los Arcanos de la Sabiduría de los siglos es necesario volver a ser como niños y la única forma de conseguirlo pasa por la regeneración humana que ha de incluir el ejercicio de la Castidad Científica (no se confunda con abstención sexual), el Refinamiento Psicológico o Muerte del Yo Animal y la constante aplicación del Sacrificio desinteresado por nuestro hermano, el hombre. De este modo iremos despertando en nuestra anatomía oculta y visible la Sensibilidad que otrora se constituía en el motor de nuestros actos, pensamientos y sentimientos y que nos hacía infantes felices en la aurora de los tiempos, arrullados por el conocimiento y belleza de Isis, Paula, Sofía, Isthar, Astarté, Cibeles, Rea, María, Shakty, Aka, Deméter. Coatlicue o cualquiera que haya sido su nombre entre el sigilo del Templo, el incienso, el silencio y la oración.

"Dios como padre es Sabiduría, Dios como madre es Amor", ha dicho Hermes Trismegisto desde su oculta morada entre las arenas del desierto que aún recita incansablemente su nombre. Fue el mismo Hermes quien dijo asimismo: "Te doy Amor, en el cual está contenido todo el Súmmun de la Sabiduría". Y es que no hay Religión más elevada que el Amor, extendido el término más allá de los sentimentalismos y pasiones humanas y enraizándolo con las exigencias del Camino Secreto que hace al Amor de la muerte su hermano.

"AMOR ES LEY, PERO AMOR CONSCIENTE", nos enfatiza el Hierofante de Misterios Egipcios: V.M. Samael Aun Weor, y con esta advertencia empieza su idílico evangelio que encuentra en este tratado una de sus más elevadas cotas. Nadie jamás había desvelado tan clara, y a la par deliciosamente, los enigmáticos Arcanos del Libro de Thot, desde los tiempos en que el Angel Metratón reencarnado en el profeta Enoch, escribiese su grandioso "Génesis" que como un mapa de incalculable valor marca la ruta a los Hombres Solares que quieren perderse en las entrañas del Espacio Abstracto Absoluto. "Después de Enoch, dice la tradición, el Camino Secreto que conducía a los Hombres a su Morada Celeste se perdió" y nunca se había conseguido encontrar en esta Edad Negra o Kali-Yuga en que vivimos.

Para reconstruir la Vía Hermética o Vía de la Liberación, fue entonces necesario, llegado el final de esta raza actual que agoniza sin darse ni siquiera cuenta de ello, el envío de un Avatara o Mensajero de los Dioses del Pleroma, para mostrar a los hombres y mujeres de puro y noble corazón, el camino de regreso, el sendero luminoso del cual se apartó la humana especie cuando quedó esclavizada por la ingestión desobediente del fruto prohibido.

Samael Aun Weor (Verbo Divino y Justicia de Dios según la Kábala Fonética) desvela con pasmosa minuciosidad todos los entretelones de los Arcanos en que fue esculpida la Ciencia de los Faraones. Utilizando la exactitud del término y la investigación rigurosa como aval de sus exposiciones, TAROT Y KABALA, se erige sobre la marea del conocimiento humano como faro guía de los Espíritus Intrépidos que anhelan ardientemente alcanzar la otra orilla, es decir, la Eternidad como morada perenne.

Conocedor del alcance de los Jeroglíficos Sagrados, el V.M. Samael Aun Weor, enseña conjuntamente Kábala, Alquimia, Astrología, Teología, Psicología, Antropología y Metafísica, no sólo en forma teorética sino, y esto es lo más importante de su obra, también en forma práctica.

La Kábala que aquí se muestra, querido lector, requería en el país asoleado de Kem, en el Egipto Antiguo, largos años de disciplina y votos de silencio, antes de comenzar el abc de esta Sagrada Ciencia. Hoy la recibes en tus manos como un acto de Misericordia Divina de los Dioses para con los hombres, sabiendo los primeros el momento terrible que aguarda a los segundos. "Se trata, decía el V.M. Samael Aun Weor, de salvar del ahogado (la humanidad actual), aunque sea su sombrero", (aunque sea unos pocos). Y es que las claves del salto final que coloca a los hombres en el seno de la inmortalidad sólo las han poseído unos pocos sabedores de que Dios no tiene hijos preferidos, pero si hijos que lo prefieren. Por ello los Kabires siempre han dicho: "De mil que me buscan tan solo uno me encuentra, de mil que me encuentran tan solo uno me sigue, de mil que me siguen tan solo uno me alcanza". ¿Podrás ser tú, ansioso lector, uno de ellos?...

Los Editores.-

INTRODUCCION

La Kábala se pierde en la noche de los siglos, ahí donde el Universo se gestó en el vientre de Maha Kundalini, la Gran Madre. La Kábala es la Ciencia de los Números.

El autor del Tarot fue el Angel Metratón, es el jefe de la Sabiduría de la Culebra y fue el profeta Enoch, del que nos habla la Biblia.

El Angel Metratón o Enoch nos dejó el Tarot en el cual se encierra toda la Sabiduría Divina, éste quedó escrito en piedra.

También nos dejó las 22 letras del Alfabeto Hebraico. Este gran Maestro vive en los Mundos Superiores, en el Mundo de Aziluth, en un mundo de felicidad inconcebible, según la Kábala en la Región de Kether, un Sephirote bastante elevado.

Todos los Kabalistas se fundamentan en el Tarot, es necesario conocerlo y estudiarlo a fondo.

El Universo está hecho con la Ley del Número, Medida y Peso; las Matemáticas forman el Universo, los Números vienen a ser entidades vivientes.

Quien penetra en Chesed, Mundo del Espíritu, puro e inefable, puede verificar en esa región que ahí todo se reduce a números, es una región terriblemente real.

En este mundo no vemos las cosas tal como son, sino las imágenes de las cosas.

En Chesed se sabe cuántos átomos tiene una mesa, cuánto Karma debe el mundo, se sabe cuántas moléculas viven en cada cuerpo, es un Mundo de Matemáticas, el Mundo Realista; en este Mundo se cree uno que va a estar apartado de la realidad del mundo y ahí se vive en la Realidad. En un templo se sabe qué cantidad de gente está Auto-Realizada y quienes no. Si se mete uno a una cocina se sabe qué cantidad de átomos tienen los alimentos que nos vamos a comer. Es un Mundo Terriblemente Realista. En el Mundo de Chesed se viene a saber quién es Hombre de verdad.

Una noche que estaba en el Mundo de Chesed, penetré en un teatro, ahí se balanceaban Karmas, y en una pantalla, que es la de la creación se vio cómo pasaron los Maestros del Karma y en una gran balanza se colocó el Karma de las dos potencias más grandes del mundo, uno en cada platillo, y la balanza se inclinó en contra del Coloso del Norte, debe un gran Karma, va en declive, va a caer fulminado, porque lo que se debe hay que pagarlo en cualquier forma.

Los Teósofos hablan de Planos y Sub-Planos y éstos son los Diez Sephirotes. Diez Emanaciones de la Eterna Madre Espacio, Diez Oleadas que sirven de Fundamento a la Gran Madre.

Los Siete Planetas del Sistema Solar son los Siete Sephirotes y el Triuno Sol Espiritual es la Corona Sephirótica.

Estos Shephirotes viven y palpitan dentro de nuestra Conciencia y tenemos que aprender a manipularlos y combinarlos en el maravilloso laboratorio de nuestro Universo Interior. Gracias a los Sephirotes se puede uno transformar en Hombre; también hay Sephiras; así como hay Iones Positivos hay Iones Negativos.

Necesitamos realizar esos Diez Sephirotes porque están aquí con nosotros, aquí y ahora. Esos Diez Sephirotes realizados en un individuo le convierten en un Auto-Realizado, parecen gemas preciosas incrustadas, es algo maravilloso.

La Corona Sephirótica está formada por Kether, Chokmah y Binah; hay que comprender el fundamento de estos tres Sephirotes.

El Padre	Primer Logos	Kether	Sabiduría
El Hijo	Segundo Logos	Chokmah	Amor
El Espíritu Santo	Tercer Logos	Binah	Poder, Principio Igneo, Flamígero.

KETHER: Es el Anciano de los Días, lo Oculto de lo oculto, la Bondad de las bondades, tiene 31 bucles y su barba 13 mechones, el 13 simboliza el Verbo, la Palabra. Sobre él se ha hablado maravillas, uno puede entrevistarse con él a través del Samadhi (Extasis) para recibir sus órdenes. El es Misericordia Infinita, Sabiduría Integra.

CHOKMAH: Es el Cristo, es Amor. El Cristo aguarda para que el discípulo algún día trabaje en la Novena Esfera y lo prepara con infinito amor. El Instructor del mundo es Amor.

BINAH: El Espíritu Santo, Poder Igneo. Un Hierofante tuvo que curar una mujer demente y logró su curación; el Hierofante pidió dinero prestado a los familiares de la enferma. Posteriormente él se entrevistó con el Espíritu Santo, quien tomó una figura de blanca paloma, el Hierofante preguntó si iba bien y el Espíritu Santo le contestó que iba mal; *"Yo soy el que cura"*, le dijo; ante ésto el Maestro tuvo que devolver el dinero. Si uno tiene el poder de curar y uno cobra, comete un delito muy grave.

En los Mundos Internos se habla mucho en Kábala, hay que saber sumar en Números Kabalísticos, si a un Maestro se le pregunta, ¿qué tiempo voy a vivir?, él contestaría en números.

El objeto de estudiar la Kábala es capacitarnos en los Mundos Superiores. Por ejemplo, un Iniciado pidió en cierta ocasión la Clarividencia, internamente le contestaron: *"se hará en 8 días"*. El que no sabe regresa al Cuerpo Físico y cree que dentro de 8 días, si hoy por ejemplo es Miércoles el otro Miércoles será un clarividente. En realidad "8" es el Número de Job, y le indicaban que tenga paciencia. El que desconoce queda confundido en los Mundos Internos, la Kábala es básica para entender el lenguaje de esos mundos.

Es obvio que los estudios kabalísticos deben ir acompañados del trabajo sobre sí mismo, se tiene que hacer Conciencia de dichos estudios, porque si se quedan en el Intelecto, al fallecer se pierden, y si se hace Conciencia de ellos se manifiestan desde la infancia.

Un Iniciado quiso saber en cierta ocasión cómo iba en los estudios esotéricos y su Gurú le habló Kabalísticamente diciéndole: *"Te faltan 58 minutos para terminar la obra y tienes que traer 36 Bolívares de a 32 Kg. y las iniciaciones deben ser calificadas"*.

MINUTOS 58 = 13 LA MUERTE

LIBERTADORES 36 = 9 LA NOVENA ESFERA

KILOGRAMOS 32 = 5 LA PENTALFA

Si a un Iniciado le faltan 58 minutos quiere decir que ya no tiene ni una hora para liberarse 5+8=13 Muerte. Si se habla de minutos es que ya le queda poco.

Los 36 Bolívares, San Martines o Morelos son los libertadores 3+6=9 la Novena Esfera, el Sexo; el trabajo con la Lanza, son 36 trabajos básicos fundamentales.

LOS 32 KILOGRAMOS POR LAS 32 VIAS, LA PENTALFA.

$$58 + 36 + 32 = 126 = 1 + 2 + 6 = 9$$

Todo el Trabajo es de la Novena Esfera, éste es el Lenguaje Kabalístico que se usa en la Logia Blanca. No se deben olvidar que las sumas entre sí, son Sumas Kabalísticas, se debe ser ciento por ciento práctico.

Cuando ya se conozca el significado de los 22 Arcanos, se estudiará la parte práctica de Predicción para que se use inteligentemente en casos de mucha importancia. Los 22 Arcanos hay que aprenderlos de memoria, para ser Kabalistas completos hay que estudiar, hay que grabar en la memoria estas enseñanzas.

PAZ INVERENCIAL
SAMAEL AUN WEOR

El Sendero Iniciático en los Arcanos del
TAROT Y KABALA

Primera Parte

Descripción y Estudio Esotérico del Tarot

"Y si alguno de vosotros tiene falta de Sabiduría, pídala a Dios (el Dios Interno), el cual da a todos abundantemente y sin reproche. Le será dada".
"Pero pida con fe, no dudando nada; porque el que duda es semejante a la onda del mar, que es arrastrada por el viento y echada de una parte a otra":
Santiago 1: 5-6

CAPITULO 1

ARCANO No. 1 "EL MAGO"

DESCRIPCION DE LA LAMINA: En la parte superior los ojos representan los Ojos del Padre, internamente representa el Infinito, el Santo Ocho, el Caduceo de Mercurio, los 8 Kabires que dirigen el planeta.

El Mago está de perfil, lado derecho significando que para el manifestado es todo el lado derecho. En su frente le sobresale la Serpiente, indicando que está levantado, que es un Maestro Auto-Realizado.

En la mano izquierda el Báculo del Poder, que simboliza la Médula Espinal señalando el infinito, con la mano derecha señala la Tierra, indicando que la domina con la ciencia, que hay que subir desde abajo, *"no se puede subir sin antes bajar"*, se necesita bajar a la Novena Esfera que tiene dos representaciones, la primera el Sexo, la Piedra Cúbica; la segunda son los Nueve Círculos, los Infiernos Atómicos donde el Iniciado tiene que bajar, simboliza *"bajar para subir"*.

En su vestido hay un triángulo con el vértice hacia arriba, ésto representa las 3 Fuerzas Primarias reunidas en Keter, el 1. A un lado hay una mesa que representa los 4 Elementos (Tierra, Agua, Fuego, Aire), el Mundo Físico.

Sobre la mesa se encuentran varios elementos en desorden: la Espada de Poder, el Lingam (órgano sexual masculino), un Cáliz que representa el cerebro físico y por otra parte el Yoni (órgano sexual femenino), y una Luna que hay que convertir en Sol.

Bajo la mesa se encuentra el Ibis Inmortal, el Ave Fénix, el Cisne Kala-Hamsa, el Espíritu Santo que simboliza el Amor, está debajo de la mesa indicando que es por medio del Fuego Sagrado del Tercer Logos que hay que ordenar los elementos desordenados sobre la mesa.

En la parte inferior, en Las Aguas de la Vida encontramos La Piedra Cúbica, La Piedra Filosofal ya labrada indicándonos que es el trabajo que hay que realizar, esa es la Piedra Cúbica de Jesod, el Sexo: *"Piedra de tropiezo y roca de escándalo"*.

SIGNIFICADO ESOTERICO DEL ARCANO: El estudio esotérico del Tarot está dividido en dos partes, la ESOTERICA Y LA MATEMATICA. La primera consta de 22 Arcanos, después se inician los avances a través de las Matemáticas.

El Arcano No. 1 es El Mago, lo que Inicia, lo que comienza, el Uno, es la Unidad, el Espíritu Divino de cada persona, La Monada o Chispa Inmortal de todo ser humano, de toda criatura. El Uno es la Madre de todas las Unidades, El Uno se desdobla en Dos, que es el siguiente Arcano: La Sacerdotisa.

En el Arcano No. 1 entramos en el Santo Regnum de la Magia, sobre la cabeza se ve el Santo Ocho representado por dos ojos, es el Símbolo del Infinito, representando a los 8 Kabires, símbolo de la Vida y de la Muerte.

En el centro de la Tierra, en la Novena Esfera se encuentra este símbolo sagrado del Infinito.

Sobre este símbolo giran todos los organismos, como el del cuerpo humano dentro de aquel que quiera Auto-Realizarse; siempre hay una eterna lucha: "Cerebro contra Sexo", "Sexo contra Cerebro", "Corazón contra Corazón". Pero si el Sexo domina el Cerebro se produce la caída y el Pentagrama (representa al Maestro) queda con las puntas hacia arriba y la cabeza hacia abajo.

El Santo Ocho es un símbolo muy importante e interesante, encierra, define y enlaza las corrientes magnéticas que se establecen entre el Hombre Terrenal y el Espiritual. Tal signo junta o separa todos los elementos regidos por la energía atómica, si se traza con los dedos medio, índice y pulgar sobre la superficie del Plexo Cardíaco.

PRACTICA

"Poner la mente quieta y en silencio, adormecerse pensando en la figura del Santo Ocho (Infinito), hacer trazos sobre el corazón de acuerdo con la descripción anterior. Dejad a dicha figura sumergirse en vuestra Conciencia, luego poned la mente en blanco sin pensar en nada.

Así después de cierto tiempo Despertaréis Conciencia en esa Región que se llama Mundo Astral".

Si observamos la columna vertebral veremos el Santo Ocho y ahí el Caduceo de Mercurio o Hermes que representa los dos cordones ganglionares que se enroscan en la médula espinal y que son: Idá y Pingalá, los Dos Testigos, las Dos Olivas, los Dos Candelabros que están delante del Trono del Dios de la Tierra y que ascienden al cerebro hasta la glándula Pineal, luego a la Pituitaria en el entrecejo, llegando finalmente al corazón por un hilo finísimo llamado Amrita-Nadi.

Por el cordón de la derecha suben los Atomos Solares, por el de la izquierda suben los Atomos Lunares. Cuando ascienden por la espina dorsal, encienden nuestros Mágicos Poderes, el Santo Ocho es, ha sido y será la clave de todo. Un Mago no existe sin el Santo Ocho.

Si se considera el trazo de este símbolo vemos que encierra un doble circuito, donde se cruzan las dos fuerzas, una cierra y otra abre.

Esta es la llave para abrir todas las puertas. Abre nuestro Templo Interior, es el signo que abre el Libro de los Siete Sellos.

En la Orden Sagrada del Tíbet se usa para todo. Esta Orden a la cual tenemos el alto honor de representar aquí en México, es la más poderosa de toda la tradición oriental. Se compone de 201 miembros, la Plana Mayor está formada por 72 Brahamanes, el Gran Regente de dicha orden es el Gran Guruji Bagavan Aclaiva.

La Orden Sagrada del Tíbet, es la genuina depositaria del Real Tesoro del Aryavarta. Este tesoro es el Arcano A.Z.F.

EJERCICIO

"Momentos antes de acostarse concéntrese en la Sagrada Orden del Tíbet y en el Santo Ocho, llamando al Maestro Bagavan Aclaiva, él ayudará a salir en Cuerpo Astral".

Una noche cualquiera seremos invocados a la Logia del Tíbet y seremos sometidos en el Templo del Himalaya a siete pruebas; cuando a uno lo llaman lo jalan de los pies para presentarse parado.

Pero hay que tener valor porque serán sometidos a muchas pruebas y muy duras. Serán decapitados y atravesados por el corazón con una espada, hay que tener valor, el que tiene aspiración y constancia triunfa. La Orden Sagrada del Tíbet es muy exigente, ahí se encuentran los verdaderos Rectores de la humanidad.

El Fuego del Flegetonte y el Agua del Aqueronte, se entrecruzan en la Novena Esfera, el Sexo, formando el signo del Infinito. Hay que trabajar con el Agua y el Fuego, origen de Bestias, Hombres y Dioses, *"el que quiera subir tiene primero que bajar"*, esto es terrible. Esta es la prueba máxima, casi todos fracasamos.

Todo en la vida tiene un precio, nada se nos da regalado. La Auto-Realización cuesta la vida, se debe tener valor y tal vez sea admitido en la Orden Sagrada del Tíbet.

Tal como está constituida la Tierra también nuestro organismo lo está, necesitamos trabajar y bajar a nuestros propios Mundos Infiernos.

Hay que trabajar con el Sexo, ésta es la Piedra Cúbica de Jesod.

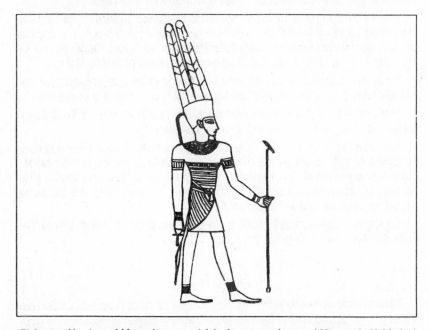

"El Arcano No. 1 es el Mago, lo que se Inicia, lo que comienza, el Uno, es la Unidad, el Espíritu Divino de cada persona".

CAPITULO 2

ARCANO No. 2 "LA SACERDOTISA"

DESCRIPCION DE LA LAMINA: En las Aguas de la Vida aparecen dos columnas del templo de Isis, la blanca Jachin y la negra Boaz; cada una con cuatro peldaños significando los Cuatro Cuerpos de Pecado (Físico, Vital, Astral, Mental), arriba aparece una Maestra sentada entre dos columnas más grandes. Ella está dentro de un Templo, está hacia nosotros, por eso las columnas están al revés. El estar sentada nos indica su aspecto Pasivo, en el Arcano No. 1 El Mago está parado, aspecto Activo. Está mostrando su perfil izquierdo, su aspecto Negativo.

En su regazo un libro medio abierto que cubre a medias con su manto, indicando que ella es La Sabiduría, ella enseña la Kábala. En su pecho la Cruz Ansada, el símbolo de la vida, el fundamento, Venus, La

Cruz Tao. La cruz sobre el pecho desnudo significa que su producto, la leche, son las Virtudes.

La Serpiente sobre la frente indica Maestría, que está levantada.

Sobre su cabeza los cuernos del Toro Sagrado Apis, esposo de la Vaca Divina; los cuernos simbolizan internamente el Padre y externamente el "Yo Psicológico" (nuestros Defectos). Encontramos también los atributos del Ternerillo o Kabir. El círculo es la Serpiente que se muerde la cola, representa a la Madre Cósmica, la Vaca Sagrada. El velo que cae sobre su rostro es el Velo de Isis.

SIGNIFICADO ESOTERICO DEL ARCANO: El Arcano No. 2 es La Sacerdotisa, la Ciencia Oculta. En el campo del Espíritu, el Uno, es el Padre que está en Secreto, el Dos es la Madre Divina, que es el desdoblamiento del Padre.

El Libro Sagrado de los Mayas, El Popol Vuh, dice que Dios creó al hombre de barro y después de madera (la raza Atlante), pero ellos se olvidaron de sus "Padres y Madres", se olvidaron del "Corazón del Cielo", luego vino un gran diluvio y todos perecieron, se metían en cavernas para guarecerse y éstas se derrumbaban (se refiere a la sumersión de la Atlántida). Así pues cada quien tiene a su Padre y a su Madre Divina que son muy sagrados.

En el Padre y en la Madre Kundalini vemos las dos columnas Jachin y Boaz que son las que sostienen el Templo.

La letra hebraica Beth expresa el dualismo de las dos columnas del Templo; Jachin la columna derecha de color Blanco, el Hombre, Principio Masculino; y Boaz la columna izquierda Negra, la Mujer, el Principio Femenino.

Entre las dos columnas J. y B. está el Gran Arcano, precisamente esto no lo entienden muchos hermanos Masones.

Se coloca la Piedra Cúbica en estado bruto entre las dos columnas y se convierte en la Piedra Cúbica de Jesod ya labrada, esto no es otra cosa que el Sexo, el Sephirote Jesod, hay que conocer el Arcano, el Maithuna representado por el cincel de la Inteligencia y el martillo de la Voluntad.

Las palabras inefables de la Diosa Neith han sido esculpidas con letras de oro en los muros resplandecientes del Templo de la Sabiduría: *"Yo soy la que ha sido, es y será, y ningún mortal ha levantado mi velo".* El velo simboliza que los secretos de la Madre Naturaleza están ocultos para el profano, y que sólo el Iniciado, después de incesantes purificaciones y meditaciones logra descorrer. Vosotros debéis ser valientes y levantar el Velo de Isis; nuestra divisa Gnóstica es THELEMA (Voluntad).

El No. 1, El Padre que está en secreto, es el Eterno Principio Masculino, es en sí mismo Brahma, que no tiene forma, impersonal, inefable, podemos simbolizarlo con el Sol. El No. 2, La Madre Divina, es el Eterno Principio Femenino que se puede simbolizar con la Luna. Brahma, no tiene forma, es Aquello, pero en sí mismo es el gobernador del Universo, es Ishvara, Principio Masculino Eterno, el Principio Universal de Vida.

El Principio Universal de Vida se desdobla en el Eterno Principio Femenino Universal, que es el Gran Pralaya del Universo, del Cosmos, seno fecundo donde todo nace y a donde todo vuelve.

En el ser humano la Madre Cósmica asume la forma de una Serpiente. Hay dos serpientes: La Serpiente Tentadora del Edén, es la de la Diosa Kali, del abominable Organo Kundartiguador y la Serpiente de Bronce que sanaba a los Israelitas en el desierto o Serpiente Kundalini. Son los dos Principios Femeninos del Universo; la Virgen y la Ramera; la Madre Divina o Luna Blanca y la Luna Negra referente a Astarot, (Kali, aspecto Tenebroso).

El Arcano No. 2 es el de la Sacerdotisa, en ocultismo se dice que es la manifestación Dual de la Unidad. La Unidad al desdoblarse da origen a la Femineidad Receptora y Productora en toda la Naturaleza. Es obvio que dentro del organismo humano está el No. 2 (la Imaginación), y éste está relacionado con el No. 1, (La Voluntad).

Hay que distinguir entre la Imaginación Intencional y la Imaginación Mecánica, es obvio que la Imaginación Mecánica resulta siendo la misma Fantasía. La clave de poder se halla en unir la Voluntad y la Imaginación en vibrante armonía.

Hay una clave para salir en Astral y ésta es rápida: *"al despertarse del sueño normal, cerrar uno sus ojos al despertar, sin moverse, y con los ojos cerrados imaginarse vivamente cualquier sitio (pero no imaginar que se está imaginando). Hay que traducirlo en hechos, siéntanse plenamente seguros de estar en el lugar imaginado, unir la Voluntad a la Imaginación y es lógico que si se logra la unión el resultado es el triunfo. Poner la Imaginación en juego, echar a caminar en el lugar que se esté imaginando con Fe".*

Si se hace la práctica y se logra el juego de la Voluntad e Imaginación (ésta es femenina) sin moverse en la cama, conservando el sueño e imaginando el lugar, al poner en juego la Voluntad y echarse a caminar con firmeza, ya se puede ir a donde se quiera.

En cierta ocasión me encontraba en una selva y pasando por un camino me hablaron de una montaña, por ser peligroso el lugar fui a investigar en Astral. Me imaginé la montaña, vi niebla, unas escalinatas y un grupo de adeptos, al entrar a ese sitio me dieron una cuchara con miel de abejas, el alimento de la Logia Blanca y el Pan de la Sabiduría, luego me dijeron que me purgara con aceite de recino para limpiar el estómago. Al otro día salí del cuerpo al que ya le había limpiado el estómago. Vi las estrellas e hice la Runa Man, los adeptos me ordenaron descender a los Mundos Infiernos, entré en una región de profundas tinieblas donde me atacaron unas bestias terribles. Eran mis Yoes, me tocó meterme por puertas donde apenas si cabía, por estrechos caminos y de ahí salir por un panteón. Todo lo del "Ego" es muerte y desgracia, es Mefistófeles, hay que trabajar muy duro.

"El Arcano No. 2 es la Sacerdotisa, la Ciencia Oculta; El Dos es la Madre Divina que es el desdoblamiento del Padre que está en secreto".

CAPITULO 3

ARCANO No. 3 "LA EMPERATRIZ"

DESCRIPCION DE LA LAMINA: En la parte central aparece una mujer coronada por 12 Estrellas (1 + 2 = 3) que representan los 12 Signos Zodiacales, las 12 Puertas de la Ciudad Santa, las 12 Llaves de Basilio Valentín, los 12 Mundos del Sistema Solar de Ors. Sobre su cabeza una Copa y en la misma asoma una Serpiente, símbolo de la Maestría, que está levantada.

En su brazo derecho el Báculo de Poder, con la mano izquierda intenta alcanzar la paloma que representa el Espíritu Santo su ropaje es Solar, todo indica que es el Alma Cristificada, productos de los Arcanos 1 y 2. Está sentada sobre la Piedra Cúbica ya trabajada perfectamente. En las Aguas de la Vida está la Luna bajo los pies, indicando que hay que pisotearla para convertirla en Sol.

SIGNIFICADO ESOTERICO DEL ARCANO: El No. 3 es La Emperatriz, es La Luz Divina, la Luz en sí misma, es "La Madre Divina". Corresponde a aquella parte del Génesis que dice: *"Dios Dijo Hágase la
Luz y la Luz fue Hecha"*, desde el primer día de la creación.

También es el número del Tercer Logos, que domina en toda forma
de creación, es el ritmo del Creador.

La Madre Celeste, en el campo material significa Producción Material, y lo mismo en el campo espiritual significa Producción Espiritual.

Si se analiza más profundamente se descubre un aspecto muy interesante, el No. 1 es el Padre que está en Secreto, la Mónada, y de ahí
nace la Madre Divina Kundalini, la Duada; ésta a su vez se desdobla en
el No. 3 que es Padre, Madre e Hijo, éste es el Espíritu Divino e Inmortal de cada viviente, y los tres, Osiris el Padre, Isis la Madre y Horus el
Hijo, vienen a constituir lo que el Libro Sagrado de los Mayas, el Popol-
Vuh llama "El Corazón del Cielo".

El Hijo a su vez se desdobla en el Alma Anímica que lleva cada quien
dentro.

El Zohar, el libro Hebreo más antiguo y fundamento de la Kábala y
el Antiguo Testamento, insiste en los 3 Elementos Principios, que componen el mundo. Tales elementos son:

SCHIN - SIGNIFICA FUEGO EN KABALA

MEN   - SIGNIFICA AGUA

ALEPH - SIGNIFICA AIRE

En estos 3 Elementos Principales está la síntesis perfecta de todo lo
que es, de los 4 Elementos manifestados.

El poderoso Mantram I.A.O. resume el poder mágico del triángulo de
Elementos Principios.

I - IGNIS - FUEGO

A - AGUA - AGUA

O - ORIGO - PRINCIPIO, ESPÍRITU, AIRE

En todas las Escuelas de Misterios no pueden faltar estos mantrams.
Ahí vamos viendo el esoterismo del Santo 3. El I. A. O. es el mantram
fundamental del Maithuna, es en la Novena Esfera donde debe resonar,
quien quiera hacer subir por el canal medular el Alma del Mundo debe

trabajar con el Azufre (Fuego), con el Mercurio (Agua) y con la Sal (Tierra Filosófica).

Estos son los 3 Elementos, los 3 Principios para trabajar en la Fragua Encendida de Vulcano.

En el manuscrito Azoth de Basilio Valentín se encuentra el Secreto de la Gran Obra. Las 12 Llaves Secretas es la Energía Sexual del Logos, cuando la Rosa del Espíritu florece en la Cruz de nuestro cuerpo.

Los 3 Elementos Principales son las 3 letras hebraicas que corresponden a los 3 Elementos Principios dentro de la Gran Obra de la Naturaleza, así elaboramos nosotros el Oro Vivo. Aquel que no fabrica Oro Espiritual no es Esoterista. Se baja a la Novena Esfera y se lo fabrica en la Fragua Encendida de Vulcano.

El Kabalista-Alquimista, debe aprender a usar el Azufre, el Mercurio y la Sal.

Usando azufre en el calzado se destruyen las larvas del Cuerpo Astral y los Incubos y Subcubos que son fabricados por imaginaciones eróticas. Son transparentes como el aire y absorben la vitalidad del Ser. En los cines, antros de Magia Negra, con películas morbosas, se adhieren a uno y hay que llevar flor de azufre en los zapatos y con eso se destruyen las larvas. Quemando azufre en ascuas de carbón, se desintegran las formas malignas del pensamiento y las larvas encerradas dentro de una habitación.

El mercurio sirve para preparar el "Agua Lustral". En el fondo de un recipiente de cobre lleno de agua (que no sea una paila) se le añade mercurio y un espejo. Sirve para despertar la Clarividencia. Nostradamus hacía las adivinaciones con cobre y mercurio.

La sal tiene sus virtudes. En un recipiente mezclando sal con alcohol se prende fuego, para invocar a los Maestros de la Medicina, Adonai, Hipócrates, Galeno, Paracelso, cuando se necesita curar algún enfermo.

El Ternario, el Número Tres es muy importante. Es la Palabra, la Plenitud, la Fecundidad, la Naturaleza, la Generación de los Tres Mundos.

El Arcano 3 de la Kábala es esa Mujer vestida de Sol, con la Luna a sus pies y coronada con 12 Estrellas. El símbolo de la Reina del Cielo es la Emperatriz del Tarot, una misteriosa mujer coronada, sentada y con el Cetro de Mando y en cuyo extremo aparece el globo del Mundo. esta es la Urania-Venus de los Griegos, el Alma Cristificada, la Madre Celeste.

La Madre Divina, el Arcano No. 3, es la Madre Particular de cada uno de nosotros, es la Madre de nuestro Ser que debe pisotear la Luna, al Ego Lunar para que resplandezca sobre su cabeza Las 12 Estrellas, las 12 Facultades.

Para crear se necesitan 3 Fuerzas Primarias que vienen de arriba del Padre y existen en toda la creación:

FUERZA POSITIVA
FUERZA NEGATIVA
FUERZA NEUTRA

El Hombre es el Arcano No. 1 del Tarot, la Fuerza Positiva; la Mujer es el Arcano No. 2, la Fuerza Negativa y el Alma Cristificada es el resultado de la unión sexual de ambos. El Secreto es el Arcano A. Z. F., que transforma la Luna en Sol y representa 3 aspectos: Positivo, Negativo y Neutro.

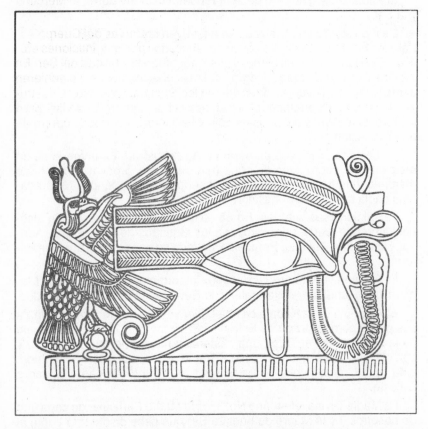

"El Ternario, el Número Tres es muy importante. Es la Palabra, la Plenitud, la Fecundidad, la Naturaleza, la Generación de los Tres Mundos".

CAPITULO 4

ARCANO No. 4 "EL EMPERADOR"

DESCRIPCION DE LA LAMINA: De la frente del Emperador sobresale la Serpiente símbolo de la Maestría; la corona formada de un áspid, el Thermuthis, pertenece a Isis, nuestra Madre Divina Kundalini Particular. Sobre su cabeza un bonete de 4 puntas, 4 ángulos, representando los 4 Elementos, los 4 Evangelios, los 4 Vedas, etc. También tenemos en el bonete el Alambique, el Recipiente: los organos sexuales; el Hornillo, el Chakra Muladhara: la columna espinal y el Destilador: el cerebro.

En su mano derecha sostiene el Báculo de Poder. Se encuentra sentado sobre la Piedra Cúbica perfectamente labrada, producto de los anteriores Arcanos. Dentro de la Piedra el gato, el Fuego. En las Aguas de

la Vida se encuentra el Bastón de Mando, la Columna Vertebral.
SIGNIFICADO ESOTERICO DEL ARCANO: La Cruz tiene 4 puntas. La Cruz de la Iniciación es fálica, la inserción del phalo vertical en el cteis femenino forman la Cruz. Es la Cruz de la Iniciación que nosotros debemos echar sobre nuestros hombros.

Debemos comprender que con sus 4 puntas simboliza los 4 Puntos Cardinales de la Tierra, Norte, Sur, Oriente y Occidente. Las 4 Edades, Oro, Plata, Cobre y Hierro. Las 4 Estaciones del año. Las 4 Fases de la Luna. Los 4 Caminos: Ciencia, Filosofía, Arte y Religión; al hablar de los 4 Caminos debemos comprender que todos son uno solo, este camino es el Camino Angosto y Estrecho del Filo de la Navaja, el Camino de la Revolución de la Conciencia.

La Cruz es un símbolo muy antiguo, empleado desde siempre, en todas las religiones, en todos los pueblos y erraría quien la considerase como un emblema exclusivo de tal o cual secta religiosa; cuando los conquistadores Españoles llegaron a la tierra santa de los Aztecas encontraron la cruz sobre los altares.

El signo de la Cruz, sublime monograma del Cristo Nuestro Señor, del que la Cruz de San Andrés y la milagrosa Llave de San Pedro son réplicas maravillosas de igual valor Alkimista y Kabalista. Es pues, la marca capaz de asegurar la victoria a los trabajadores de la "Gran Obra".

La Cruz Sexual símbolo viviente del cruzamiento del Lingam-Yoni tiene la huella inconfundible y maravillosa de los 3 clavos que se emplearon para inmolar al Cristo-Materia, imagen de las 3 Purificaciones por el Hierro y por el Fuego, sin las cuales Nuestro Señor no hubiera podido lograr la Resurrección.

La Cruz es el jeroglífico antiguo, Alkímico, del Crisol (creuset) al que antes se llamaba en Francés, cruzel, crucibile, croiset. En Latín, crucibulum crisol, tenía por raíz, crux, crucis, cruz. Es evidente que todo ésto nos invita a la reflexión.

Es en el crisol donde la materia prima de la Gran Obra sufre con infinita paciencia la pasión del Señor. En el Erótico Crisol de la Alkimia Sexual Muere el "Ego" y renace el "Ave Fénix" de entre sus propias cenizas: INRI, "In Necis Renascere Integer". (En la muerte renacer intacto y puro).

La inserción del phalo vertical dentro del utero formal hace cruz y esto es algo que cualquiera lo puede verificar.

Si reflexionamos muy seriamente en esa íntima relación, existente entre la "S" y la "Tau", "Cruz" o "T", llegamos a la conclusión lógica de que sólo mediante el cruzamiento del "Lingam-Yoni" (Phalo-Utero), con exclusión radical del orgasmo fisiológico, se puede despertar el "Kundalini" la Serpiente Ignea de nuestros Mágicos Poderes.

En la concepción Nahuatl y Maya, la Svástica Sagrada de los Grandes Misterios, estuvo siempre definida con la Cruz en Movimiento; es el "Nahui-Ollin" Nahuatl; símbolo sagrado del Movimiento Cósmico.

Las dos orientaciones posibles de la Svástica, representan claramente los principios Masculino y Femenino, Positivo y Negativo de la Naturaleza. Dos Svásticas de una y otra dirección exactamente superpuestas, forman indubitablemente la Cruz Potenzada, y en este sentido representan la conjunción erótica de los sexos.

Según la leyenda Azteca, fue una pareja, un hombre y una mujer, los que inventaron el Fuego y esto sólo es posible con la Cruz en Movimiento INRI, Ignes Natura Renovatur Integer; "El Fuego Renueva Incesantemente la Naturaleza".

La Cruz también revela la "Cuadratura del Círculo", la clave del Movimiento Perpetuo. Ese Movimiento Perpetuo sólo es posible mediante la Fuerza Sexual del Tercer Logos. Si la Energía del Tercer Logos dejara de fluir en el Universo, el Movimiento Perpetuo terminaría y vendría el desquiciamiento cósmico. El Tercer Logos organiza el vórtice fundamental de todo el Universo naciente, y el vértice infinitesimal del ultérrimo átomo de cualquier creación.

Con el Arcano Cuatro del Tarot el Ser echa sobre sus hombros la Cruz de la Iniciación.

Si hacemos la siguiente suma kábalistica del Arcano 4:

(1 + 2 + 3 + 4 = 10) encontramos que (10 = 1 + 0 = 1), la Mónada.

Tetragrammatón es igual a la Monada.

"El Tercer Logos organiza el vórtice fundamental de todo el Universo naciente".

CAPITULO 5

ARCANO No. 5 "EL JERARCA"

ỷ ♍ EL JERARCA ⊓ 5

DESCRIPCION DE LA LAMINA: En esta lámina encontramos al Jerarca con su malla de guerra, sosteniendo a su diestra el Báculo del Poder. Utiliza la máscara de chacal únicamente cuando está oficiando, para hacer Justicia, simbolizando la Suprema Piedad y la Suprema Impiedad de la Ley. En las Aguas de la Vida se encuentra la Balanza de la Justicia, indicando que los movimientos, acciones y reacciones del Cuerpo Físico se basan en la Energía.

SIGNIFICADO ESOTERICO DEL ARCANO: El número 5 es grandioso, sublime, es el número del rigor y de la Ley, es el número de Marte y de la guerra. El Arcano No. 5 del Tarot nos indica la Enseñanza, el Karma. Simboliza el 5º Ciclo, la 5ª Raza, el 5º Sol, los 5 Tattvas, los 5

Dedos, los 5 Evangelios, los 5 Sentidos, las 5 Celdillas del cerebro y ovario, los 5 Aspectos de la Madre Divina.

La carta No. 5 del Tarot es Iniciación, Demostración, Enseñanza, Ley Kármica, Filosofía, Ciencia, Arte. Vivimos en la Edad de Samael, el 5º de los 7; se ha iniciado el retorno hacia la Gran Luz. La vida ha empezado a fluir de fuera hacia dentro, estamos ante el dilema del Ser o no Ser, necesitamos definirnos o Angeles o Demonios, o Aguilas o Reptiles, enfrentarnos ante nuestro propio destino.

El Arcano No. 5 es el Hierofante, La Ley, el Rigor, es el Pentagrama Flameante, la Estrella Flamígera, el signo de la Omnipotencia Divina; éste es el símbolo inefable del Verbo hecho carne, el Lucero terrible de los Magos.

El Pentagrama representa al Hombre, al Microcosmos Hombre que con los brazos y piernas abiertos, es la Estrella de Cinco Puntas.

El Pentagrama con las dos puntas hacia arriba representa a Satán, lo utilizan en la Magia Negra para las invocaciones de los tenebrosos. Con el ángulo superior hacia arriba, representa al Cristo Interno de todo hombre que viene a este mundo; simboliza a lo Divinal, la utilizamos con la Magia Blanca para llamar a los Seres Divinos. Acostado al pie de la puerta con los dos pies hacia afuera no entran las entidades tenebrosas, al contrario, el Pentagrama Invertido con los dos pies hacia adentro, permite la entrada a los tenebrosos.

En el ángulo superior del Pentagrama encontramos los Ojos del Espíritu, y el signo de Júpiter, Padre Sagrado de los Dioses. En los brazos el signo de Marte, símbolo de la Fuerza. En los pies el signo de Saturno, símbolo de la Magia. En el centro el símbolo de la Filosofía Oculta, el Caduceo de Mercurio y el signo de Venus. El Caduceo de Mercurio representa la Espina Dorsal y las dos alas el ascenso del Fuego Sagrado a lo largo de la espina dorsal, abriendo las 7 Iglesias del Apocalipsis de San Juan (los 7 Chakras) por medio de la Castidad Científica. El cáliz, símbolo del Yoni Femenino, también representa la Mente Cristalizada conteniendo el Vino de la Luz que seminiza el cerebro. La Espada es el Phalo Masculino. También encontramos la Llave y el Pentáculo de Salomón. El Tetragrammaton es un mantram de inmenso poder sacerdotal.

Según Matemáticas Trasfinitas:

INFINITO + INFINITO = PENTALFA.

Los estudiantes pueden elaborar un Electrum para protegerse contra los tenebrosos, llamamos Electrum en ocultismo al Pentagrama hecho con los 7 Metales de los 7 Planetas.

PLATA	LUNA
MERCURIO	MERCURIO
COBRE	VENUS
ORO	SOL
HIERRO	MARTE
ESTAÑO	JUPITER
PLOMO	SATURNO

Se hace el pentagrama y se consagra con los 4 elementos, Fuego, Aire, Tierra y Agua, y se sahuma con 5 Perfumes: Incienso, Mirra, Aloe, Azufre y Alcanfor; de estas 5 substancias que sirven para consagrar el pentagrama, las 3 primeras son para invocar lo Blanco, el azufre para rechazar las entidades tenebrosas y el alcanfor perfuma y atrae el éxito, hay que aprender a manejar estas substancias. Al Pentagrama hay que ponerle las 4 letras de Iod-He-Vau-He y cargarlo al cuello, dándonos una protección extraordinaria.

En la Consagración se insufla el aliento 5 veces, presentándose al Real Ser Cristónico del Maestro Interno para la consagración de la Pentalfa, y se invoca a los 5 Arcángeles: Gabriel, Rafael, Samael, Anael y Orifiel.

Si podemos elaborar un Pentagrama metálico y consagrarlo, también podemos Auto-Consagrarnos con los mismos ritos y perfumes que utilizamos para nuestro Pentagrama metálico, porque el hombre es una Estrella de 5 puntas.

Todos aquellos que se sientan sucios, con larvas, o en la miseria, deben utilizar los 5 perfumes para sahumarse con ellos, a condición de hollar la Senda de la Perfecta Castidad. En los Lumisiales debe establecerse la costumbre de limpiar a los hermanos que se hallen llenos de larvas. Así ellos recibirán el beneficio en sus Almas y en sus Cuerpos.

En el "Libro de los Muertos", Capítulo LIX, dice NU triunfador: *"Soy el Chacal de los Chacales, y aire obtengo de la presencia del Dios de la Luz, y lo conduzco a los límites del firmamento, y a los confines de la Tierra, y a las fronteras de los extremos el vuelo del ave Neveh. Así se otorgue aire a estos Jóvenes Seres Divinos"*.

El Jerarca del Arcano 5, el Chacal de los Chacales es el Jefe de los Arcontes del destino, es Anubis, el Dios de cabeza de Chacal.

El Templo de Anubis es el Templo de los Señores del Karma. Anubis lleva los libros del Karma, en el Submundo. Cada ser humano tiene su libro de negocios.

Aquellos que aprendan a manejar su KA (el Cuerpo Astral), pueden visitar el Templo del Chacal de los Chacales, para consultar su libro y hacer sus negocios.

También se pueden solicitar créditos a los Señores del Karma. Todo crédito hay que pagarlo, trabajando en la Gran Obra del Padre o sufriendo lo indecible.

Cuando el Logos del Sistema Solar me entregó la túnica y el manto de Hierofante de Misterios Mayores, me dijo: *"Aquí te pago lo que te debo, por las prácticas que habéis enseñado"*.

Quien quiera Luz debe dar Luz, para que reciba su pago.

El Chacal de los Chacales conduce a la Luz por todos los límites del firmamento, y llega hasta las fronteras del ave Neveh, la enorme Serpiente, uno de los 42 Jueces de Maat en el juicio. Ese Gran Juez es Logos del Sistema Solar. El Chacal de Chacales trabaja bajo las órdenes de este Gran Juez. Estos Jóvenes Seres Divinos que trabajan con Anubis, son los Señores del Karma.

El alquimista debe aprender a manejar su KA, para visitar el Templo del Chacal de Chacales y arreglar sus negocios. En nuestro trabajo con la Piedra Bendita, es indispensable aprender a manejar conscientemente nuestros negocios.

Nadie se escapa de la Justicia, ya que en el fondo de nuestra Conciencia, existe el KAOM, el Policía del Karma, que toma forma cada vez que registra una acción positiva o negativa.

CAPITULO 6

ARCANO No. 6 "LA INDECISION"

♀♉ **LA INDECISION** ק 6

DESCRIPCION DE LA LAMINA: Parado en las Aguas de la Vida se encuentra el discípulo frente a un triángulo con el vértice hacia abajo. Su brazo izquierdo se encuentra colocado encima del derecho. Todo ello significa que el discípulo está caído; por ello siente más atracción hacia la Medusa (el Yo Psicológico) situada a su izquierda. A su derecha se encuentra una Maestra. Este Arcano se llama "La Indecisión" porque el discípulo no sabe por cuál camino decidirse.

En la parte superior un Jerarca de la Ley sentado sobre un triángulo con el vértice hacia arriba, formado por el arco, apunta con su flecha a la cabeza de la Medusa, de acuerdo con el axioma: *"Hay que Decapitar a la Medusa"*.

Cada figura presenta al neófito un camino distinto. El Camino de la Izquierda y el Camino de la Derecha. La flecha de la Justicia apunta contra el Camino de la Izquierda.

SIGNIFICADO ESOTERICO DEL ARCANO: El Arcano Seis es el Enamorado del Tarot, significa Realización. Se encuentra el ser humano entre el Vicio, la Virtud, la Virgen y la Ramera, Urania-Venus y la Medusa. Se encuentra uno en tener que elegir este o aquel camino.

El Arcano No. 6, es encantamiento, equilibrio, unión amorosa de Hombre y Mujer. Lucha terrible entre el Amor y el Deseo. Ahí encontramos los Misterios del Lingam-Yoni. Es enlazamiento.

En el Arcano No. 6 está la lucha entre los Dos Ternarios, es la Afirmación del Cristo Interno y la Suprema Negación del Satán.

El Arcano No 6, es la lucha entre el Espíritu y la Bestia Animal. El número Seis representa la lucha entre Dios y el Diablo. Este Arcano está expresado por el Sello de Salomón. El triángulo superior representa el Kether, Chomah y Binah, el resplandeciente Dragón de Sabiduría (Padre, Hijo y Espíritu Santo); el triángulo inferior representa a los Tres Traidores que vienen a ser la antítesis de la Triada Divina, y que son los Demonios del Deseo, de la Mente y de la Mala Voluntad, que traicionan al Cristo Interno momento a momento y son las bases del Ego (Judas, Caifás y Pilatos); este triángulo inferior es el Dragón Negro.

"Lucha terrible entre el Amor y el Deseo. Ahí encontramos los Misterios del Lingam-Yoni. Es enlazamiento. Es la Lucha entre el Espíritu y la Bestia Animal, entre Dios y El Diablo".

CAPITULO 7

ARCANO No. 7 "EL TRIUNFO"

ψ ⊬ EL TRIUNFO ♈ 7

DESCRIPCION DE LA LAMINA: En esta lámina aparecen en las Aguas de la Vida, dos esfinges, la Blanca y la Negra, que tiran su carro, simbolizan las Fuerzas Masculinas y Femeninas. Un guerrero que representa el Intimo está de pie en su Carro de Guerra, en la Piedra Cúbica (el Sexo) y entre los 4 Pilares que constituyen Ciencia, Arte, Filosofía y Religión, en las cuales se desenvuelve. Los 4 Pilares también representan los 4 Elementos, indicando que los domina.

En su mano derecha la Espada Flamígera y en su izquierda el Báculo de Poder. La Coraza es la Ciencia Divina que nos hace poderosos. El guerrero debe aprender a usar el Báculo y la Espada, así logrará la Gran Victoria.

En su cabeza un bonete de 3 picos, representa las 3 Fuerzas Primarias; en la parte superior aparece Ra, el Cristo Cósmico (las Alas).

SIGNIFICADO ESOTERICO DEL ARCANO: El Arcano 7 representa las 7 Notas de la Lira de Orfeo, las 7 Notas musicales, los 7 Colores del prisma solar, los 7 Planetas, los 7 Vicios que debemos transmutar en las 7 Virtudes, los 7 Genios Siderales, los 7 Cuerpos, las 7 Dimensiones, los 7 Grados de Poder del Fuego, las 7 Palabras Secretas pronunciadas por el Logos Solar (del Calvario), etc.

El Arcano No. 7 es el Carro de Guerra que ha realizado la Mónada para poder actuar en este mundo, con poder para trabajar en este campo de la vida. Es la Mónada ya realizada manifestándose por sus 7 Cuerpos. Desde otro aspecto el 7 es luchas, batallas, dificultades; mas vence siempre a pesar de las luchas.

El Padre que está en Secreto o sea la Mónada Divina, es Inmortal Omnisciente, pero sin Auto-Realización, no puede dominar el Físico, no tiene la soberanía sobre los Elementos, parece increíble que nosotros, míseros gusanos, *"tenemos que hacer poderoso al Padre"* parece blasfemia, pero El tiene que Auto-Realizarse.

Una Mónada Realizada es poderosa, tiene poder sobre el Fuego, Aire, Agua, Tierra; por eso es que en el Libro de los Muertos de los Egipcios, el devoto se dirige a Horus: *"Yo te fortifico tus piernas y tus brazos"*. A su vez el devoto le pide que fortifique sus Tres Cerebros (Intelectual, Emocional, Motor); pues Horus necesita que el devoto tenga sus Tres Cerebros fuertes.

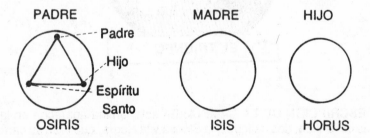

PADRE   MADRE   HIJO

---- Padre
Hijo
Espíritu
Santo

OSIRIS   ISIS   HORUS

En Teogonía Egipcia el Padre (Padre, Hijo y Espíritu Santo) es Osiris o Ra y Ra es el Logos con sus tres aspectos. Cuando se habla de la Mónada se refiere a Osiris, es El quien tiene que Auto-Realizarse, a su vez tiene que desdoblarse en Padre, Madre e Hijo; el Hijo se desdobla en la Esencia y ésta se lo traga a uno, quedando la Mónada Auto-Realizada.

ESENCIA -------►HIJO -------►MADRE -------►PADRE

La Mónada de cada quien necesita de nosotros y nosotros de Ella. Hablando con mi Mónada me dijo: *"yo te estoy Auto-Realizando, lo que estoy haciendo es para ti"*.

De otra manera, ¿Para qué vivimos?. Hay un objetivo: la Mónada Quiere Auto-Realizarse y por eso estamos aquí.

"Por eso es que en el Libro de los Muertos de los Egipcios, el devoto se dirige a Horus: Yo te fortifico tus piernas y tus brazos".

CAPITULO 8

ARCANO No. 8 "LA JUSTICIA"

ħ♊ **LA JUSTICIA** ∏ 8

DESCRIPCION DE LA LAMINA: En este Arcano aparece en las Aguas de la Vida La Serpiente mordiéndose la cola, formando el signo de la Madre Cósmica, el Infinito (0), (cero).

Una mujer se encuentra arrodillada sobre un túmulo de 3 escalones representando el Arcano A.Z.F. (Agua más Fuego igual a Conciencia). La mujer sostiene la Espada de Poder hacia arriba con la mano izquierda y con la otra mano equilibra una balanza, señalando el equilibrio que debe existir entre Mente, Corazón y Sexo. En la parte superior aparece Ra (es otro símbolo de Ra aparte de las alas).

SIGNIFICADO ESOTERICO DEL ARCANO: El Arcano No. 8 es el Juicio, el No. 8 es el número de Job, pruebas y dolores, se le representa con una espada que corresponde a lo esotérico.

El número 8 es el número del Infinito. Las fuerzas vitales del Fuego del Flegetonte y el Agua del Aqueronte circulan entrecruzándose en la Novena Esfera, en el corazón de la Tierra en forma de un ocho. En la espina dorsal está también formado el símbolo del Infinito. El signo del Infinito, significa trabajar en la Novena Esfera y ésta es el Sexo.

El Arcano No. 8 del Tarot es una mujer con una espada en la mano, ante la Balanza de la Justicia Cósmica. Realmente sólo ella puede entregarle La Espada al Mago; sin la mujer ningún iniciado logra recibir la Espada. Existe la Eva-Venus, la mujer instintiva. La Venus-Eva, la mujer noble del hogar. Existe la Venus-Urania, la mujer iniciada en los Grandes Misterios y por último afirmamos la existencia de la Urania-Venus, la mujer adepto, la mujer realizada a fondo.

La mujer del Arcano No.8 del Tarot tiene en una mano la Balanza y en la otra la Espada. Es necesario equilibrar las fuerzas, es necesario y urgente santificarnos absolutamente y practicar el Arcano A.Z.F., las fuerzas del hombre y la mujer se equilibran en el Amor y en la Sabiduría.

El ascenso milagroso de la Energía Seminal hasta el cerebro, se hace posible gracias a cierto par de cordones nerviosos que en forma de Ocho se desenvuelven a derecha e izquierda de la Espina Dorsal.

En la Filosofía China este par de cordones son conocidos con los clásicos nombres del "Ying" y del "Yang", siendo el "Tao" el Sendero del Medio, el Canal Medular, la Vía Secreta por donde asciende la Serpiente.

Es obvio que el primero de estos dos canales es de naturaleza Lunar, es ostensible que el segundo es de tipo Solar.

Cuando los átomos Lunares y Solares hacen contacto con el Triveni, cerca del coxis, despierta la Serpiente Ignea de Nuestros Mágicos Poderes.

La Serpiente que con su figura forma un Círculo, en aquel trance Gnóstico de devorar su propia cola, es una síntesis extraordinaria del mensaje maravilloso del Señor Quetzalcoatl, o en la posición vertical, que ilustra la idea Maya y Náhuatl de la Víbora Divina devorándose el Alma y al Espíritu del Hombre; o en fin, las Llamas Sexuales consumiendo al Ego Animal, aniquilándole, reduciéndolo a cenizas.

Incuestionablemente la Serpiente es el símbolo esotérico de la Sabiduría y del Conocimiento Oculto. La Serpiente ha sido relacionada con el Dios de la Sabiduría desde los antiguos tiempos.

La Serpiente es el símbolo sagrado de Thot y de todos los Dioses Santos tales como Hermes, Serapis, Jesús, Quetzalcoatl, Buddha, Tlaloc, Dante, Zoroastro, Bochica, etc, etc, etc.

Cualquier Adepto de la Fraternidad Universal Blanca puede ser figurado debidamente por la "Gran Serpiente", que ocupa un lugar tan notorio entre los símbolos de los Dioses en las piedras negras que registran los edificios Babilónicos.

Esculapio, Plutón, Esmun, Knepp, son todos Deidades con los atributos de la Serpiente, dice Dupuis. Todos son sanadores, dadores de Salud Espiritual y Física, y de la Iluminación.

Los Brahmanes obtuvieron su cosmogonía, ciencia y artes de culturización por los famosos "Naga-Mayas", llamados después "Danavas"; los "Nagas" y los "Brahamanes" usaron el símbolo sagrado de la Serpiente Emplumada, emblema indiscutible Mexicano y Maya. Los Upanishads contienen un tratado sobre la Ciencia de las Serpientes, o lo que es lo mismo, la Ciencia del Conocimiento Oculto.

Los "Nagas" (Serpientes) del Buddhismo Esotérico, son Hombres Auténticos, Perfectos, Auto-Realizados, en virtud de su conocimiento oculto y protectores de la Ley del Buddha por cuanto interpretan correctamente sus doctrinas metafísicas.

El Gran Kabir Jesús de Nazareth jamás hubiera aconsejado a sus discípulos que fuesen *tan sabios como la Serpiente*, si ésta hubiera sido un símbolo del Mal. No está de más recordar que los Ofitas, los Sabios Gnósticos Egipcios de la "Fraternidad de la Serpiente", nunca hubieran adorado a una culebra viva en sus ceremonias como emblema de la Sabiduría, la Divina Sophia, si ese reptil hubiese estado relacionado con las Potencias del Mal.

La Serpiente o Logos Salvador inspira al hombre para que reconozca su identidad con el Logos y así retorne a su propia esencia, que es ese Logos.

La Serpiente Sagrada o Logos Salvador duerme acurrucada en el fondo del arca, en acecho místico, aguardando el instante de ser despertada.

Kundalini, la Serpiente Ignea de nuestros Mágicos Poderes, enroscada dentro del Centro Magnético del Coxis (base de la espina dorsal) es luminosa como el relámpago.

Quienes estudian Fisiología Esotérica a lo Náhuatl, o a lo Indostán, enfatizan la idea trascendental de un Centro Magnético maravilloso ubicado en la base de la columna vertebral a una distancia media entre el orificio anal y los órganos sexuales.

En el centro del "Chakra Muladhara" hay un cuadro amarillo invisible para los ojos de la carne pero perceptible para la Clarividencia o Sexto Sentido; tal cuadrado representa según los Indúes el Elemento Tierra.

Se nos ha dicho que dentro del citado cuadrado existe un "Yoni" o "Utero" y que en el centro del mismo se encuentra un "Lingam" o "Phalo" erótico en el cual se halla enroscada la Serpiente, misteriosa Energía Psíquica llamada Kundalini.

La estructura esotérica de tal Centro Magnético, así como su posición insólita entre los órganos sexuales y el ano, dan basamentos sólidos irrefutables a las Escuelas Tántricas de la India y del Tíbet.

Es incuestionable que sólo mediante el Sahaja Maithuna o Magia Sexual puede ser despertada la Serpiente.

La Corona formada de un aspid, el Thermuthis, pertenece a Isis, nuestra Divina Madre Kundalini particular e individual, pues cada uno de nosotros tiene la suya.

La Serpiente como Deidad Femenina en nosotros, es la esposa del Espíritu Santo, nuestra Virgen Madre llorando al pie de la Cruz Sexual, con el corazón atravesado por 7 Puñales.

Indubitablemente la Serpiente de los Grandes Misterios es el aspecto femenino del Logos. Dios Madre, la esposa de Shiva, ella es Isis, Adonia, Tonantzin, Rea, María o mejor dijéramos Ram-io, Cibeles, Opis, Der, Flora, Paula, IO, Akka, la Gran Madre en sánscrito, la Diosa de los Lha, Lares o Espíritus de aquí abajo, la angustiada Madre de Huitzilopochtli, la Ak o Diosa Blanca en Turco, la Minerva Calcídica de los Misterios Iniciáticos, la Akabolzub del Templo Lunar de Chichen-Itza (Yucatán), etc, etc.

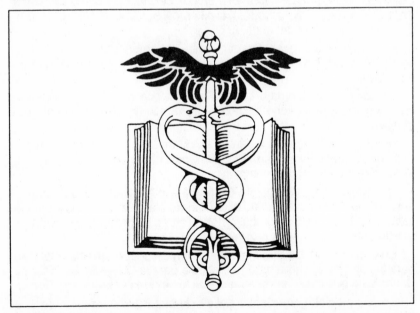

"Incuestionablemente la Serpiente es el símbolo esotérico de la Sabiduría y del Conocimiento Oculto desde los antiguos tiempos".

CAPITULO 9

ARCANO No. 9 "EL EREMITA"

♂ ♈ **EL EREMITA** ♍ 9

DESCRIPCION DE LA LAMINA: En este Arcano encontramos en las Aguas de la Vida una Luna que sube. En la parte media un Anciano Ermitaño en actitud de avanzar sosteniendo en su mano izquierda la lámpara que le señala el camino, es la Lámpara de Hermes, la Sabiduría. Con su mano derecha se apoya en el Bastón de los Patriarcas, que representa la columna espinal con sus Siete Iglesias.

El Ermitaño prudente y sabio, está envuelto en el Manto Protector de Apolonio que simboliza la Prudencia. Detrás de él se encuentra la Palma de la Victoria.

En la parte superior un Sol que alumbra con tres rayos indicando las Tres Fuerzas Primarias, baja a unirse con la Luna. La Luna sube y el Sol baja, lo que indica que necesitamos transformar la Luna en Sol por medio de la Transmutación, convertir con el Arcano A.Z.F. los Cuerpos Lunares en Solares.

El Arcano No.9 indica claramente las 9 Esferas de los infiernos atómicos de la Naturaleza y las 9 Esferas de los 9 Cielos. Este Arcano también señala los 9 Planetas representados en las 9 Esferas del Planeta Tierra.

El Iniciado tiene que bajar a las 9 Esferas Sumergidas, para después ganarse los 9 Cielos correspondientes a cada planeta.

SIGNIFICADO ESOTERICO DEL ARCANO: El Arcano No.9 es el Ermitaño, la Soledad. Este Arcano en forma más elevada es la Novena Esfera, el "Sexo".

El descenso a la Novena Esfera era en los Templos antiguos la Prueba Máxima para la suprema dignidad del Hierofante. Hermes, Buddha, Jesucristo, Zoroastro, Dante, etc., y muchos otros grandes iniciados, tuvieron que pasar por la Prueba Máxima, bajar a la Novena Esfera, para trabajar con el Fuego y el Agua, origen de Mundos, Bestias, Hombres y Dioses. Toda auténtica Iniciación Blanca, comienza por allí.

En la Novena Esfera o Noveno Estrato de la Tierra, en el centro de la Tierra, en el corazón mismo de la Tierra se halla resplandeciente el signo del Infinito. Este signo tiene la forma de un Ocho. El signo del Infinito es el Santo Ocho. En este signo se hallan representados el Corazón, Cerebro y Sexo del Genio de la Tierra. El nombre secreto de este Genio es CHANGAM.

El Zohar nos advierte enfáticamente que en el fondo del Abismo vive el Adam-Protoplastos, El Principio Diferenciador de las Almas. Con ese principio tenemos que disputarnos en lucha a muerte. La lucha es terrible: Cerebro contra Sexo; y Sexo contra Cerebro; y lo que es más terrible y lo que es más doloroso es aquello de Corazón contra Corazón.

Es obvio que todas las fuerzas giran sobre la base del Santo Ocho, en los seres humanos. Aquel que quiera entrar a la Ciudad de las Nueve Puertas mencionadas en el Bhagavad-Gita, debe resolverse a bajar a la Fragua Encendida de Vulcano.

En el organismo humano, la Novena Esfera es el Sexo, el que quiera Auto-Realizarse, tiene que descender a la Novena Esfera a trabajar con el Agua y el Fuego, para llegar al Nacimiento Segundo.

En la Novena Esfera se halla la Fragua Encendida de Vulcano (el Sexo). Allí baja Marte para retemplar su espada flamígera y conquistar el corazón de Venus (la Iniciación Venusta). Hércules para limpiar los Establos de Augias (los Bajos Fondos Animales). Perseo para cortar la cabeza de la Medusa (el Yo Psicológico o Adam-Terrenal) con su Espada Flamígera, y esa cabeza sembrada de serpientes, el estudiante esotérico tiene que entregarla a Minerva, la Diosa de la Sabiduría.

Nueve meses permanece el feto dentro del Vientre Materno y "Nueve Edades" son necesarias en el vientre de Rea, Tonantzin, Cibeles, o sea la Madre Natura para que nazca una Humanidad Planetaria. Así también es obvio que hay que descender a la Novena Esfera para poder gestarse y lograr ese Nacimiento Segundo.

Jesús le dijo a Nicodemus: *"Es necesario que Nazcas de Nuevo para que puedas entrar en el Reino de los Cielos".* (Juan 3: 1-15). Esto quiere decir fabricar los Cuerpos Solares, nadie puede entrar en el Reino si va vestido con Harapos Lunares. Hay que fabricar los Cuerpos Solares y solamente se Logra "Transmutando la Energía Creadora".

En la Teogonía Egipcia están representados esos Cuerpos Solares con el Sahú Egipcio. Nadie tiene derecho a sentarse a la mesa de los Angeles si no está vestido con los Cuerpos Solares.

Tenemos que fabricar el To Soma Heliacón, el Cuerpo de Oro del Hombre Solar.

Escrito está que: *"Angosto es el camino que conduce a la luz".* El que quiera seguir el camino: *"Niéguese a sí Mismo, Tome su Cruz y Sígame".* (Los Tres Factores de la Revolución de la Conciencia, Morir, Nacer y Sacrificio).

El que quiera Auto-Realizarse debe estar dispuesto a renunciar a todo: riqueza, honores, paz, prestigio, debe dar su misma sangre.

Debe tener un Centro de Gravedad, un Centro de Conciencia Permanente. Todos los seres humanos no somos más que máquinas manejadas por nuestros Yoes (el Ego es plural), estamos colocados en una situación desventajosa, esto significa Super-Esfuerzos y matar al Yo; ese Ego es el Mefistófeles, es la raíz de todos nuestros sufrimientos, dolores, vive en función de su propio condicionamiento, debemos reducirla a polvareda cósmica para tener una Conciencia Despierta, para *"poder ver la Senda".*

Por Saber se entiende, Ver, Oír y Palpar las grandes realidades.

Hay necesidad de entender lo que significa el Fondo del Abismo; cuando se dice bajar al Fondo del Abismo ello es Real. Al Descender a la Novena Esfera por la Ley de Concomitancias o de Relaciones, nos ponemos de acuerdo con el Organismo Planetario en que vivimos, aquel que trabaja en la Novena Esfera ha descendido al fondo de su aspecto real, si el que está trabajando desencarna, vería que vive realmente en esa Región (la Novena Esfera es el centro de la Tierra), desde luego el que ha Despertado Conciencia sería quien se diera cuenta. Hay que advertir al neófito que en la Novena Esfera existe el "Supremo Dolor". Como lo dice el Dante en la Divina Comedia: *"en los condenados sus lágrimas se han cuajado en sus ojos, a otros las aguas les suben hasta los órganos creadores".*

Hay que saber entender, hay que saber aprender a Sufrir, a Ser Resignados. Los que no lo son fracasan, es como un exabrupto, algo paradójico querer encontrar Felicidad en la Novena Esfera. Sería absurdo, y es que la Auto-Realización Intima cuesta, tiene un precio, acaso con la propia vida.

Acaso Hiram Abiff no fue asesinado y lo buscaron "27 Maestros" que sumados kabalísticamente son 2 + 7 = 9.

En la Novena Esfera hay grandes dolores hasta que al fin llega uno al Segundo Nacimiento. Cuando Jesús le dijo a Nicodemus que tenía que *"nacer de nuevo"*, él no entendió. Jesús sí conocía el Gran Misterio. ¿Y saldrá alguno alguna vez de la Novena Esfera? Si, cuando se alcance el Nacimiento Segundo.

Después de haber creado el "To Soma Heliacón" en la "Forja de los Cíclopes" (el Sexo), hube entonces de pasar por un tiempo de profundas reflexiones. En la Residencia del Amor, en el Templo de los "Dos Veces Nacidos", encontré a otros Hermanos y Hermanas que también habían trabajado intensamente en "La Fragua Encendida de Vulcano" (el Sexo), todos ellos resplandecían gloriosamente entre los Divinales encantos indescriptibles del Viernes Santo. Nos reunimos para comentar las luchas y penas, habíamos salido victoriosos. Más todo ésto es principio de principios y fundamento de fundamentos, hay algo más sobre ésto y es necesario que ustedes vayan siendo informados.

Si un Dos Veces Nacido o alguien que ha llegado al Adeptado intenta llegar al Estado Algélico, tendría que bajar otra vez al Pozo Profundo del Universo, a la Novena Esfera y terminado el trabajo, subir por la Escalera o Escala de Lucifer para alcanzar el Estado Angélico.

Si quisiera ser un Arcangél, o Principado, o Trono, o Querubín, tiene que hacer lo mismo, *"bajar para luego subir".*

Hay que entender y distinguir lo que es una "Caída" y lo que es una "Bajada", aquel que ya fue decapitado no puede ser recapitado. En víspera de entrar al Absoluto se tiene que bajar a la Novena Esfera.

Si se llega al Nacimiento Segundo, se queda prohibido del Sexo, ya no se usará el Sexo porque se quiera, pero si se recibe la orden de la

Blanca Hermandad, la Orden Sagrada, o del Padre que está en secreto y se ordena bajar al Pozo del Abismo, hay que obedecer, ésto no es placer sino dolor, sacrificio.

Por la escalera lucíferica hay que bajar y hay que subir, necesitamos hacernos Maestros tanto de las Fuerzas Superiores como Inferiores. El Padre que está en secreto ordena lo que se debe hacer, sólo recibiendo una orden se baja.

Sólo pierde sus grados Iniciáticos el que cae, no el que ha bajado. Concluido el trabajo se reciben las órdenes y ya no se hace uso del Sexo en forma caprichosa, Es el Padre dueño de este acto, y del Padre tiene que venir la orden. El Sexo no pertenece a uno sino al Padre.

La Ley de Leviatán es la de aquel Masón que ya pasó todos los Trabajos o Grados Esotéricos y como ya fue decapitado no puede ser recapitado, no puede recibir daño ni de arriba ni de abajo, vive en tono a la Ley, a la Gran Ley. Este es el conocimiento superior de la Masonería Esotérica.

Primero hace su Voluntad Caprichosa. Después tiene que hacer la Voluntad del Padre. Cuando ya no se tiene "Ego", desaparece la maldad y sólo sabe hacer la Voluntad del Padre, él es nuestro verdadero Ser, es el Anciano de los Días, está más allá de Atman; cuando él ordena, sus órdenes deben ser cumplidas.

Viene uno a liberarse de la Novena Esfera cuando se convierte en un Paramarthasatya (habitante del Absoluto), entonces se sumergirá en la Dicha Abstracta. Pero antes de ir allá habrá una humillación, necesita uno volver a bajar, de otro modo viola la Ley de Leviatán, el Sello de Salomón.

En el Apocalipsis de la Santa Biblia también encontramos los misterios de la Novena Esfera: *"Y si el número de los sellados: ciento cuarenta y cuatro mil sellados de todas las tribus de los hijos de Israel"*. (Apoc. 7:4). Sumando kabalísticamente los números entre sí, tendremos el número Nueve. 1 + 4 + 4 = 9. Nueve es la Novena Esfera, el Sexo. Sólo serán salvos los que hayan llegado a la Castidad Absoluta.

"Después miré, y he aquí el Cordero estaba en pie sobre el monte Sión, y con el ciento cuarenta y cuatro mil, que tenía el nombre de él y el de su Padre escrito en la frente". (Apoc.14: 1-5). El monte de Sión son los Mundos Superiores, las cifras es cantidad simbólica y kabalísticamente se descompone así: 1 + 4 + 4 = 9, el Sexo. Sólo con el Gran Arcano podemos ser salvos y recibir el nombre del Padre en la frente. El pueblo es Sión, es el Pueblo Espiritual de Dios. Este pueblo está formado por todos aquellos que practican Magia Sexual (Pueblo de Castidad).

Referente a la Nueva Jerusalén, dice: *"Y midió su muro, ciento cua-*

renta y cuatro codos, de medida de hombre, la cual es de ángel": (Apoc. 21:17). 144 = 1 + 4 + 4 = 9, el Sexo. El 9 es medida de Hombre, la cual es de Angel. Nueve meses permanecemos entre el vientre materno. Sólo en la Novena Esfera puede nacer el Hijo del Hombre. No se ha conocido jamás Angel que no haya nacido en la Novena Esfera.

Aquel que quiera cortar la cabeza a la Medusa (al Yo) debe bajar a la Novena Esfera.

Aquel que quiera encarnar al Cristo, tiene que bajar a la Novena Esfera. Aquel que quiera disolver el Yo debe bajar a la Novena Esfera. La Novena Esfera es el Sanctum Regnum de la Omnipotencia Divina del Tercer Logos. En la Novena Esfera hallamos la Fragua Encendida de Vulcano.

Todo pichón que trabaja en la Gran Obra, debe apoyarse en su báculo, alumbrarse con su propia lámpara, y envolverse en su manto sagrado. Todo pichón debe ser prudente. Si queréis encarnar al Cristo, sed como el limón. Huid de la Lujuria y del Alcohol. Mata las más íntimas raíces del Deseo.

Abundan estudiantes esoteristas que, equivocadamente, afirman que hay numerosos caminos para llegar a Dios. Pero el Divino Gran Maestro Jesús, dijo: *"Angosta es la puerta y estrecho el camino que conduce a la luz, y muy pocos son los que lo hallan".* (Mateo 7:14).

Si el estudiante esotérico escudriña pacientemente todo lo que son los Cuatro Evangelios, podrá comprobar por sí mismo que Jesús jamás dijo eso de que hubieran muchos caminos.

El adorable Salvador del Mundo, sólo habló de una sola Puerta Estrecha y de un solo Camino, Angosto y Difícil. ¡Y esa Puerta es el Sexo¡ ¡Y ese camino es el Sexo¡ No hay más camino para llegar a Dios. Nunca se ha conocido jamás en toda la Eternidad profeta alguno que haya conocido otra puerta fuera del Sexo.

Algunos estudiantes esotéricos equivocados, confusos, errados, objetan estas enseñanzas y afirman que Pitágoras, Zoroastro, Jesús y otros Iniciados eran célibes, y que dizque jamás tuvieron mujer.

En todos los Templos de Misterios existieron Vestales Sagradas. Los materialistas, los irrespetuosos, los mal intencionados, arbitrariamente han pretendido llamarlas "prostitutas sagradas". Empero, esas Vestales eran verdaderamente Vírgenes Iniciadas. Vírgenes Esotéricas aunque sus cuerpos ya no fuesen fisiológicamente de vírgenes.

Los Iniciados del Templo, Pitágoras, Zoroastro, Jesucristo y todos aquellos Iniciados antiguos, sin excepción, realmente practicaron el Arcano A.Z.F. con las Vestales del Templo. Sólo en la Fragua Encendida de Vulcano, esos Grandes Iniciados pudieron retemplar sus armas y conquistar el corazón de Venus.

CAPITULO 10

ARCANO No. 10 "LA RETRIBUCION"

DESCRIPCION DE LA LAMINA: En las Aguas de la Vida encontramos dos serpientes: La Positiva, Solar, que sanaba a los Israelitas en el desierto y la Negativa, Lunar, la Serpiente Tentadora del Eden, la de los Cuerpos Lunares, los Cuerpos de Pecado.

En la parte media la Rueda de la Fortuna, o Rueda del Samsara, la Rueda de Muertes y Nacimientos. Por el lado derecho sube Hermanubis, evolucionante, por el lado izquierdo desciende Tifón Bafometo involucionante. Después de las 108 vidas, la rueda da una vuelta completa; mientras sube consideramos la Evolución por los Reinos Mineral, Vegetal, Animal y Humano, al bajar, desciende por la misma vía. La Rueda del Samsara da 3.000 vueltas, después de ellas la Esencia, luego de tantas purificaciones y sufrimientos vuelve al Absoluto, pero sin Auto-

Realización. En la parte superior la Esfinge haciendo equilibrio sobre la rueda, representa la Madre Naturaleza. La Esfinge es el Intercesor Elemental de la Bendita Diosa Madre del Mundo. En ella vamos a encontrar representados los Cinco Elementos:

AGUA: LA CARA DEL HOMBRE.
AIRE: ALAS DE AGUILA.
TIERRA: PATAS DE BUEY.
FUEGO: GARRAS DE LEON.
ETER: EL BASTON.

SIGNIFICADO ESOTERICO DEL ARCANO: En el Arcano No. 10 encontramos la Rueda del Destino, la Rueda Cosmogénica de Ezequiel. En esta rueda encontramos el Batallar de las Antítesis, Hermanubis a la derecha, Tifón a la izquierda. Esta es la rueda de los siglos, es la Rueda de la Fortuna, de la Reencarnación y del Karma, la Rueda Terrible de la Retribución, sobre la rueda está el Misterio de la Esfinge.

En la Rueda de la Antítesis, las dos serpientes se combaten mutuamente. En esta rueda se encierra todo el secreto del Arbol del Conocimiento. Del manantial único, salen los Cuatro Ríos del Paraíso, de los cuales uno corre por la selva espesa del sol regando la Tierra Filosófica del Oro de Luz; y el otro circula tenebroso y turbio por el Reino del Abismo. La Luz y las Tinieblas, la Magia Blanca y la Negra, se combaten mutuamente. Eros y Anteros, Caín y Abel, viven dentro de nosotros mismos en intenso batallar hasta que descubriendo el Misterio de la Esfinge empuñamos la Espada Flamígera, entonces nos liberamos de la Rueda de los Siglos.

Al Arcano No. 10 se le llama kabalísticamente Reino o Centro Vital, se le llama Raíz Plasmante de todas las Leyes de la Naturaleza y del Cosmos. Plasmar significa concebir intelectualmente y después construir o dibujar. Por esto el 10 es el Principio Plasmante de todas las cosas.

El círculo con un punto en el centro, son los Misterios del Lingam-Yoni; el Círculo es el Absoluto, el Eterno Principio Femenino, es el Yoni donde nacen todos los Universos. El punto es el Lingam, El Eterno Principio Masculino. El círculo con un punto es el Macrocosmos, son los misterios del Lingam-Yoni con los cuales pueden ser creados los Universos.

El Círculo es Receptivo, el Punto es Proyectivo. Si el punto se prolonga, se alarga, se vuelve una línea, divide al círculo en Dos. Estando el punto en movimiento entonces tenemos el Lingam-Yoni, los dos sexos Masculino y Femenino.

Sacando la línea que está dentro del círculo, tenemos el Número 10 y también el mantram de la Madre Divina.

El Universo entero es un producto de la Energía Sexual; sin el poder de la Energía Creadora no se puede plasmar el Universo; sin Energía Creadora Sexual no hay Universo, por eso es que el "10" es el Principio Plasmante de Toda la Naturaleza.

El círculo con un punto en el centro puede plantearse también así:

El número 10 nos enseña muchas cosas; recordemos al círculo que es el símbolo de la Madre Divina. Podemos decir que los siguientes símbolos en el fondo son lo mismo:

Se dice que el número 10 es la base, el Reino y la persona que obedece los mandatos de este Arcano, ve el Retornar de todas las cosas. Si el estudiante sabe obedecer, ve el retornar de todas las cosas, se eleva a la Iluminación y puede ver el Flujo y Reflujo de todas las cosas, porque es un Iluminado.

La Kábala dice que vemos las cosas en la medida que empecemos a obedecer al "10". En este número "10" están los Principios:

CREACION, CONSERVACION, RENOVACION

Aquí está el Verbo en su triple aspecto.

El punto dentro del círculo que en movimiento se hace línea, puede estar de los siguientes modos:

Ya hemos visto que el 10 sale de dicho símbolo, así como el IO que es el mantram de la Madre Divina, dando lugar también a las 10 Emanaciones de la Prakriti o sea los 10 Sephirotes de la Kábala.

Los 10 Sephirotes son:

1. KETHER: El Padre, el Logos.
2. CHOKMAH: El Hijo, Triuno.
3. BINAH: El Espíritu Santo, La Corona Sephirótica.

Este es el Primer Triángulo. Después de la Corona Sephirótica viene:

4. CHESED: Es el Atman, el Intimo, nuestro Ser Divino.
5. GEBURAH: El Alma Espiritual Femenina, el Buddhi.
6. TIPHERETH: Es Manas, el Alma Humana.

Este es el Segundo Triángulo; Buddhi es la Conciencia Superlativa del Ser, es el Principio de Justicia, la Ley. Cuando se hable de Conciencia es Buddhi, el Elohim que dice: *"Combatid por mí en el nombre del Te-Tra-Gram-Ma-Ton"*.

En el Tercer Triángulo tenemos:

7. NETZACH: La Mente Solar. La Mente Cristo.
8. HOD: Legítimo Cuerpo Astral Solar.
9. JESOD: Es la Piedra Cúbica, el Sexo.
10. MALCHUT: El Cuerpo Físico.

Los 10 Sephirotes están dentro de nosotros mismos, subyacen en

toda materia orgánica e inorgánica. Todo ser humano los tiene, pero necesita encarnarlos. Los Sephirotes ya Auto-Realizados brillan como gemas preciosas dentro del Atman. Los Sephirotes forman regiones donde viven los Angeles, Querubines, Potestades, etc.
Los Sephirotes tienen sus puntos de relación con el Cuerpo Físico.

Localización Sephirótica en el Cuerpo Físico:

KETHER: Corona, en la parte superior de la cabeza.

CHOKMAH: Lado derecho del cerebro.

BINAH: Lado izquierdo del cerebro.

CHESED: En el brazo derecho.

GEBURAH: En el brazo izquierdo.

TIPHERETH: En el corazón.

NETZACH: En la pierna derecha.

HOD: En la pierna izquierda.

JESOD: En los órganos sexuales.

MALCHUTH: En los pies.

Estos son los puntos de contacto de los Sephirotes con el cuerpo humano. Los Sephirotes son atómicos, no son átomos de Carbóno, Oxígeno, Nitrógeno, son átomos de Naturaleza Espiritual que pertenecen a la Química Oculta, Esotérica y Espiritual.

Los Sephirotes son masculinos y existen las Sephiras que son femeninas, la Zona Neutra constituye el espacio profundo, los Campos Magnéticos, etc. Esto no se encuentra en los libros, hay que descubrirlo por sí mismos, Les hablo desde el punto de vista místico directo.

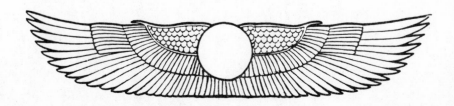

CAPITULO 11

ARCANO No. 11 "LA PERSUASION"

DESCRIPCION DE LA LAMINA: En las Aguas de la Vida la Piedra Cúbica, dentro de la piedra el ave zancuda, sobre ésta la paloma del Espíritu Santo.

Al medio una mujer cierra las fauces de un León furioso, indicando que ella es superior a la violencia. En la cabeza la corona y de su frente asoma la Serpiente, indicando Maestría.

El León es el Elemento Fuego, también representa el Oro, antiguamente los carros de los reyes eran jalados por leones y en la simbología esotérica el carro de guerra jalado por los leones simbolizan los Cuerpos Solares.

SIGNIFICADO ESOTERICO DEL ARCANO: En la Kábala se le conoce a este Arcano 11 como la Persuasión. El jeroglífico de este Arcano es una mujer hermosa, que tranquilamente y con una serenidad olímpica cierra con sus propias manos las fauces de un furioso León.

Los tronos de los Reyes Divinos estuvieron adornados con leones de oro macizo. El oro significa el Fuego Sagrado del Kundalini. Esto nos recuerda a Horus = Oro.

Necesitamos transmutar el Plomo de la Personalidad en el Oro del Espíritu, este trabajo sólo es posible en el Laboratorio del Alkimista.

Cuando el pichón de Alkimista es coronado, se trasforma en un Dios del Fuego, entonces abre con sus propias manos las fauces terribles del furioso León. El Oro Potable de la Alkimia es el Fuego Sagrado del Espíritu Santo. Sería imposible el Ligamen de la Cruz-Hombre, en el Triángulo-Espíritu (Arcano No. 12), sin Oro Potable.

El Once se descompone kabalísticamente así:

1 + 1 = 2,   1 = MASCULINO.   2 = FEMENINO.
1 HOMBRE + 1 MUJER = 2   HOMBRE-MUJER, EL "FUEGO".

El número 11 costa de dos unidades que Henry Kunrath traduce en estas dos palabras: Solve Coagula. Necesitamos acumular el Fuego Sagrado, y luego aprender a proyectarlo. La clave está en la conexión del Membrum Virile con el Genitalia Murielis, quietud del Membrum Virile y del Genitalia Murielis, de cuando en cuando suave movimiento. Transmutar los instintos animales en Voluntad. La pasión sexual en Amor. Los pensamientos lujuriosos en Comprensión y así vocalizar los mantrams secretos.

El Hombre es una unidad, la Mujer es otra, éste es el número 11 del Tarot. Sólo por medio de la mujer, trabajando en la Gran Obra, podemos encarnar al Niño de Oro, a Horus, el Verbo, la Gran Palabra. Así pues, el número 11 es el número más multiplicable.

CAPITULO 12

ARCANO No. 12 "EL APOSTOLADO"

DESCRIPCION DE LA LAMINA: En las Aguas de la Vida el Pentáculo de Salomón, variante de la Estrella de Seis Puntas.

Las tres puntas superiores representan los Tres Traidores de Hiram-Abiff (el Cristo Interno), Judas, Pilatos y Caifás (Deseo, Mente y Mala Voluntad).

En medio 2 columnas con 9 peldaños cada una, es la Novena Esfera (el Sexo); recordemos que existen 9 Cielos (la Columna Blanca) y 9 Regiones Infernales (la Columna Negra). Hay que bajar cada peldaño para subir uno. Entre las 2 columnas hay un hombre colgado de un pie y amarradas sus manos. Con sus pies forma una cruz y con sus brazos el triángulo Invertido.

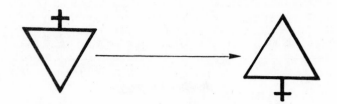

Esta figura representa que el Sexo domina a la Razón, es necesario invertir el símbolo. **SIGNIFICADO ESOTERICO DEL ARCANO:** El Arcano No. 12 representa los 12 Signos del Zodíaco, los 12 Apostoles, las 12 Tribus de Israel, las 12 Horas de Cocer del Alquimista, las 12 Facultades, el Hidrógeno Si-12.

El Arcano 12 del Tarot es el Apostolado. La figura del hombre colgado forma un triángulo con la punta hacia abajo y sus piernas una cruz por encima del triángulo.

Todo el trabajo tiene por objeto adquirir Alma, es decir lograr el ligamen de la Cruz con el Triángulo, esa es la Gran Obra.

La Carta Doce del Tarot es Alkimia Sexual, la Cruz del hombre debe ligarse con el Triángulo Espíritu, mediante el Fuego Sexual.

La tradición China habla de los 10 Troncos (Shikan), y las 12 Ramas, es decir los 10 Sephirotes y las 12 Facultades del ser humano. Es necesario saber que los 7 Chakras y los 5 Sentidos son las Doce Facultades.

Indudablemente que la espina dorsal tiene 7 Centros Magnéticos, esos son los 7 Chakras, o las 7 Iglesias del Apocalipsis de San Juan:

1º EFESO - Base de la Espina Dorsal - 4 pétalos

2º ESMIRNA - Altura de la Próstata - 6 pétalos

3º PERGAMO - Altura del Plexo Solar -10 pétalos

4º TIATIRA - En el Corazón -12 pétalos

5º SARDIS - Laringe Creadora -16 pétalos

6º FILADELFIA - Entrecejo - 2 pétalos

7º LAODICEA - En la Pineal - 1.000 pétalos

Estos son los 7 Chakras y con éstos más los 5 Sentidos se convierte uno en un investigador de los Mundos Superiores, éstas son las 12 Facultades de toda criatura humana.

El Universo salió del Huel-Tum Chino, el Caos. Los 10 Troncos y las 12 Ramas, también salieron del Caos, que en Alquimia es el "Ens Seminis" en el cual está contenido el "Ens Virtutis" que es la materia prima de la Gran Obra, que es la Entidad del Semen según Paracelso. Esta entidad viene a ser la Piedra Filosofal o Lapis Philosophorum que tanto buscaron los Alkimistas Medievales.

Todo el Misterium Magnum se halla encerrado en esa Summa Materia (son los términos latinos para denominar el Arcano A.Z.F.), el Alkimista debe extraer de entre este Mestrum Universale (el Caos) todo el Oro Potable o Fuego Sagrado, el que debe subir por la médula espinal e ir abriendo las 7 Iglesias.

Una vez que hemos extraído el Oro Potable podemos ligar la Cruz con el Triángulo, es decir la Cruz-Hombre debe ligarse con nuestra Triada Inmortal, debemos encarnar el "Espíritu", que sólo así nos convierte en un Ser Humano, antes de lograr esto sólo somos Animales Intelectuales.

La Gran Obra o "Magnus Opus" se halla representada por el Arcano No. 12 del Tarot (se dice Magnus Opus en riguroso lenguaje esotérico). Los brazos de la figura forman el triángulo, sus pies la cruz, su cabeza es el ligamen del Triángulo con la Cruz mediante el Oro Potable.

Según los Chinos el Dios Fu-Ji (el Adam-Cristo) nace a Medianoche, el día 4 de la décima luna, y a los 12 años precisos. La Virgen Hoa-Se, paseándose por la orilla del río (el Licor Seminal) concibe en su vientre al Cristo, al poner su pie sobre la huella del Grande Hombre.

Todas esas fechas son muy interesantes:

El día 4 son los 4 Elementos. En el 10 está todo el secreto del Lingam-Yoni, representa los 10 Sephirotes y el círculo con una raya partiéndolo por la mitad, el Misterio del Sexo. El 12 son las 12 Facultades para encarnar el Cristo en el corazón.

El Arcano No. 12 es profundamente estudiado en las 12 Llaves de Basilio Valentín.

Así como el león transforma a la serpiente en su propia carne cuando la devora, así también el poder de Devi Kundalini, el Fuego Sagrado transmutado elimina todos sus Defectos, sus Errores. Lo importante es la Magna Obra, la clave ya la conocemos, el Maithuna. Los Alkimistas deben trabajar durante 12 Horas para lograr el fermento del Oro. He aquí el Arcano 12, quien posee Oro Fermentado puede tener la dicha de Ser Realmente.

La Esencia o fracción del Alma encarnada está embotellada en el Yo Pluralizado o Ego, éste está metido en el Cuerpo Mental Animal y en el Cuerpo del Deseo Lunar y se manifiesta por medio del Cuerpo Físico. Nos diferenciamos de los animales únicamente por el Intelecto porque los animales también tienen Mente pero no Intelecto.

El Hombre Auténtico necesita eliminar el "Ego" y fabricar los Cuerpos Solares con la transmutación del H-Si-12 (12 Leyes). La fabricación de los Cuerpos Solares está en íntima relación con la Música y sus 7 Notas. El Hidrógeno Si-12 se elabora en el organismo humano, se inicia desde el proceso de digestión.

DO cuando el alimento está en la boca.

RE cuando llega a la garganta.

MI cuando llega a la altura de los pulmones.

FA cuando llega al estómago, esplénico, hepático.

SOL cuando llega al Plexo Solar.

LA cuando llega al colon, páncreas.

Si cuando está elaborado el H-Si-12 y puede ser elevado a una octava musical superior (después de la nota Si viene el Do que corresponde a otra escala musical a una octava superior), mediante el Refrenado del impulso sexual y la eyaculación, así es como pasa el H-Si-12 a una Segunda Octava dando origen al Cuerpo Solar Astral; mediante un tercer shock pasaría el Hidrógeno a una Tercera Octava que daría origen al Cuerpo Solar Mental; una Cuarta Octava da nacimiento al Cuerpo de la Voluntad Consciente. Todo este trabajo es con el Maithuna. En posesión de estos 4 Vehículos nuestro Divino Ser entraría por la glándula Pineal y entonces llegaríamos al Segundo Nacimiento y nos convertiríamos en Verdaderos Hombres; mientras tengamos los Cuerpos Lunares Animales somos Animales Intelectuales y somos una crisálida que se puede transformar en la Mariposa Celestial, esto se logra con Super-Esfuerzos.

El alimento del Cuerpo Físico está en el H-48 (48 Leyes), si ahorramos este Hidrógeno se puede transformar en H-24 (24 Leyes), que sirve de alimento al Cuerpo Astral Solar, este Hidrógeno (24) se malgasta con el trabajo excesivo, esfuerzos inútiles, deseos, emociones, corajes.

El H-12 es el alimento del Cuerpo Mental Solar, se malgasta con los esfuerzos intelectuales, si lo ahorramos se obtendrá el H-6 para alimentar el Cuerpo de la Voluntad Consciente.

Quien tenga los Cuerpos Existenciales Superiores del Ser tiene el derecho a encarnar su Divina Tríada: Atman-Budhi-Manas.

Entonces se dice: *"ha nacido un nuevo Hijo del Hombre, un Maestro, un Mahatma"*.

Todo lo que está escrito en el Apocalipsis es para los tiempos del fin.

Tenemos que informar a la humanidad que los tiempos del fin ya llegaron.

Toda la pobre humanidad se divide en Doce tribus. Toda humanidad se desarrolla y desenvuelve entre la Matriz Zodiacal. El Zodiaco es un utero dentro del cual se gesta la humanidad. Las Doce Tribus sólo pueden recibir la señal de Dios en sus frentes practicando con el Arcano A.Z.F : "Y si el número de los sellados"... (Apoc. 7:4). "De la tribu de Judá Doce mil Sellados. De la tribu de Rubén, Doce mil Sellados"... (Apoc. 7:5-8). De cada una de las Doce Tribus Zodiacales sólo hay doce mil sellados. He aquí el Arcano 12 del Tarot. He aquí el ligamen de la Cruz con el Triángulo. He aquí la Magia Sexual. He aquí la Obra realizada, el Hombre Viviente que no toca la tierra más que con el pensamiento.

Sólo doce mil señalados de cada una de las Doce Tribus de Israel, serán salvados del Gran Cataclismo (esta cantidad es simbólica). Sólo aquellos que hayan logrado el ligamen de la Cruz-Hombre, con el Triángulo-Espíritu, serán salvos.

Sobre la Nueva Jerusalem encontramos lo siguiente: "Y tenía un muro grande y alto con doce puertas (las Doce Puertas Zodiacales en el Universo y en el Hombre), y en la puerta doce ángeles (Zodiacales) y nombres escritos que son los de las doce tribus de Israel" (los Doce Tipos de Humanidades de acuerdo con la influencia de los Doce Signos Zodiacales). (Apoc. 21:12).

"Tal Como es Arriba es Abajo". El hombre tiene Doce Facultades gobernadas por Doce Angeles Atómicos. En el espacio estrellado y en el hombre, existen Doce Signos Zodiacales. Es necesario Transmutar la Energía Sexual y hacerla pasar por las Doce Puertas Zodiacales del organismo humano. Continúa hablando el profeta sobre las Doce Puertas Zodiacales así:

"Al oriente tres puertas; al norte tres puertas; al mediodía tres puertas; al poniente tres puertas". (Apoc. 21:13).

"Y el muro de la ciudad tenía Doce fundamentos y en ellos los Doce nombres de los Doce apóstoles del Cordero". (Apoc. 21:14). Los Doce Signos Zodiacales, y las Doce Esferas Energéticas que se penetran y compenetran sin confundirse. En las Doce Regiones se realiza totalmente la Humanidad Solar.

El Arcano No. 12 es el fundamento de la Jerusalem Celestial, el Arcano Doce es el símbolo de la Alkimia Sexual. Este es el sacrificio y la Obra realizada.

Hay que trabajar con el Oro y la Plata; hay que trabajar con la Luna y el Sol para edificar la Jerusalem Celestial dentro de cada hombre. El Oro y la Plata, el Sol y la Luna, son las Fuerzas Sexuales del hombre y la mujer.

En el Arcano Doce se halla encerrada toda la Ciencia y la Filosofía de la Gran Obra. En el Semen Cristónico se esconde el Fuego Secreto Viviente y Filosofal. La Mística de la Alkimia Sexual es la de todos los Viejos Iniciados.

La Filosofía de la Alkimia Sexual tiene sus principios en la Escuela de los Esenios; en la Escuela de Alejandría, en las Enseñanzas de Pitágoras, en los Misterios de Egipto, Troya, Roma, Cartago, Eleusis; en la Sabiduría de los Aztecas y de los Mayas, etc.

La Ciencia de la Alkimia Sexual y sus procedimientos hay que estudiarlos en los libros de Paracelso, Nicolás Flamel, Raimundo Lulio. También encontramos los procedimientos escondidos entre el velo de todos los símbolos en las figuras hieráticas de los viejos jeroglíficos de muchos Templos antiguos, en los mitos Griegos, Egipcios, etc.

¡Tú¡ que buscas la iniciación. ¡Tú¡ que lees tanto, ¡Tú¡ que vives mariposeando de escuela en escuela, siempre buscando; siempre anhelando; siempre suspirando. Dime con sinceridad, ¿Ya despertaste el Kundalini? ¿Ya abriste las 7 Iglesias de tu médula espinal? ¿Ya encarnaste el Cordero?.

Contéstame, hermano lector. Sé sincero contigo mismo. Pon la mano en tu corazón y contéstame con sinceridad. ¿Te has realizado? ?Estás seguro que con tus teorías te convertirás en un Dios? ¿Qué habéis logrado? ¿Qué habéis conseguido con todas tus teorías?.

Quien quiera Auto-Realizarse necesita de la Revolución de la Conciencia: Morir-Nacer-Sacrificarse. Revolución de la Conciencia cuando decapitamos el Yo. Revolución de la Conciencia cuando fabricamos los Cuerpos Solares. Revolución de la Conciencia cuando encarnamos el Ser. Hasta entonces no se tiene existencia Real.

CAPITULO 13

ARCANO No. 13 "LA INMORTALIDAD"

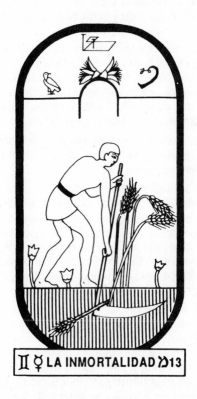

DESCRIPCION DE LA LAMINA: En este arcano los mazos de trigo representan el Renacimiento, al igual que las flores. Las flores, el comienzo de la vida; el trigo, el final.

Un Jerarca de la Ley corta unos manojos de Trigo, los cuales tienen granos grandes y pequeños que son los llamados Bobin Caldenos, que representan los Valores, el Capital que trae cada ser humano en sus Tres Cerebros (Intelectual, Motor, Emocional). Quien trae granos pequeños vive poco, muriendo a los pocos días, meses o en los primeros años de vida. Se vive por tercios y se muere por tercios; quien malgasta su Capital Intelectual, cae en la locura, esquizofrenia, etc. Quien malgasta su Centro Motor o de Movimiento, termina paralítico, deforme, etc.; quien malgasta su Centro Emocional, sufre enfermedades del corazón.

Este Arcano tiene representación física e interna, es el Arcano de Judas Iscariote, que representa la Muerte del "Ego".

La Guadaña es el símbolo funeral de los Angeles de la Muerte.

SIGNIFICADO ESOTERICO DEL ARCANO: Realmente la Muerte es el regreso a la matriz. La Vida y la Muerte son dos fenómenos de una misma cosa.

La Muerte es una resta de quebrados, terminada la operación matemática, sólo quedan los Valores de la Conciencia. Se restan los Valores de la Personalidad. No hay ningún mañana para la Personalidad del muerto, tiene un principio y un fin. Los Valores de la Conciencia se encuentran embotellados en el "Ego", éstos, vistos clarividentemente, parecen legión de fantasmas, esto es lo que continúa.

El retorno de los Valores es la mecánica de la Naturaleza. Realmente el Alma no retorna porque el hombre todavía no ha encarnado su Alma. Sólo los Valores retornan.

Cuando llega la hora de la muerte, concurre al lecho del agonizante el Angel de la Muerte, encargado de cortar el Hilo de la Existencia. En el instante preciso en que exhalamos el último aliento, el Angel de la Muerte saca al individuo de su Cuerpo Físico y corta con su guadaña el Cordón de Plata (cierto hilo misterioso, de color plateado que conecta los Cuerpos Internos con el Cuerpo Físico). Tal cordón magnético puede alargarse o acortarse hasta el infinito. Gracias a dicho hilo es como podemos incorporarnos de nuevo al Cuerpo Físico en el momento de despertar, después del sueño.

Los moribundos suelen ver al Angel de la Muerte, ellos cuando están trabajando se revisten con sus trajes funerales y asumen una figura espectral, esquelética y empuñan la guadaña con la que cortan el Cordón de Plata. Esa tétrica figura sólo la asumen en su trabajo, fuera de él adoptan figuras muy hermosas. ya de niños, ya de damas, o de Venerables ancianos. Los Angeles de la Muerte nunca son malos o perversos, ellos siempre trabajan de acuerdo con la Gran Ley. Cada cual nace en su hora y muere exactamente en su tiempo.

Los Angeles de la Muerte son muy sabios y se desarrollan y desenvuelven bajo el Rayo de Saturno. No solamente conocen lo relacionado con la muerte común y corriente del Cuerpo Físico, estos Ministros de la Muerte son, además, profundamente sabios en todo lo relacionado con la Muerte del "Yo Pluralizado".

Proserpina, la Reina de los Infiernos, es también Hekate, la Bendita Diosa Madre Muerte, bajo cuya dirección trabajan los Angeles de la Muerte. La Madre Espacio convertida en Madre Muerte, ama entrañablemente a sus hijos y por eso se los lleva.

La Bendita Diosa Madre Muerte, tiene poder para castigarnos cuando violemos la Ley y potestad para quitarnos la vida. Es indudable que ella es tan sólo una faceta magnífica de nuestra Duada Mística, una forma espléndida de nuestro propio Ser. Sin su consentimiento ningún Angel de la Muerte se atrevería a romper el Hilo de la Vida, el Cordón de Plata, el Antakarana.

Tres formas humanas van al sepulcro:

a) EL CADAVER FISICO.
b) EL CUERPO VITAL O LINGAM SARIRA.
c) LA PERSONALIDAD.

El Cuerpo Físico en un proceso graduativo, se desintegra dentro de la fosa sepulcral.

El Cuerpo Vital flotando ante el sepulcro cual fantasma fosforescente a veces visible para las gentes muy psíquicas, se desintegra lentamente conforme el Cuerpo Físico se va desintegrando.

La Personalidad es energética, se forma durante los primeros siete años de la infancia y se robustece con el tiempo y las experiencias. La Personalidad es hija de su tiempo, nace en su tiempo, no existe ningún mañana para la Personalidad del muerto. Después de la muerte del Cuerpo Físico, la Personalidad está dentro del sepulcro, pero sale cuando alguien lleva flores, cuando algún doliente la visita, ambula por el panteón y vuelve a su sepulcro. Lentamente se va desintegrando en el cementerio.

Aquello que continúa, aquello que no va al Sepulcro es el "Ego", el Sí Mismo, el Mí Mismo, el "Yo": cierta suma de Yoes Diablos que personifican nuestros Defectos Psicológicos.

Eso que continúa después de la Muerte, no es pues algo muy hermoso. Aquello que no es destruido con el Cuerpo Físico, no es más que un montón de Diablos, de Agregados Psíquicos, de Defectos; lo único decente que existe en el fondo de todas esas entidades cavernarias que constituyen el Ego, es la Esencia, la Psiquis, el Buddhata.

Normalmente dichos Agregados Psíquicos se procesan en los mundos Astral y Mental. Raras son las Esencias que logran emanciparse por algún tiempo de entre tales elementos subjetivos para gozar de unas vacaciones en el Mundo Causal antes del retorno a este valle de lágrimas. Pero esto es posible con la Disolución del Ego.

Los Egos normalmente se sumergen dentro del Reino Mineral en los Mundos Infiernos o retornan en forma inmediata o mediata en un nuevo organismo.

El Ego continúa en la semilla de nuestros decendientes; retornamos

incesantes para repetir siempre los mismos dramas, las mismas trage-
dias.

Debemos hacer hincapié en eso de que *"no todos los Agregados Psíquicos logran tal humano retorno"*; realmente muchos Yoes-Diablos se
pierden debido a que, o bien se sumergen dentro del Reino Mineral, o
continúan reincorporándose en organismos animales o resueltamente
se aferran, se adhieren a determinados lugares.

*"Tres formas humanas van al sepulcro: a) El Cadáver Físico. b) El Cuerpo Vital O Lingam
Sarira. c) La Personalidad. Sólo los Valores retornan".*

CAPITULO 14

ARCANO No. 14 "LA TEMPERANCIA"

⊙♃ LA TEMPERANCIA ☽ 14

DESCRIPCION DE LA LAMINA: En las Aguas de la Vida encontramos tres flores; y en la de la mitad una serpiente que sube, estas tres flores representan a Sat: el Intimo, Atman; Chit: Buddhi, el Alma Espiritual; Ananda: Manas, el Alma Humana.

Las tres flores también representan:

EL FUEGO SAGRADO. LA MATERIA PRIMA. LA MEZCLA.

En el medio un Angel nos muestra en su vestidura la Tríada y el Cuaternario (4 Cuerpos de Pecado). En su frente brilla un Sol con 14 rayos, 7 visibles y 7 invisibles; los visibles representan los 7 Planetas y los Invisibles los 7 Chakras. El Angel tiene dos copas o dos jarrones con los cuales mezcla dos elíxires; una copa es de Oro y contiene el Elixir Rojo; la otra es de Plata conteniendo el Elixir Blanco. Ambos producen el Elixir de Larga Vida. Muchos Maestros han logrado la Inmortalidad, Babají Sanat Kumara, Paracelso, etc.

SIGNIFICADO ESOTERICO DEL ARCANO: En el Arcano No. 14 aparece un Angel con un Sol en la frente, con una copa en cada mano, realizando la mezcla del Elixir Rojo con el Elixir Blanco, de la mezcla de estos dos resulta el Elixir de Larga Vida, indudablemente este Elixir es el que tanto anhelaron los alquimistas medievales. El Elixir Blanco es la Mujer y el Elixir Rojo es el Hombre, sin los cuales es imposible elaborar el Elixir de Larga Vida. El de la mujer emana de la Luna y el del hombre del Sol, he ahí el color.

Cuando el Septenario Hombre se une sexualmente al Septenario Mujer, se hace una suma que da como resultado el Arcano 14 del Tarot. No está de más asegurar de paso, que el Hombre tiene Siete Principios, lo mismo que la Mujer. El Sexo es el centro más importante y más rápido del ser humano.

El proceso de crear un nuevo ser, se realiza dentro de la Ley de las Octavas Musicales. Las 7 Notas de la escala musical son la base de toda creación. Si transmutamos la Energía Creadora, iniciamos una nueva Octava en el Mundo Etérico, cuyo resultado es un vehículo con el cual podemos penetrar conscientemente en todos los Departamentos del Reino.

Una Tercera Octava nos permite engendrar el verdadero Astral, el Astral Cristo. Al llegar a estas alturas, el viejo Astral del fantasma queda reducido a un cascarón vacío que se va desintegrando poco a poco.

Una Cuarta Octava nos permite engendrar la Mente Cristo, éste vehículo nos da verdadera Sabiduría y Unidad de Pensamiento. Sólo aquel que engendra la Mente Cristo, tiene derecho a decir: "*Tengo Cuerpo mental*". El Cuerpo Mental actual es sólo un fantasma de la fachada. Realmente éste se convierte en un cascarón hueco; cuando nace la verdadera Mente; éste se desintegra, se reduce a polvareda cósmica.

La Quinta Octava Musical engendra el verdadero Cuerpo Causal; al llegar a estas alturas, encarnamos el Alma, entonces ya tenemos Existencia Real. Antes de ese instante no tenemos Existencia Real.

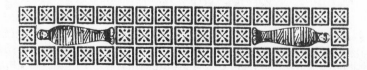

CAPITULO 15

ARCANO No. 15 "LA PASION"

DESCRIPCION DE LA LAMINA: En las Aguas de la Vida la representación de Geburah (la Ley). En medio Tiphón Bafometo aparece sosteniendo en su brazo izquierdo el Bastón de Mando y en su mano derecha una Serpiente que sube. Su mano derecha es masculina y su izquierda es femenina, sus senos indican que es Andrógino. Con el mandil se cubre la Sabiduría y del mismo mandil resulta la cola.

La cara es deforme, debido a los errores o pecados. El Bafometo se ha representado como el latón que actualmente la humanidad ha ennegrecido debido a la degeneración. Debemos *"blanquear al latón"*, al Diablo, quien es el Entrenador Psicológico y Guardián de las puertas del Santuario para que únicamente entren los elegidos, quienes han podido superar todas las pruebas impuestas por el Diablo.

SIGNIFICADO ESOTERICO DEL ARCANO: El Arcano 15 del Tarot representa al macho cabrío de Mendes, Lucifer, Tiphón Bafometo, el Diablo.

"El Alkimista debe robarle el Fuego al Diablo".

Cuando trabajamos con el Arcano A.Z.F., le robamos el Fuego al Diablo, así nos convertimos en Dioses, así resplandece la Estrella de Cinco Puntas.

Los cuernos terminan en 6 Puntas. El Arcano 6 es el Sexo, indicando que en el Sexo está la liberación por la castidad, o la esclavitud del hombre por la pasión. Existe una diferencia con el Arcano No. 1, la mano derecha está arriba y la izquierda a la tierra.

El Misterio del Bafometo es la Alkimia Sexual, a base de comprensión y transmutación de las Energías Creadoras.

El Bafometo de los Templarios debe leerse al revés, Tem-o-h-p-ab, símbolo de las palabras latinas: TEMPLI OMMUN HOMINUN PACIS ABBAS. Esto quiere decir: *"El Padre del Templo, Paz Universal de los Hombres".*

El Arcano 15 aparece después del 13 que es la Muerte del Yo, del Ego, del Mí Mismo; y del Arcano 14 que es la Temperancia o Templanza, la Castidad que resulta después de la muerte del Ego. El Arcano 15 es pues el Andrógino Divino que vuelve a resplandecer, es el Latón Blanqueado.

Sabemos que más allá del cuerpo, de los afectos y de la Mente, está el Logoi Interior, Divinal. Incuestionablemente eso que es lo inefable, eso que es lo real, proyecta su propia reflexión, su sombra particular, dentro de nosotros mismos aquí y ahora. Obviamente tal Sombra, tal Reflexión Logoíca, es el Entrenador Psicológico, Lucifer, el Tentador. Cada uno de nosotros tiene su Lucifer particular.

En el Egipto de los Faraones, el Sol del Mediodía, el Sagrado Sol Absoluto, estuvo siempre simbolizado por Osiris, mientras su Sombra, su Reflexión, su Lucifer, se halla alegorizado por Tiphón.

En los Sagrados Templos del viejo Egipto de los Faraones, cuando el neófito estaba a punto de sufrir las pruebas de la Iniciación, un Maestro se acercaba a él y le murmuraba al oído esta frase misteriosa: *"Acuérdate que Osiris es un Dios Negro".*

Evidentemente este es el color específico de las tinieblas y de las sombras cumerías, es del Diablo, a quien se ofrecieron siempre rosas negras, y también el del Caos Primitivo, donde todos los elementos y gérmenes de la vida se mezclan y confuden totalmente; el símbolo del Elemento Tierra, de la Noche y de la Muerte radical de todos esos Agregados Psíquicos que en su conjunto constituyen el Mí Mismo.

Necesitamos con urgencia máxima, inaplazable, *"Blanquear al Diablo"* y esto sólo es posible peleando contra nosotros mismos, disolviendo todo ese conjunto de Agregados Psíquicos que constituyen el "Yo", el Mí Mismo, el Sí Mismo. Sólo muriendo en sí mismos podremos Blanquear el latón y contemplar el Sol de la Media Noche (el Padre). Esto significa vencer a las tentaciones y eliminar todos y cada uno de los Elementos Inhumanos que llevamos dentro (Ira, Codicia, Lujuria, Envidia, Orgullo, Pereza, Gula, etc., etc., etc.).

En el Gimnasio Psicológico de la existencia humana, se requiere siempre un Entrenador. El Divino Daimon, citado tantas veces por Sócrates, la Sombra misma de nuestro Espíritu individual, es el Entrenador Psicológico más extraordinario que cada uno de nosotros carga adentro; nos mete en tentaciones con el propósito de entrenarnos, educarnos, sólo así es posible que broten en nuestra Psiquis las gemas preciosas de las Virtudes.

Ahora me pregunto y pregunto a ustedes: ¿Dónde está la maldad de Lucifer?. Los resultados son los que hablan, si no hay tentación no hay virtudes: cuanto más fuertes sean las tentaciones más grandes serán las Virtudes; lo importante es no caer en la tentación, y por eso debemos rogar al Padre diciendo: *"No me dejes caer en tentación"*.

Sólo mediante la lucha, el contraste, la tentación y la rigurosa disciplina esotérica pueden brotar en nosotros las flores de la Virtud.

Lucifer, como Ayo, Educador, Mentor, resulta ciertamente insólito, inusitado, extraordinario. Existe en la Tentación Luciférica, didáctica, inimitable, pedagogía portentosa, atracción que asombra, incentivo inconfundible, instigación oculta con propósitos Divinales secretos, seducción, fascinación... Lucifer Prometeo, es uno con el Logos Platónico, el Ministro del Demiurgo Creador y Señor resplandeciente de las Siete Mansiones del Hades (Infierno), Sabbath y del mundo manifestado, a quien están encomendadas la Espada y la Balanza de la Justicia Cósmica, pues él es indubitablemente la norma del peso, la medida y el número; el Horus, el Brahama, el Ahura-Mazda, etc., siempre inefable.

Lucifer (Luci= Luz. Fer= Fuego), es el Guardián de la puerta y tiene las llaves del Lumisial para que no penetren en él sino los ungidos, que poseen el secreto de Hermes...

Quienes maldicen temerariamente a Lucifer, se pronuncian contra la Cósmica Reflexión del Logos, anatematizan al Dios Vivo manifestado en la Materia y reniegan de la siempre incomprensible Sabiduría, revelándose por igual en los contrarios de Luz y Tinieblas. Semblanza, parecido, similitud: Sol y Sombra, Día y Noche, Ley de los Contrarios. El Diablo, la Reflexión de nuestro Logoi Interior, fue la criatura más excelente antes de que cayéramos en la generación animal. *"Blanquea el latón y quema tus libros"*, nos repiten todos los Maestros del Arte Hermético. Quien Blanquea al Diablo, volviéndolo a su estado resplandeciente y primigenio; quien muere en sí mismo, aquí y ahora, libera a Prometeo encadenado. Y éste le paga con creces porque es un coloso con potestad sobre los Cielos, sobre la Tierra y sobre los Infiernos.

Lucifer-Prometeo integrado radicalmente con todas las partes de nuestro Ser, hace de nosotros algo distinto, diferente, una exótica criatura, un Ancángel, una Potestad terriblemente Divina.

"El Diablo, la Reflexión de nuestro Logoi Interior, fue la criatura más excelente antes de que cayéramos en la generación animal. "Blanquea el latón y quema tus libros", nos repiten todos los Maestros del Arte Hermético".

CAPITULO 16

ARCANO No. 16 "LA FRAGILIDAD"

DESCRIPCION DE LA LAMINA: En las Aguas de la Vida el Báculo de Poder, el Bastón de Mando y el Cilicio (látigo) que representa la Fragilidad. A ambos lados de estos símbolos las dos serpientes, la Positiva y la Negativa.

Desde la parte superior desciende el Rayo de la Justicia Cósmica, destruyendo la torre que los kabalistas llaman la Torre de Babel. Dos personajes son precipitados al fondo del Abismo, uno a la derecha y otro a la izquierda, caen haciendo el signo de la Estrella Flamígera invertida con sus brazos, piernas y la cabeza hacia abajo; simbolizando la caída de los Bodhisattvas: la caída es por el Sexo; por derramar el Vaso de Hermes.

Hay que distinguir una "Caída" de una "Bajada", el Iniciado baja a la

Novena Esfera durante el trabajo en la fragua para destruir sus Defectos en las Regiones Inferiores y luego ascender a los Cielos; un Cielo ganado después de cada Infierno trabajado. El Iniciado cae cuando derrama el semen.

SIGNIFICADO ESOTERICO DEL ARCANO: El Arcano No. 16 es de la Torre Fulminada, ésta es la Torre de Babel.

Muchos son los iniciados que se dejan caer. Muchas son las Torres Fulminadas. Todo Iniciado que derrama el Vaso de Hermes, se cae inevitablemente. La leyenda de los Angeles Caídos se ha repetido y se seguirá repitiendo eternamente.

Actualmente viven en el mundo muchos Dioses Caídos. Estos ahora están disfrazados con cuerpos de hombres.

Es necesario Despertar Conciencia para no caer en el abismo de perdición, actualmente existen muchos Jefes de grupos esotéricos con la Conciencia profundamente dormida. *"Ciegos guías de ciegos, rodarán todos al abismo".* Esa es la Ley. Los seres humanos viven absolutamente dormidos. Es necesario despertar la Conciencia para no andar ciegos. Los ciegos pueden caer al Abismo. El Arcano 16 es muy peligroso.

Aquellos estudiantes que practican ejercicios esotéricos sin trabajar en el Arcano A.Z.F., son semejantes al hombre que edifica su casa sobre la arena, su edificación rodará al abismo, debemos edificar sobre la Piedra Viva. Esa Piedra es el Sexo. Quien desarrolla Chakras teniendo los Cuerpos Internos Lunares, rodará al Abismo, su Templo será Torre Fulminada. Quien engendra sus Cuerpos Crísticos con el Arcano A.Z.F. y trabaja en el desarrollo de sus Chakras se convierte en un Cristo viviente.

"Es necesario despertar Conciencia para no caer en el abismo de perdición".

CAPITULO 17

ARCANO No. 17 "LA ESPERANZA"

DESCRIPCION DE LA LAMINA: En las Aguas de la Vida los dos triángulos, el Positivo y el Negativo. En la parte media una mujer, regando la tierra con los dos elixires (Masculino y Femenino); en su cabeza una flor de loto indicando sus Chakras desarrollados.

En la parte superior brilla la estrella de Venus de ocho rayos, simbolizando que después de las Iniciaciones del Fuego vienen las de Luz.

SIGNIFICADO ESOTERICO DEL ARCANO: El Jeroglífico del Arcano No. 17 es la Estrella Radiante y la Juventud Eterna. En este Arcano aparece una mujer desnuda que esparce sobre la tierra la Savia de la Vida Universal, que sale de dos vasos, uno de oro y uno de plata.

Si estudiamos cuidadosamente el contenido esotérico de este Arcano, descubrimos Alkimia perfecta. Necesitamos trabajar con el Oro y con la Plata, con el Sol y con la Luna, para encarnar la Estrella de Ocho Puntas, el Lucero de la Mañana.

Realmente la Estrella de Ocho Puntas es Venus. Quien alcanza la Iniciación Venusta, tiene la dicha de encarnar el Dragón de la Sabiduría (el Cristo Interno).

Hay que trabajar con el Fuego y el Agua para recibir la Iniciación Venusta. La Estrella Crucificada en la Cruz, es el Cristo de los Abraxas, el Hijo del Hombre, el Verbo encarnado.

En el Apocalipsis de San Juan está documentado lo de Venus, el Lucero de la Mañana: *"Y al que venza le daré la Estrella de la Mañana"* (Apoc. 2: 26-28). *"Yo, Jesús, envié a mi ángel para darles testimonio a ustedes de estas cosas para las congregaciones. Yo soy la raíz y la prole de David y la Brillante Estrella de la Mañana"*. (22: 16).

Cristo es la Estrella de la Aurora. Cristo entra en el Alma cuando se recibe la Iniciación Venusta.

Cuando decapitamos y disolvemos el Yo, el Mí Mismo, entonces recibimos la Iniciación Venusta, aquel que la reciba encarna a su Estrella.

La Estrella es el Hijo del Hombre; la Verdad. Nadie puede buscar la Verdad. La Verdad no puede ser conocida por el "Yo". Nadie puede buscar lo que no conoce. Satán, el Yo, el Ego que llevamos dentro, no puede conocer la Verdad. La Verdad no puede ser leída, estudiada o reconocida por la Mente. La Verdad es absolutamente distinta a todo aquello que puede ser leído, estudiado o reconocido por la Mente. La Verdad adviene a nosotros cuando hemos Decapitado y Disuelto al "Yo".

Las distintas verdades de las gentes no son sino proyecciones de la Mente. Decapita a tu propio Yo, disuélvelo con rigurosas purificaciones. Así llegaréis a la Iniciación Venusta. Entonces encarnaréis la Verdad. El Verbo se hará carne en ti. Encarnaréis al Hijo del Hombre y recibiréis la Estrella de la Mañana.

Todo aquel que quiera encarnar la Estrella tiene que trabajar con la Savia de la Vida contenida en los Dos Vasos Sagrados que la Mujer desnuda del Arcano 17 tiene entre sus manos.

La Estrella que guía nuestro Interior es la Estrella Padre. Lo importante para nosotros es Encarnar esa Estrella Padre. He aquí el Misterio del Arcano 17. La Savia contenida en los Vasos de Oro y Plata cuando es sabiamente combinada y transmutada nos permite llegar hasta la encarnación de la Estrella. La Estrella Crucificada en la Cruz es el Cristo.

CAPITULO 18

ARCANO No. 18 "EL CREPUSCULO"

DESCRIPCION DE LA LAMINA: En las Aguas de la Vida un escorpión, dentro de un triángulo invertido, significa que al derramar el Vaso de Hermes, matamos a la Madre Divina como el escorpión.

Al medio dos pirámides una Blanca y una Negra, simbolizando lo Positivo y lo Negativo. Dos perros o lobos, uno Blanco y otro Negro ladran a la Luna; el Blanco es Positivo, simboliza la Amistad, el Negro es Negativo, simboliza al "Yo Psicológico". Representan la terrible lucha entre las Fuerzas Tenebrosas. La Luna en sí misma representa al Sexo, debemos trabajar con la Luna para convertirla en Sol. El perro también representa el Instinto Sexual, por eso el perro es quien nos lleva hasta las mismas puertas del Absoluto.

SIGNIFICADO ESOTERICO DEL ARCANO: Es necesario estudiar, analizar y reflexionar profundamente en el contenido esotérico de este Arcano.

El Arcano No. 18 es Luz y Sombra, Magia Blanca y Magia Negra, esto se encuentra representado en el Perro Negro y el Perro Blanco, la Pirámide Negra y la Blanca.

Sumando kabalísticamente el Arcano 18 encontramos que $1 + 8 = 9$, la Novena Esfera, el Sexo. Ya habíamos dicho que dentro de nuestro organismo planetario hay 9 estratos interiores; éstos son las 9 Bóvedas de la Masonería Oculta, el Noveno corresponde al núcleo del organismo planetario, ahí está el sepulcro de Hiram Abiff, o Chiram Osiris que es el Cristo Intimo de cada uno, de toda persona que viene a este mundo.

Es un error creer o suponer, que el Cristo es sólo Jeshua Ben Pandira que es el nombre de Jesús el Cristo, no negamos que es la encarnación viva del Verbo, del Logos.

Todos nosotros necesitamos resucitar a ese Cristo Intimo y para lograrlo, es obvio que tenemos que bajar a la Novena Esfera, al Sexo. Por eso se dice que Hiram Abiff está en el Noveno Círculo, en la Novena Bóveda.

Todos somos hijos del sexo, por eso en la Divina Comedia se ve a los condenados en el Noveno Círculo con el agua hasta los órganos creadores, y lloran y sus lágrimas se congelan en sus ojos porque es un valle de lágrimas y aflicciones. El que las aguas les llegue hasta los órganos creadores se debe a que son las Aguas espermáticas; todos nacemos y morimos llorando.

Si sumamos $9 + 9 = 18$. En el Arcano 18 se halla contenido el número "9" dos veces, entre ellos hay un balance, un nueve es el Aspecto Positivo y el otro nueve es el Aspecto Negativo pero en sí mismo, el 18 resulta Negativo, nefasto; son los Enemigos Secretos del Arcano del Crepúsculo. Es que en el trabajo de la Novena Esfera se tiene que luchar demasiado, porque hay que aprender a sublimar la Energía Sexual; ahí está la clave o llave de todos los imperios.

En el Arcano 18 se repite la Novena Esfera dos veces. Ya sabemos que el número 1 es Positivo y que el número 2 es Negativo. Así que si repetimos la Novena Esfera, por primera vez, y por segunda, tendremos al Sexo en sus dos aspectos: Positivo y Negativo. Ahora comprenderán ustedes por qué el Arcano 18 es Luz y Tinieblas, Magia Blanca y Magia Negra. En el Arcano 18 hallamos a los Enemigos Secretos de la iniciación.

Ahora, vamos a estudiar el simbolismo del perro. El perro participa de la Magia. Generoso animal que en los antiguos tiempos fue siempre consagrado al Dios Mercurio. El Perro de Mercurio es estrictamente simbólico, pues alegoriza claramente el Poder Sexual. Resulta patente el alto honor que los Viejos Hierofantes del antiguo Egipto, concedían al Perro.

El "Fuego Sexual", el Perro, el Instinto Erótico, es aquel agente extraordinario y maravilloso que puede transformarnos radicalmente.

El Perro Cerbero está en los Mundos Infiernos, y de ahí debemos sacarlo, robárnoslo de los Infiernos, esto significa Liberar la Fuerza Sexual.

Es urgente sacar de la Morada de Plutón al Cerbero, prodigio de terror que con sus ladridos, sus tres enormes cabezas chatas y su cuello rodeado de serpientes vive feliz ahí, llenando de espanto y ladrándole a todos los muertos.

El Perro y el Cisne que vuelan sobre las Aguas de la Vida significan lo mismo que la Paloma, lo mismo que el Ibis Egipcio, la Fuerza del Espíritu Santo, la Fuerza Sexual. Todo ello es el Vaso de Hermes que hay que elevarlo bien en alto.

En la Doctrina Arcaica, en la Sabiduría Oculta, se habla del Perro Guía, que conduce al Caballero hasta el Sanctum Regnum; hay veces que el Caballero se olvida del Perro y cree que sin él puede seguir el camino y no es así, tarde o temprano cuando se siente estancado no le queda más remedio que agarrarse del Perro.

Cuando estamos estancados él es quien nos enseña el camino. Hay que sacarlo del abismo. No hay que olvidar que Cerbero-Tricipite jala la traílla de su amo llevándolo seguro por el escarpado sendero que conduce a la Liberación Final.

Hércules lo sacó del Abismo para que le sirviera de guía y eso mismo hacemos nosotros cuando conseguimos la Castidad, entonces trabajando en la Forja de los Cíclopes, practicando Magia Sexual, transmutando nuestras Energías Creadoras, avanzamos por la Senda del Filo de la Navaja hasta la Liberación.

¡Ay del Caballero que abandona a su Perro¡ Se extraviará del camino y caerá al abismo de la perdición.

Desafortunadamente el Animal Intelectual equivocadamente llamado hombre, no ha logrado la Castidad, es decir no ha sacado a Cerbero de los dominios infernales. Ahora se explicarán ustedes por sí mismos el motivo por el cual sufren los difuntos en los Abismos Plutonianos cuando escuchan los ladridos de Cerbero, el Can de las tres fauces hambrientas. No olvidemos jamás que Cerbero, el perro guardián de los Infiernos, acariciaba los que entraban y devoraba despiadadamente a los que intentaban salir.

Es obvio que los perdidos sufren con la sed insaciable de la Lujuria en el espantoso Tartarus.

En el Arcano 18 tenemos que liberar sangrientas batallas contra los Tenebrosos. *"El cielo se toma por asalto"*. *"Los valientes lo han tomado"*. En los Mundos Internos los Tenebrosos del Arcano 18 asaltan al estudiante violentamente.

Esta senda está llena de peligros por dentro y por fuera. Muchos son los que comienzan, pocos son los que llegan. La mayor parte se desvía por el Camino Negro. En el Arcano 18 existen peligros demasiado sutiles que el estudiante ignora.

El Número 9 es Positivo y Negativo a la vez, este es el Misterio del Arcano 18. En este Arcano terrible hallamos todos los filtros y la Brujería de Tesalia. Los libros de los Grimorios están llenos de recetas tenebrosas muy propias del Arcano 18; ceremonias mágicas eróticas, ritos para hacerse amar, peligrosos filtros, etc., etc., etc.; todo esto es el Arcano 18. Debemos advertir a los estudiantes Gnósticos que el filtro más peligroso que usan los Tenebrosos para sacar al estudiante de la Senda del Filo de la Navaja, es el Intelecto. Para invitarlos a la eyaculación del Licor Seminal, o para desviarnos haciéndonos ver escuelas, teorías, sectas, etc., etc.

No hay que olvidar que los hombres engañados, adoran a la gran Bestia y dicen: *"¡No hay como la Bestia¡ ¿Quién puede ser superior a la Bestia?"* (Apocalipsis 13: 1-17).

"Aquí hay sabiduría. El que tiene entendimiento, cuente el Número de la bestia, porque es el Número del hombre. Y su número es Seiscientos sesenta y seis". (13: 18).

La marca de la Bestia son los dos cuernos en la frente. Millones y millones de seres humanos ya tienen la marca de la Bestia en la frente y en las manos. Casi toda la población humana de este valle de lágrimas, ya tienen la marca de la Bestia en la frente y en las manos. Todas esas Almas se perdieron, y desde 1950 están entrando en el Abismo. La Evolución Humana fracasó totalmente.

El número de la Gran Bestia es "666". Ese es el número del hombre porque ese número se descompone kabalísticamente así: 6 + 6 + 6 = 18. Sumando entre sí este resultado tenemos lo siguiente: 1 + 8 = 9, es el Sexo. Nueve es el Hombre, porque el Hombre es hijo del Sexo. En total en el 666 están contenidos los Arcanos 18 y 9. El Arcano 18, es el Abismo, las Tinieblas, las Tentaciones Sexuales contra las cuales tiene que luchar el iniciado. El Arcano 9 es la Novena Esfera, la Iniciación.

Los Dioses juzgaron a la Gran ramera, cuyo número es 666. La sentencia de los Dioses fue: ¡Al Abismo¡ ¡al Abismo¡ ¡al Abismo¡.

CAPITULO 19

ARCANO No. 19 "LA INSPIRACION"

DESCRIPCION DE LA LAMINA: En las Aguas de la Vida tres flores que representan las Tres Fuerzas Primarias. Al medio una pareja que se toma de las manos, formando la Llave Tao. En la parte superior un Sol radiante sobre sus cabezas con 7 Rayos, nos recuerda los Siete Grados de Poder del Fuego.

Este Arcano nos enseña que por medio de la transmutación alcanzamos la Liberación Final.

SIGNIFICADO ESOTERICO DEL ARCANO: Este Arcano No. 19 es el Arcano de la Alianza. Representa al "Fuego Creador", a la Piedra Filosofal. Para realizar el trabajo de la Gran obra, tenemos que trabajar con la Piedra Filosofal.

Los antiguos adoraban al Sol bajo la simbólica figura de una Piedra Negra. ¡Esa es la Piedra Heliogábala¡ Esa es la Piedra que debemos poner por fundamento del Templo. Esa Piedra es el Sexo, representada por la Piedra Filosofal, la Piedra Heliogábala.

Sin esa Piedra no se puede conseguir el Elixir de Larga Vida. Las dos columnas del Templo, Jachin y Boaz, son el Hombre y la Mujer, aliados para trabajar con la Piedra Filosofal. Quien encuentra la Piedra Filosofal se transforma en un Dios.

Aquellos que edifiquen sobre la Piedra viva, encarnarán al Verbo. Aquellos que edifiquen sobre la arena, fracasarán y sus edificaciones rodarán al Abismo. Esas Arenas son las Teorías, las Religiones Muertas, etc., etc.

El Arcano 19 es el Arcano de la "Obra del Sol". El Hombre y la Mujer que se toman de la mano y el Sol brillando sobre ellos nos indica que este Arcano se relaciona con el Misterio del Fuego. El aspecto Sexual de este Arcano lo encontramos en su suma kabalística: 1 + 9 = 10; éste es un número profundamente sexual, ahí está el Círculo y la Línea, los misterios del Lingam-Yoni; sólo es posible llegar a la Auto-Realización mediante la Transmutación Sexual, ésta es la alianza sagrada entre Hombre y Mujer para la Magna Obra.

Meditando acerca de los Santos en la Epoca Medieval, pude comprobar, que esos Santos aunque eran célibes, en otras vidas habían trabajado en la Novena Esfera, habían desarrollado el Fuego Sagrado por el Sahaja Maithuna.

Analizando la vida de San Felipe, encontramos que éste, sintiendo amor por lo Divinal, cae al suelo, y al levantarse toca con su mano un abultamiento torácico. Se lo examina y descubre que se le ha formado un abultamiento sobre el corazón, siente que le consume el Fuego Sagrado del Espíritu Santo. Después de muerto se descubre que la arteria que va del corazón a los pulmones tiene mayor grosor y sin embargo vivió hasta la ancianidad, y pudo decir a qué hora iba a desencarnar. No hay duda de que tenía el Fuego Sagrado por la práctica del Maithuna en vidas anteriores.

Catalina de Borbón fue una mística extraordinaria, en vida se manifestó como tal. Cuando murió la enterraron sin féretro, y al pasar algunas personas por su tumba notaron que salía una gran fragancia y muchos enfermos se curaban.

Los curas la sacaron para enterrarla bien, después de varios meses, estaba incorrupta y despedía una fragancia, la tuvieron en exhibición, el cadáver tuvo una hemorragia por la nariz, sudaba y despedía perfume, lo sentaron en una silla en una capilla de Italia y abrió los ojos y permaneció incorrupto.

Una de las pruebas de que alguien haya alcanzado la Auto-Realización Intima del Ser, dice el Tao, es esa de conservar el cuerpo incorrupto y despedir perfume.

Cuando el Akash, causa causorum del Eter y principio básico de los Tattvas se concentra en los órganos sexuales, entonces es la base psíquica de la sangre; y el Akash puro es el alimento de esos Místicos. Llevan dicha sustancia a la sangre y pueden vivir sin comer. Hay iniciados que pueden vivir desnudos en la nieve y sin comer, para llegar a eso se necesita una concentración extraordinaria.

Catalina del Sena decía que se sentía en el Cristo, alimentándose de su sangre. La relación del Akash con la Sangre y la Sangre con el Akash es tremenda. Los Místicos se concentraban en la sangre del Cristo y atraían todo el Akash puro, para esto se necesita una concentración tremenda y hay que haber trasformado las energías.

En la época de la galantería, en el Renacimiento, en aquellos tiempos de pelucas, crinolinas, casacas púrpuras, hermosas danzas, bellos carruajes, entonces el hombre sí sabía apreciar a la mujer y se sacrificaba por ella. El hombre era capaz de cualquier sacrificio por la dama, la sabía apreciar y no tenía inconveniente hasta de entregar su vida. No hay duda que había abusos, pero el hombre supo ver, en esa época, en la mujer todos sus ideales.

En el siglo XX el hombre se ha olvidado de los Misterios Sexuales, el varón ha perdido el sentido del Valor Moral, la humanidad está en decadencia.

La Esencia Anímica está esparcida entre todas las entidades del "Ego", pero cuando se va disolviendo se va formando la Perla Seminal, cuando se destruye el Ego, se forma el Embrión Aureo, entonces entran en el hombre los Principios Inmortales, pero la cuestión es Sexual. Mucho se intuía en otros tiempos lo que es la Energía Creadora.

El Ser Humano actualmente no es más que una Legión de Diablos, llenos de íntimas contradicciones. El único valor que tenemos es la Esencia, esparcida entre los Yoes.

CAPITULO 20

ARCANO Nº. 20 "LA RESURRECCION"

LA RESURRECCION 20

DESCRIPCION DE LA LAMINA: En las Aguas de la Vida una columna, símbolo de edificación, la base de la columna es la Piedra Cúbica. De las dos columnas, la Blanca y la Negra, sólo ha quedado la Blanca, símbolo de Purificación.

Al medio una momia, y de ella se escapa un Gavilán con cabeza humana, que vuela hacia los Mundos del Espíritu, representa al Alma. Es indubitable que al Despertar Conciencia nos transformamos en Gavilanes con cabeza humana, pudiendo volar libres por el espacio estrellado.

Sobre la cabeza del gavilán y la momia, un símbolo representativo de la glándula Pineal, indicio de Iluminación.

El Alma de cualquier Hierofante Egipcio tiene Cuatro Cuerpos:

1º. LA MOMIA.

2º. EL KA (CUERPO ASTRAL).

3º. EL BA (CUERPO MENTAL).

4º. EL KU (CUERPO CAUSAL).

¡Ay¡ de aquellos que después de llegar al Nacimiento Segundo continúan vivos. Esos se convertirán de hecho en Hanasmussen (abortos de la Madre Divina Kundalini) con Doble Centro de Gravedad.

SIGNIFICADO ESOTERICO DEL ARCANO: El Arcano 20 es la Resurrección. Para que haya Resurrección se necesita que previamente haya Muerte, sin ella no hay Resurrección.

¡Que bello es morir de instante en instante¡... ¡Sólo con la Muerte adviene lo nuevo¡.

Necesitamos morir de momento en momento si es que de verdad queremos individualizarnos. El Yo Pluralizado excluye toda Individualidad. De ninguna manera puede haber Individualidad donde coexisten múltiples entidades (Yoes), que riñen entre sí y que originan en nosotros variadas contradicciones psicológicas.

Cuando Seth (el Ego) muere en forma íntegra sólo queda en nosotros el Ser, eso que nos da auténtica Individualidad.

Cuando Seth se desintegra en forma total, entonces La Conciencia, el Alma, se libera, despierta radicalmente y viene la Iluminación Interior.

Realmente, la Resurrección del Alma, sólo es posible por medio de la Iniciación Cósmica. Los seres humanos están "muertos" y sólo pueden resucitar por medio de la Iniciación. Recordemos las palabras de Jesús, el Gran Kabir: *"Dejad que los muertos entierren a sus muertos"* (Mateo 8: 22). *"Dios no es Dios de muertos sino de vivos".* (Mateo 22: 23-32).

Así como existen Tres Tipos básicos de Energía: Masculina, Femenina, Neutra, así también existen Tres Tipos de Resurrección:

1º. RESURRECCION ESPIRITUAL.

2º. RESURRECCION CON EL CUERPO DE LA LIBERACION.

3º. RESURRECCION CON EL CUERPO FISICO.

Nadie puede pasar por el 2º ó 3º tipo de Resurrección sin haber pasado primero por la Resurrección Espiritual.

1º. Resurrección Espiritual: Se logra con la Iniciación. Debemos Resucitar Espiritualmente primero en el Fuego y luego con la Luz. Es decir, primero levantamos las 7 Serpientes de Fuego y luego las 7 Serpientes de Luz, alcanzando la Iniciación Venusta y la Resurrección Espiritual.

2º. Resurrección con el Cuerpo de la Liberación: Esto se realiza en los Mundos Superiores. Este cuerpo se organiza con los mejores atomos del Cuerpo físico. Es un cuerpo de carne que no viene de Adán, es un cuerpo de belleza indescriptible. Con este Cuerpo de Paraíso pueden los Adeptos entrar en el Mundo Físico y trabajar en él haciéndose visibles y tangibles a voluntad.

3º. Resurrección con el Cuerpo Físico: Al tercer día el Iniciado en Cuerpo Astral viene ante su Santo Sepulcro, acompañado por las Jerarquías Divinas. El Iniciado invoca a su cuerpo y éste con ayuda de las Divinas Jerarquías, se levanta penetrando en el Hiperespacio. Así es como se logra escapar de la sepultura. En los Mundos Suprasensibles del Hiperespacio, las santas mujeres tratan el cuerpo del iniciado con drogas y ungüentos aromáticos. Obedeciendo órdenes supremas el Cuerpo Físico penetra luego dentro del Cuerpo Astral por el tope de la cabeza. Así es como el Maestro vuelve a quedar en posesión de su Cuerpo Físico. Este es el Regalo de Cupido. Después de la Resurrección el Maestro ya no vuelve a morir, es eterno. Con ese Cuerpo Inmortal pueden aparecer y desaparecer instantáneamente, se hacen visibles en el Mundo Físico a voluntad.

Jesús, el Cristo, es un Maestro resurrecto que tuvo su Cuerpo Físico tres días en el Santo Sepulcro. Después de la Resurrección Jesús se presentó ante los discípulos de Emmaus en el camino, y cenó con ellos. Después ante Tomás el incrédulo, quien sólo creyó cuando metió el dedo en las heridas del Cuerpo Santo del Gran Maestro.

Hermes, Cagliostro, Paracelso, Nicolás Flamel, Quetzalcoatl, San Germain, Babaji, etc., conservan sus Cuerpos Físicos desde hace millares o millones de años sin que la muerte pueda contra ellos. Esos son Maestros Resurrectos.

Sólo con el Arcano A.Z.F. se puede elaborar el Elixir de Larga Vida, es imposible la Resurrección sin el Elixir de Larga Vida.

  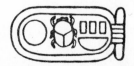

CAPITULO 21

ARCANO No. 21 "LA TRANSMUTACION"

≋ᴴᵢ LA TRANSMUTACION ♉ 21

DESCRIPCION DE LA LAMINA: En la parte superior encontramos la Luna Negra y la Luna Blanca, las antítesis. Al medio un Mago con el Bastón de los Patriarcas en una mano y la Cruz Ansada o Tao en la otra mano; se encuentra parado sobre un cocodrilo que abre sus fauces, esperando, para devorarlo. El Cocodrilo es Seth, el Satán, el "Yo Psicológico", el Mí Mismo, siempre en espera de aquel que se deja caer para devorarlo. El Mago valientemente empuña la Cruz Tao (el Arcano A.Z.F.) para defenderse.

El Mago se encuentra cubierto por una piel de tigre. Indubitablemente el Perro y el Tigre se hallan asociados esotéricamente en el mismo trabajo de la Muerte Mística. El Perro es el Fuego Sexual, el Instinto Erótico que se encuentra en la raíz misma de nuestro sistema seminal. El

Tigre es diferente y esto lo saben los "Caballeros Tigres", esos jagua-
res que luchan contra el Ego, que cual auténticos felinos de la Psicología Revolucionaria, se han lanzado contra sí mismos, contra sus propios
defectos psicológicos. Realmente son necesarias la Sagacidad y Fiere-
za del Tigre para matar la Personalidad Humana y hacer que resplandezca en el hombre el Dragón de Sabiduría de 7 Serpientes, símbolos
del Decapitado.

SIGNIFICADO ESOTERICO DEL ARCANO: El Arcano No. 21 ha sido confundido con el Arcano No. 22 que es la Corona de la Vida. El Arcano No. 21 es el " Loco del Tarot" o " La Transmutación ". La suma kabalísticamente nos da 2 + 1= 3. En este Arcano 21 el Iniciado tiene que
luchar contra los "3" Traidores de Hiram Abiff; el Demonio del Deseo, el
Demonio de la Mente y el Demonio de la Mala Voluntad.

Nunca se está mas en peligro de ser Demonio que cuando se está
más cerca de ser Angel.

Todo Iniciado que se deja caer es realmente el Loco del Tarot.Cuan-
do el Alkimista derrama el Vaso de Hermes, se convierte de hecho en
el Loco del Tarot. " La Insensatez".

Es necesario aniquilar el Deseo si queremos evitar el peligro de caer.
Quien quiera aniquilar el Deseo, debe descubrir las causas de éste.Las
causas del Deseo se hallan en las Sensaciones. Vivimos en un mundo
de sensaciones y necesitamos comprenderlas. Hay cinco tipos:

      1º. SENSACIONES VISUALES

      2º. SENSACIONES AUDITIVAS

      3º. SENSACIONES OLFATIVAS

      4º. SENSACIONES GUSTATIVAS

      5º. SENSACIONES DEL TACTO

Los Cinco Tipos especiales de Sensaciones se transforman en Deseo. No debemos condenar las Sensaciones, no debemos justificarlas,
necesitamos comprenderlas profundamente.

Sólo comprendiendo las Sensaciones matamos el Deseo. Sólo ani-
quilando el Deseo se libera la Mente, que normalmente se halla embotellada entre la botella del Deseo. Liberando la Mente se produce el Despertar de la Conciencia. Si queremos acabar con las causas del Deseo,
necesitamos vivir en Estado de Vigilancia constante. Es urgente vivir en
Estado de Alerta Percepción, Alerta Novedad. El Yo es un gran libro, un
libro de muchos tomos. Sólo por medio de la técnica de la Meditación
Interna podemos estudiar ese Libro.

CAPITULO 22

ARCANO No. 22 "EL REGRESO"

EL REGRESO 22

DESCRIPCION DE LA LAMINA: En las Aguas de la Vida la Cruz Svástica simbolizando el Chakra Muladhara de cuatro pétalos.

Una mujer que representa la Verdad, tocando un arpa, está pulsando la Lira Sexual de 9 cuerdas hasta encontrar la nota clave. En la parte superior los 4 Dioses de la Muerte: Mestha, Hapi, Duamutef, y Kebehsenuf; representando los 4 elementos Tierra, Agua, Fuego y Aire. Los 4 animales misteriosos de la Alkimia Sexual. Sobre los 4 Dioses de la Muerte encontramos La Serpiente Sagrada que ilumina la Esfera de Ra concedida al Adepto Osiriano, Hijo de la Luz.

SIGNIFICADO ESOTERICO DEL ARCANO: El Arcano No. 22 es la Corona de la Vida, el regreso a la Luz, encarnación de la Verdad en nosotros.

Amados discípulos, necesitáis desarrollar cada uno de los 22 Arcanos Mayores del Tarot dentro de vosotros mismos. Eres "Imitatus", o sea el que otros han colocado en la Senda del Filo de la Navaja. Esfuérzate en llegar a "Adeptus", éste es el producto de sus propias obras, el que conquista la Ciencia por sí mismo, el Hijo de su mismo Trabajo. Hay que conquistar el grado de Adeptus saliéndose del estado animal, adquiriendo Conciencia.

La Gnosis enseña tres etapas por las cuales tiene que pasar todo aquel que trabaja en la Fragua Encendida de Vulcano, éstas son:

1ª. PURIFICACION

2ª. ILUMINACION

3ª. PERFECCION

Resulta que los curiosos que ingresan a nuestros Estudios Gnósticos quieren Iluminación inmediatamente, Desdoblamientos, Clarividencia, Magismo Práctico, etc. Y cuando no consiguen esto inmediatamente se retiran.

Nadie puede llegar a la Iluminación sin haberse purificado primero, sólo quienes han conseguido la Purificación, la Santidad, pueden entrar a la sala de la Iluminación. Existen también muchos estudiantes que se meten en nuestros estudios por pura curiosidad y quieren ser sabios inmediatamente. Pablo de Tarso dice: *"Hablamos Sabiduría entre los perfectos"*. Sólo quienes llegaron a la Tercera Etapa son Perfectos, sólo entre ellos se puede hablar Sabiduría Divina.

En el viejo Egipto de los Faraones, dentro de la Masonería Oculta, estas tres etapas del sendero son:

1ª. APRENDICES

2ª. COMPAÑEROS

3ª. MAESTROS

Los candidatos permanecían en el grado de Aprendices siete años y aún más, sólo cuando ya los Hierofantes estaban completamente seguros de la Purificación y Santidad del candidato, podían entonces pasar a la segunda etapa. Realmente sólo después de siete años de Aprendiz comienza la Iluminación.

La Corona de la Vida es nuestro Resplandeciente Dragón de Sabiduría, el "Cristo Interno". Del Ain Soph la Estrella Atómica Interior que siempre nos ha sonreído emana la Santa Trinidad.

1 (MONADA) + 3 (TRINIDAD) = 4 (TETRAGRAMMATON).

El Arcano 22 sumado kabalísticamente nos da:

2 + 2 = 4 (TETRAGRAMMATON).

El resultado es el Santo Cuatro, el misterioso Tetragammaton, el Iod-He-Vau-He; Hombre, Mujer, Fuego y Agua; Hombre, Mujer, Falo y Utero. Ahora comprenderemos por qué el Arcano 22 es la Corona de la Vida.

El Apocalipsis dice: *"no tengas ningún temor de las cosas que has de padecer. He aquí el diablo ha de enviar algunos de vosotros a la cárcel, para que seáis probados, tendréis tribulación de diez días, Sé fiel hasta la muerte, y yo te daré la Corona de la Vida"*. (Apoc. 2: 10).

La cárcel es la Cárcel del Dolor y los 10 días son las tribulaciones mientras estéis sometidos a la Rueda de los Retornos y el Karma.

Quien recibe la Corona de la Vida, se libera de la Rueda de Retornos, Recurrencia y el Karma.

La Corona de la Vida es Triuna, tiene tres aspectos:

1º. EL ANCIANO DE LOS DIAS.

2º. EL HIJO ADORABLE.

3º. EL ESPIRITU SANTO MUY SABIO.

La Corona de la Vida es el Hombre-Sol, el Rey-Sol tan festejado por el Emperador Juliano. La Corona de la Vida es nuestro incesante Hálito Eterno, para sí mismo profundamente ignoto, el Rayo Particular de cada hombre, El Cristo. La Corona de la Vida es Kether, Chokmah y Binah (Padre, Hijo y Espíritu Santo):

Aquel que es fiel hasta la muerte, recibe la Corona de la Vida.

En el Banquete del Cordero resplandecen como soles de amor, los rostros de todos aquellos Santos que lo han Encarnado. El blanco mantel inmaculado está teñido con la sangre real del Cordero Inmolado.

"El que tiene oído, oiga lo que el Espíritu dice a la Iglesia. el que venciere no recibirá daño de la Muerte Segunda". (Apoc. 2: 11).

El que no venciere, se divorciará del Bienamado y se hundirá en el Abismo. Aquellos que entran en el Abismo pasarán por la Muerte Segunda. Los Demonios del Abismo se van desintegrando lentamente a través de muchas eternidades. Esas Almas se pierden. El que venciere no recibirá daño de la Muerte Segunda.

Cuando recibimos la Corona de la Vida, el Verbo se hace carne en cada uno de nosotros.

Todo Santo que alcanza La Iniciación Venusta, recibe la Corona de la Vida.

Nuestro amantísimo Salvador Jesucristo, alcanzó la Iniciación Venusta en el Jordán.

"Y aquel Verbo fue hecho carne, y habitó entre nosotros (y vimos su gloria como del unigénito del Padre), *lleno de gracia y verdad".* (Juan 1: 14).

"La luz vino a las tinieblas; pero las tinieblas no la conocieron". (Juan 3: 19).

El, es el Salvador, porque nos trajo la Corona de la Vida y dio su sangre por nosotros.

Necesitamos llegar a la Suprema Aniquilación del Yo para recibir la Corona de la Vida. Necesitamos resucitar al Cordero dentro de nosotros mismos. Necesitamos las Pascuas de Resurrección.

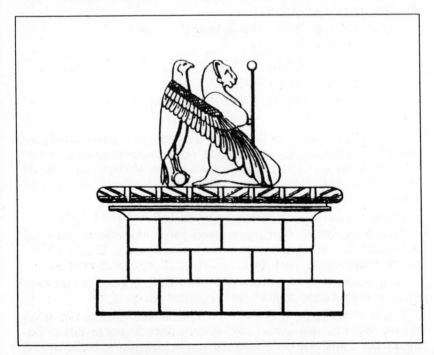

"Necesitamos llegar a la Suprema Aniquilación del Yo para recibir la Corona de la Vida. Necesitamos las Pascuas de Resurrección".

El Sendero Iniciático en los Arcanos del

TAROT y KABALA

Segunda Parte

La Iniciación a Través de los Arcanos del Tarot

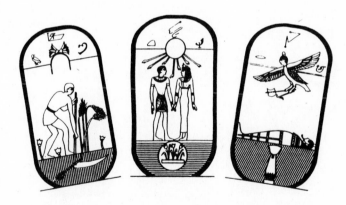

"Si el Logos brotó de entre lo Divinal
Incognoscible, el Diablo le dio Libertad".

Samael Aun Weor

CAPITULO 23

ARCANO No. 1

El Arcano No. 1 es el Mago de la Kábala, es obvio que es lo que comienza, cualquier cosa que se inicia en la vida práctica es el Arcano No. 1, es la Unidad.

Resulta fácil comprender que todo comienzo es difícil, hay que trabajar duro, hay que sembrar para poder cosechar, por eso es que en el Arcano No. 1, está la Unidad del Principio Original. Origen, claro está, de toda Unidad porque todo comienza con el No. 1.

La Unidad viene a ser el origen de la Dualidad o del Binario, 1 + 1 = 2, por último en esa Unidad está la síntesis realizadora del Ternario. La Unidad, el "1", es la Mónada Divina, el Primer Logos, es el Padre que está en secreto, y cada cual tiene su Mónada propia, individual.

Decía Madame Blavatsky que *"hay tantos Padres en el Cielo como hombres en la Tierra"*. El Padre a su vez o a sí mismo, se desdobla en la Madre Divina, así que El y Ella son Brahama porque ella viene a ser el aspecto femenino de él. Entonces vemos cómo la Unidad es la raíz del Binario, puesto que éste no existiría sin la Unidad.

Si no existiera La Mónada no existiría La Madre Divina. La Mónada es la raíz de la Dualidad. Hay tantas madres en el Cielo como hombres en la Tierra, cada cual tiene su Dios Interior o su Padre y Madre Celestial particular, propio. Aclarando esto, se comprende mejor, por qué la Unidad es la Síntesis realizadora del Ternario y cómo y por qué se produce.

Cuando Jesús oraba, oraba al Padre que está en secreto y nos dejó una oración que es el Padre Nuestro, esta oración es mágica ciento por ciento, se lleva un par de horas en Orar bien un Padre Nuestro, porque cada petición que se hace al Padre es Mágica ciento por ciento, el error de las gentes es rezarla en forma mecánica y no tiene ningún resultado. Esa oración hay que desmenuzarla, analizarla, y para ello hay que relajar el cuerpo, que ningún músculo esté en tensión, entonces concentrarse, combinando La Oración con la Meditación.

Las gentes piensan que el Padre Nuestro que está en los Cielos es un Señor que está ahí sentado. Si reflexionamos profundamente, se descubre la Mónada, el No. 1, el origen de todas las otras Unidades o Mónadas. Claro está que la Mónada necesita algo en la vida para poder Auto-Realizarse. ¿Qué es lo que necesita la Mónada? Lo averiguaremos a la luz del Sánscrito; necesita "Vatrasattwa"; el significado es Alma Diamante. Esta es un Alma que no tiene "Yo", que eliminó todos los Elementos Subjetivos de las Percepciones; y estos elementos son los Yoes y los Tres Traidores de Hiram-Abiff, o lo que es lo mismo, Judas, el Demonio del Deseo, equivocadamente llamado Cuerpo Astral, Pilatos el Demonio de la Mente que se le confunde con el Cuerpo Mental y Caifás, el Demonio de la Mala Voluntad. ¿Por qué será que todo esto lo ignoran las escuelas seudo-esotéricas?.

Los Elementos Subjetivos de las Percepciones son los Agregados, los distintos compuestos del ser humano, o los distintos Demonios Rojos que constituyen los Yoes.

Los Elementos Subjetivos de las Percepciones en Psicología se definen como todos los procesos psicológicos del ente humano, definidos como procesos subjetivos del: Inconsciente, Sub-Consciente, Pre-consciente, Infra-Consciente; y todo lo que es de tipo metafísico.

¿Qué entienden los Psicólogos Modernos por Objetivo? Lo físico, lo tangible, lo material.

Claro que están Totalmente equivocados pues analizando el término Subjetivo significa: Sub = abajo, lo que está por debajo de los límites de Nuestras percepciones. ¿Y qué es lo que está abajo? ¿No son los Mundos Infiernos? ¿No es Subjetivo lo que está en el Físico y por debajo de lo Físico? "Esto es lo verdaderamente Subjetivo lo que está abajo de los límites de nuestras percepciones".

Los Psicólogos no saben usar ese término correctamente.

Objetivo: es la Luz, lo Resplandeciente, es algo que tenga Verdad, Claridad, Lucidez.

Subjetivo: es lo Obscuro, lo Tenebroso, los Elementos Subjetivos de las Percepciones vienen de: "Ver", "Oír", "Tocar", "Olfatear", "Gustar". Todo eso son percepciones de lo que vemos en la Tercera Dimensión, por ejemplo: en un cubo sólo vemos, largo, ancho y altura, y la Cuarta Dimensión no la vemos, porque estamos embotellados por el Ego. Los Elementos Subjetivos de las Percepciones están constituidos por el Ego, con todos sus Yoes.

La Unidad, El Padre, se desdobla a sí mismo en la Madre. A su vez la Madre se desdobla, dando origen al Hijo que lleva en sus entrañas.

OSIRIS-EL PADRE. ISIS-LA MADRE.
HORUS-ESPIRITU DIVINO, ES EL INTIMO DE CADA SER.

La Unidad es la Síntesis realizadora del Ternario.

Se dice en el Libro de los Muertos de los Egipcios que Ra entregó a

Horus, el niño que la Madre Divina lleva en sus brazos, la Región de "Buto", esta región es la del Espíritu Puro o sea de Atman-Budhi-Manas.

Seth se transformó en un Jabalí Negro que golpeó el "Ojo de Horus" y éste se quejó con Ra. Yo te curaré, le dijo Ra y para consolarlo le dio la Región de Buto. Esto se aclara de la siguiente manera: *"hay que matar al Jabalí Negro, así se restaura el Ojo de Horus, es decir la Clarividencia queda restaurada"*.

Horus puede acabar con el Jabalí Negro, pero él solo no puede sino que tiene que pedir la ayuda de la Madre Divina. Eliminando el Jabalí Negro triunfa Horus y la Esencia que estaba embotellada se libera fusionándose con Horus, con el Alma Diamante, se une con su Padre y Madre, son Tres Llamas que vienen a formar Una sola Llama Realizada. La Esencia es un desdoblamiento de Horus, hay que pedirle a Horus que fortifique nuestros Tres Cerebros. Conforme el Ego muere, Horus se va fortificando, y por eso hay que pedirle que fortifique esos Tres Cerebros.

Cuando Horus se ha tragado la Esencia, necesita Los Cuerpos Solares y queda un Atomo Germinal de cada uno de los cuerpos.

CUERPO FISICO SOLAR.
CUERPO ASTRAL SOLAR - PLENA CONCIENCIA.
CUERPO MENTAL SOLAR - CONOCIMIENTO PLENO.
CUERPO DE LA VOLUNTAD CONSCIENTE.

El hombre es hombre y mientras más pequeño y más microscópico se sienta uno, mejor, nosotros hombres debemos pensar que somos hormigas, Dios es Dios porque la Divinidad es la que tiene el Poder, nosotros no somos nadie, somos pobres diablos y aún el hombre siendo Hombre completo es una hormiga comparado con Dios.

Un Maestro me dijo: *"V.M. Samael Aun Weor, la Verdadera Felicidad es tener a Dios adentro. Aunque se esté en el Absoluto o en el Nirvana si no se tiene a Dios adentro, No sería feliz, aunque los que ahí viven ya lo tienen encarnado".* Esas palabras hicieron en mí un impacto tremendo, y fui a consultar al Gran Sabio Saturno, le hice varios saludos Esotéricos y él los contestó todos, pero dijo que *"No hay saludo más grande que el del Sello del Corazón".*

No hubo necesidad de hablar, en silencio me contestó todo diciendo que *"ni en el Absoluto, si no tiene uno a Dios adentro, no se es feliz".* Esa respuesta me dejó satisfecho. Esas consultas cuestan dinero y pagué con capital de buenas acciones que son monedas metálicas que representan Dharma.

SINTESIS:

- Este Arcano, el Mago, representa al Hombre. Es el Principio Masculino.
- El No. 1 significa lo que se inicia, lo que empieza.
- En el Tarot está contenido todo el trabajo, ahí se desarrollan todos los procesos psíquicos.
- La Unidad es la síntesis realizadora del Ternario.
- Mientras no nos conozcamos a sí mismos, nada se puede saber de Alma y Espíritu.
- Las cuatro condiciones que se necesitan para ser Mago son las siguientes:

> SABER SUFRIR.
> SABER CALLAR.
> SABER ABSTENERSE.
> SABER MORIR.

"Cuando Horus se ha tragado la Esencia, necesita Los Cuerpos Solares".

CAPITULO 24

ARCANO No. 2

El 2 es Negativo. En los antiguos tiempos en los Templos había un Sacerdote y una Sacerdotisa. En la Masonería Primitiva había un Maestro y una Maestra. El Conde Cagliostro intentó fundar la Masonería Egipcia en Inglaterra, pero tuvo muchos enemigos y estableció dos tronos. Giovani Papini conoció al Conde Cagliostro en un barco, se hicieron amigos y le dijo quién era, quiso evitar la Segunda Guerra Mundial y como no le hicieron caso se fue nuevamente al Tíbet diciendo que regresaría 60 años más tarde.

La Masonería Egipcia fue grandiosa; en los antiguos tiempos cuando existían los Hermafroditas Sagrados, el 1 y el 2 estaban fusionados. En la Epoca Polar cuando la Primera Raza Protoplasmática, la humanidad era Andrógina, entonces la reproducción sexual se verificaba en determinadas épocas del año; se dividía en dos; ese dos era el hijo.

En aquella época cuando nacía alguien, se verificaba un ritual, los seres humanos se podían alargar o empequeñecer al tamaño del átomo. Cuando un Maestro quería hablar en forma dulce ponía el Principio Femenino a flote; cuando quería demostrar su rigidez, afloraba el Principio Masculino, así son los Elohim.

Cuenta la tradición Latina que Eneas se presentó en el Santuario de Apolo (Eneida Libro IV) y se entrevistó con la Pitonisa quien le profetizó lo que le aguardaba. Eneas solicitó ver a su padre muerto; solicitaba la entrada al Infierno. La terrible Sibila, custodia de los bosques de Hecate Proserpina (tercer aspecto de la Madre Divina), los bosques del Averno, le contesta: *"Fácil es la bajada al Averno pero restituirse a la tierra es lo difícil, pocos pudieron lograrlo".*

Le pidió conseguir un ramo cuyas hojas y tallos son de oro, consagrado a Proserpina; la Madre Divina en su aspecto infernal. Eneas sacrificó unas ovejas negras, luego vio "Dos palomas" que volaban, reconoció en ellas el Héroe las aves de su Madre Divina (símbolo del Espíritu Santo), dicho mensaje lo interpretó inteligentemente, las aves le condujeron al bosque de Proserpina hasta la rama que le permitirá la entrada al Infierno. Eneas sacrificó cuatro vacas negras y la Sibila le condujo por el Averno hasta donde estaba su difunto padre.

Los Principios Masculino y Femenino se conjugan en el Santo y Misterioso Tetragrammaton, nombre esotérico que no debe pronunciarse

en vano y que está relacionado con las letras del Nombre del Eterno en
Hebreo: HE VAU HE IOD (símbolos Hebreos que se leen al revés).

IOD: ETERNO PRINCIPIO MASCULINO.
HE: ETERNO PRINCIPIO FEMENINO.
VAU: PRINCIPIO MASCULINO FALICO; EL LINGAM.
HE: PRINCIPIO FEMENINO, EL UTERO; EL YONI.
IOD HE VAU HE SE REDUCE A SSSSSSSSSSSSSS.

Esas cuatro letras son en sí mismas de inmenso poder sacerdotal.
Hay que pronunciarlas como el aullido de un ciclón entre los montes o
imitando al viento, se pronuncia suavemente cuando se quiera sanar a
un enfermo o invocar a un Deiduso, también sirven para meditar. En
esas cuatro letras están representados los Dos Principios: Femenino y
Masculino del Macrocosmos y Microcosmos: La Vara, Principio Masculino y la Copa, Principio Femenino.En esas cuatro letras está el Principio del Eterno que no se debe pronunciar en vano.

El Número "2" es vital, en los Templos de Misterios no faltan "2" Altares. No se puede pasar al Templo sin pasar por las Dos Columnas en
donde hay Dos Guardianes.

¿Qué sería de la Gran Vida si no existiera el Número "2"? La Matripadma recibe el Fohat rayo Masculino, el Espíritu Santo, esposo de la
Madre Divina, se fecunda y viene el Universo. ¿Qué sería de la vida sin
el otro principio? Antes del amanecer del Mahavantara, el Día Cósmico,
no existía nada, los Dioses vivían entre Aquello que no tiene nombre, ni
forma, ni sonido, ni silencio, ni oídos para percibirlo.

Cuando amaneció la vida, cuando vino la Aurora de la Creación,el
Primer Logos llamó al Tercer Logos y le dijo: *"Id y Fecundad a tu Esposa para que brote la existencia"* y comenzó a trabajar con los Siete Espíritus ante el trono y el Ejército de la Voz, y se realizaron los Rituales
Masónicos, se hizo fecunda la Materia Caótica, la Matripadma, se fecundo y vino a la existencia el Universo. Cada uno de los Siete Cosmocratores emanó de sí las dos Almas: Buddhi, Alma Femenina y Causal,
Alma Masculina, simbolizados por la Constelación de Piscis.

Estas dos Almas, Esposo y Esposa, practicaron un Maithuna Trascendental, ella separó las Aguas Superiores de las Inferiores para que
fueran fecundadas por el Fuego y las proyectaban por medio del Verbo.
Los gérmenes de la Matripadma prolificaron, se hinchó como Flor de Loto y fructificó naciendo un Cosmos.

En la Electricidad está el Eterno Positivo y el Eterno Negativo. En la
India el Principio Masculino se representa por un Toro y el Principio Fe-

menino por la Vaca Blanca Sagrada que representa a la Madre Divina y que tiene su antítesis en la Vaca Negra.

Necesitamos Cristificarnos. Ningún ser humano puede retornar al Padre sin haber sido devorado por la Serpiente. Nadie puede ser devorado por ella sin haber trabajado en la Fragua Encendida de Vulcano (el Sexo). La llave de la Cristificación es el Arcano A.Z.F. El Mantram del Gran Arcano es I.A.O.

I	IGNIS	FUEGO
A	AQUA	AGUA
O	ORIGO	PRINCIPIO, ESPIRITU

A la Fragua Encendida de Vulcano, bajan, Marte para retemplar su espada y conquistar el corazón de Venus; Hércules para limpiar los establos de Augias, con el Fuego Sagrado; y Perseo para cortar la cabeza de la Medusa.

Recordad, amados discípulos, que nuestra Divina Madre es Nuit y que su palabra es "56". Este número se descompone kabalísticamente así:

$$5 + 6 = 11, \text{ luego } 1 + 1 = 2.$$

Uno es el Padre, dos, Ella, Nuit, la Divina Madre Kundalini. He aquí la maravilla del número "2".

SINTESIS:

- **La mujer es el Atanor de la Alquimia Sexual. El Hombre salió del Paraíso por las Puertas del Edén, y el Edén es el mismo "Sexo".**
- **La Puerta del Paraíso es el Sexo. La Mujer es la puerta.**
- **El "Kundalini" es el Fuego Sagrado del Espíritu Santo, es el Fuego de Pentecostés, es la "Serpiente" Ignea de nuestros Mágicos Poderes.**
- **El Kundalini está encerrado en el Chakra Muladhara situado en el coxis.**
- **El secreto para despertar el Kundalini es el siguiente:** *"Introducir el miembro viril en la vagina de la mujer y retirarlo sin derramar el semen".* **Esta práctica se hará lentamente.**
- **El Arcano A.Z.F. Magia Sexual o Maithuna sólo se puede prac-**

ticar entre esposo y esposa en hogares legítimamente constituidos.

La práctica del Arcano debe realizarse una sola vez al día, si se practica dos veces al día se cae en lo negativo, violando la Pausa Magnética Recuperadora.

"El Conde Cagliostro intentó fundar la Masonería Egipcia en Inglaterra, pero tuvo muchos enemigos y estableció dos tronos".

CAPITULO 25

ARCANO No.3

En Kábala todo es Número y Matemáticas. El Número es santo, es infinito, en el Universo todo es medida y peso. Dios es un Geómetra para los Gnósticos. Las Matemáticas son sagradas, en la Escuela de Pitágoras no se admitía a nadie que no supiera Matemáticas, Música, etc. Los Números son sagrados.

El Sepher Yetzirah, libro Hebraico, sagrado y antiquísimo de los rabinos, describe en forma maravillosa todos los esplendores del mundo y el juego extraordinario de los Sephirotes, en Dios y en el hombre por 32 Sendas de la Sabiduría. En el Misterio de los Sexos se oculta toda la Ciencia de los Sephirotes. En la Ciencia de los Números está la clave secreta del Sepher Yetzirah, cualquiera pensaría en 32 Senderos, en realidad las 32 Sendas de la Sabiduría es igual a "3 + 2 = 5", igual a la Estrella de 5 puntas, a la Pentalfa, es decir al Hombre, esto significa que los Senderos están en el Hombre, dentro de uno mismo está todo. Se habla en forma muy simbólica, por eso se dicen 32 Sendas.

Dicen los Kabalistas que el Alma tiene en realidad tres aspectos:

1º. NEPHES - EL ALMA ANIMAL

2º. RUACH - EL ALMA PENSANTE

3º. NESHAMAH - EL ALMA ESPIRITUAL

El substractum de estos tres aspectos del Alma son los Sephirotes, estos son atómicos.

1º. **Nephes:** Se debe distinguir entre Cuerpo Astral y Cuerpos Lunares, estos últimos se mueven durante la noche y después de la muerte, a estos cuerpos se les ha llamado convencionalmente Cuerpo Astral pero no es legítimo. El que quiera darse el lujo de tenerlo debe realizar el trabajo del Maithuna, donde se fabrica el H-Si-12 (H = Hidrógeno; Si = Nota Musical; 12 = 12 Leyes) que vibra en nuestro organismo con la escala musical, si la práctica es intensiva cristaliza en el Cuerpo Astral Solar.

Al iniciado le toca bajar a los Mundos Infiernos durante 40 días y le toca recapitular todas las maldades y dramas espantosos de pasadas reencarnaciones; poco a poco va saliendo de esas tenebrosas regiones,

antes de salir, las tres Almas, Nephes, Ruach y Neshamah son someti-
das a pruebas. Que interesante es ver al Alma Animal sometida a prueba, lo mismo al Alma Pensante y a la Esencia que también es sometida
a prueba.

La Biblia dice: *"Nephes, Nephes, la sangre con sangre se paga"*. A
través de las palabras hebraicas se esconde la Sabiduría.

2º. Ruach: Es el Alma Pensante, Emocional, que está metida en
Cuerpos Lunares de Deseo.

3º. Neshamah: Eso que hay de Alma metida entre los principios antes mencionados es sometida a pruebas muy difíciles. Cuando el iniciado triunfa asciende después al Mundo Causal a entrevistarse con Sanat
Kumará, un Venerable Anciano nombrado en antiquísimas religiones y
que es uno de los Cuatro Tronos de los que habla la Biblia, tres se fueron y quedó uno solo, él empuña la Vara de Aarón, el Cetro de los Reyes, es inefable, tiene relación con Sattva, Rajas y Tamas, las Tres Gu-
nas en equilibrio. Sanat Kumará da la Iniciación Esotérica del Cuerpo
Astral Solar.

SINTESIS:

- **Nuestros discípulos deben aprender a salir en Cuerpo Astral
  para visitar todas las Logias Blancas del mundo, donde podrá
  conversar personalmente con el Cristo y con todos los Maestros de la Logia Blanca.**

- **Los Atomos de la Pereza son un grave obstáculo para el progreso hacia los Mundos Superiores.**

- **La Gran Ley es regreso de la vida a los Mundos Superiores.**

- **Orad y Meditad Intensamente. La Divina Madre enseña a sus
  hijos. La Oración debe hacerse combinando la Meditación con
  el Sueño. Entonces como en visión de sueños, surge la Iluminación. Llega la Divina Madre al devoto para instruirlo en los
  Grandes Misterios.**

CAPITULO 26

ARCANO No. 4

El Arcano No. 4 es muy interesante, se refiere a la Cruz de Cuatro Puntas, la Piedra Cúbica que es el fundamento de la Gran Obra, la que hay que cincelar.

Hablando sobre la Escuela del Cuarto Camino, encontramos que Gurdjieff, Ouspensky, Nicoll, han expuesto lo que saben pero la exposición adolece de muchos defectos; por ejemplo, Gurdjieff comete el error de confundir al Kundalini con el abominable Organo Kundartiguador y Ouspensky comete el mismo error; no podemos dejar de reconocer que hay esa Fuerza Fohatica Ciega, que tiene hipnotizadas a las gentes, pero nada tiene que ver con el Kundalini; el Kundartiguador es el Fuego Lunar.

La Biblia habla de los 44 Fuegos, pero sólo se puede hablar de Dos Grandes Fuegos: Kundalini y Kundartiguador. El primero es el Fuego Pentecostal, el Rayo de Vulcano ascendiendo por la Espina Dorsal, el Fuego Positivo que cristaliza en Mundos y Soles. Su antítesis es el Kundartiguador, el Fuego Negativo que cristaliza en esos Agregados Psicológicos; esos Yoes gritones y pendencieros que llevamos dentro, son cristalizaciones negativas que a las gentes las tiene sumidas en la inconsciencia.

Gurdjieff también comete el error de no hablar nada sobre los Cuerpos Lunares que tienen todas las gentes y sólo dice que se debe transformar el Ser y fabricar los Cuerpos Solares.

Ouspensky habla sobre el Nacimiento Segundo, pero están incompletas sus enseñanzas. Primero se fabrican los Cuerpos Solares en la Novena Esfera alcanzando el Nacimiento Segundo; pero ni Gurdjieff ni Ouspensky dan la clave.

La Escuela del Cuarto Camino es muy antigua, viene de las tierras Arcaicas, es el fundamento de los Grandes Misterios, se encuentra viva en el Gnosticismo, en las religiones de los Egipcios, Lemures, Atlantes, Fenicios, etc.

Hay que recorrer la Senda por ese Cuarto Camino, nosotros tenemos que marchar con equilibrio en Ciencia, Filosofía, Arte y Religión.

Antes, en el arte escénico, se informaba al individuo en sus Tres Cerebros, Motor, Emocional, Intelectual, hoy en las Escuelas sólo se informa al Cerebro Intelectual, a eso se deben los estados enfermizos de la Mente y la neurosis, balanceando los Tres Cerebros se evitan desequilibrios mentales.

La Ciencia está contenida en todo el Cosmos, existe aunque no existieran las Ciencias.

El Arcano 4 del Tarot es el Santo y Misterioso Tetragrammaton. El nombre Sagrado del Eterno tiene 4 letras: IOD, HE, VAU, HE.

> IOD - HOMBRE - HOMBRE.
>
> HE - MUJER - MUJER.
>
> VAU - FALO - FUEGO.
>
> HE - UTERO - AGUA.

Son las 4 palabras que nos llevan a la Novena Esfera, al Sexo, a la Forja de los Cíclopes, a la famosa Fragua Encendida de Vulcano, para levantar la Serpiente Sagrada de nuestros Mágicos Poderes y llevarla al corazón, recibiendo la Cruz Sagrada de la Iniciación en el Templo de la Madre Divina.

El número 4 también representa a los 4 Elementos Físicos y a los 4 Elementos de la Alquimia.

> TIERRA - SAL
>
> FUEGO - AZUFRE
>
> AGUA - MERCURIO
>
> AIRE - AZOGUE

Decían los antiguos Alkimistas que el Azufre debe fecundar al Mercurio de la Filosofía Secreta para que la Sal se regenere; o sea que el Fuego debe fecundar al Agua para que el hombre se regenere, se Auto-Realice.

También en este Arcano encontramos el secreto de las Esfinges, y nos recuerda los Cuatro Animales Sagrados de la Alquimia Sexual:

LEON: GARRAS DE LEON - OCULTA EL ENIGMA DEL FUEGO

HOMBRE: EL AGUA - ROSTRO DEL HOMBRE - INTELIGENCIA.

AGUILA: EL AIRE - LAS ALAS DE LA ESFINGE - ESPIRITU.

TORO: LA TIERRA - LAS PATAS TRASERAS - TENACIDAD.

Estos son los valores representativos de la Esfinge, los Cuatro Elementos de la Alquimia Solar. Necesitamos la tenacidad del toro y las alas del Espíritu.

La Esfinge nos habla de la Gran Obra que se realiza con los Cuatro Elementos.

Cierta ocasión me entrevisté con el Elemental de la Esfinge, es un Elemental maravilloso, traía los pies llenos de lodo, él me bendijo y le dije: *"ya entiendo por qué traes los pies llenos de lodo, por la Edad ésta del Kali Yuga".*

La entrada a los viejos Templos Arcaicos era por lo común un agujero escondido en algún paraje misterioso de la selva espesa. Nosotros salimos del Edén por la puerta del Sexo y sólo por esa puerta podemos retornar al Edén. El Edén es el mismo Sexo, es la puerta angosta, estrecha y difícil que conduce a la Luz.

En la soledad de esos Santuarios Misteriosos, los Neófitos fueron sometidos a las 4 Pruebas Iniciáticas. Las pruebas de Fuego, de Aire, de Agua y de Tierra definieron siempre las diversas purificaciones de los neófitos.

Los Neófitos son sometidos a las 4 Pruebas Iniciáticas que se verifican en los Mundos Internos. El hombre todavía no es rey de la Naturaleza, pero está llamado a serlo según Melchisedeck.

El discípulo debe ser probado por los 4 Elementos, para examinarlo se le somete a prueba en las 49 Regiones del Pensamiento.

Estas pruebas son para todos, hombres y mujeres. Se puede uno ayudar teniendo pensamientos puros, pero eso no es todo, se necesita la Meditación.

Todos los estudiantes de Kábala se deben familiarizar con todas las Criaturas Elementales:

AIRE: SILFOS. AGUA: ONDINAS Y NEREIDAS.
FUEGO: SALAMANDRAS. TIERRA: GNOMOS.

Estos Elementos se utilizan para trabajar en la transmutación del plomo en Oro sobre la Cordillera Central (Espina Dorsal).

En las palabras IOD-HE-VAU-HE, encontramos el misterio del Tetragrammaton (Santo 4), las Cuatro Palabras, los Cuatro Elementos, más profundamente encontramos nuestro Ser, a la Divinidad más completa.

Del Ain Soph que es Un Atomo Superdivino de cada uno de nosotros, emanan las Tres Fuerzas Divinales, del Padre, del Hijo y del Espíritu Santo, dando su última síntesis, 3 + 1 = 4. Tetragrammaton (IOD-

HE-VAU-HE). Siendo éste el resumen Sagrado del número 4.

SINTESIS:

- El Maestro está formado por Atma-Buddhi.
- Atma es el Intimo.
- Budhi es el Alma Divina, es decir la Conciencia Divina del Intimo.
- Cuando un Logos quiere redimir un mundo, emana de sí mismo un prototipo celeste formado por Atma-Buddhi.
- El Logos es la Corona Sephirótica, es el Rayo Individual, de donde emana el Intimo mismo. Ese Rayo es triuno, es la Santísima Trinidad dentro de nosotros.
- Así pues, todo Logos es triuno.
- El Padre es Kether, el Anciano de los Días.
- El Hijo es el Cristo Cósmico en nosotros.
- El Espíritu Santo es la Divina Madre en nosotros.
- La Madre lleva una lámpara en la mano. Esa lámpara es el Intimo, que arde dentro de nuestro corazón.

"La Esfinge nos habla de la Gran Obra que se realiza con los Cuatro Elementos".

CAPITULO 27

ARCANO No. 5

El Arcano 5 del Tarot es el Pentagrama Flamante, la Estrella Flamígera. El Pentagrama representa el Microcosmos-Hombre. Desde el punto de vista esotérico vemos que hay lucha entre Cerebro y Sexo, si el Sexo vence al Cerebro, la Estrella de 5 puntas (el Hombre) cae al Abismo con los pies hacia arriba y la cabeza hacia abajo, se convierte el ser humano en entidad de las Tinieblas. Esta es la estrella invertida, este es el macho cabrío de Mendes.

El Macho cabrío representa a la Magia Negra. Una figura humana con la cabeza hacia abajo y los pies hacia arriba, representa, naturalmente, a un Demonio.

Todo el Poder Mágico se encuentra en la Estrella de Cinco Puntas. En la Estrella Flamígera se halla resumida toda la Ciencia de la Gnósis. Muchos Bodhisattvas (Almas Humanas de Maestros) cayeron como la Estrella de Cinco Puntas, invertida, con el rayo superior hacia abajo y los dos rayos inferiores hacia arriba. Hay que hacer conciencia plena de lo que es un Bodhisattva. La Tríada Superior de todo Espíritu Inmortal, de todo hombre, está compuesta de Atman, Buddhi y Manas.

1º. Atman: El Ser, Chispa Divina Inmortal, tiene dos Almas que en esoterismo se llaman Buddhi y Manas.

2º. Buddhi: Principio Básico, Alma Espiritual Femenina, Conciencia Superlativa del Ser.

3º. Manas: Alma Humana Masculina.

El Maestro en sí mismo es Atman, el Ser, Buddhi y Manas. Cuando un Maestro viene al mundo necesita tomar cuerpo, Atman manda a Manas, a su Alma Humana, y aparece viviendo en el Mundo Físico, ese es el que se llama Bodhisattva y realiza lo que tenga que realizar. Además se puede meter en ella el Buddhi y hace lo que tiene que hacer.

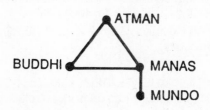

Así tenemos el caso del Maestro Jehová que mandó su Bodhisattva a Chile. Actualmente es un joven que está haciendo tonterías, el Maestro sólo espera que su Bodhisattva madure para entrar en él.

Jehová, es el regente de la antigua Luna, es un Gran Maestro que intencionalmente lo han confundido con Javhé, el Jefe de la Logia Negra, quien tentó a Jesús ofreciéndole todos los tesoros de este mundo; Jesús contestó, *"Satán, Satán, a tu Dios no tentarás"*. Javhé se puede representar con la Estrella de Cinco Puntas, con los pies hacia arriba.

Un Bodhisattva que se deja caer se convierte en un Mago Negro, si no se levanta, viene a una encarnación más dura, más amarga, sufre espantosamente, si al final de varias encarnaciones cada vez más difíciles, no se levanta, es enviado a los Mundos Infiernos acusado de tres delitos:

1º. HABER ASESINADO AL BUDHA.

2º. HABER DESHONRADO A LOS DIOSES.

3º. POR DIVERSOS DELITOS DE MENOR CUANTIA.

La Madame Blavatsky explica bien lo que es un Bodhisattva pero sus seguidores no lo han entendido.

En esta época la mayor parte de los Bodhisattvas están caídos y andan de vida en vida.

"Necesitamos ser humildes para alcanzar la Sabiduría y después ser más humildes". Los Bodhisattvas se caen por el Sexo y se levantan por el Sexo.

El Sexo es la Piedra Filosofal. Sería imposible decapitar la Medusa (el Satán que llevamos dentro) sin el tesoro precioso de la Piedra Filosofal. Recordad que la Medusa es la Doncella del Mal (el Yo Psicológico) cuya cabeza está cubierta de silvadoras víboras. Se dice en ciencia oculta que la unión del Mercurio Sófico con el Azufre Sófico dan por resultado la Santa Piedra Filosofal. El Ens Seminis es el Mercurio, el Azufre es el Fuego Sagrado del Amor. Apolo y Diana, Hombre y Mujer, deben trabajar en la Magna Obra, decapitando a la Medusa, venciendo a la Serpiente Tentadora, matando al León de Nemea, sacando de entre el Tártaro al Perro Infernal, al Cancerbero. Deben trabajar en la Gran Obra realizando los Doce Trabajos de Hércules.

Hércules (el Cristo Cósmico), hijo de Júpiter (lo Pither) y de Alcmena, realizó los 12 Trabajos:

1.- CAPTURA Y MUERTE DEL LEON DE NEMEA (la Fuerza de los Instintos y Pasiones incontroladas que todo lo desvasta y lo devora).

2.- DESTRUCCION DE I.A HIDRA DE LERNA (los Defectos Psicológicos en el Sub-Consciente).

3.- CAPTURA DE LA CIERVA CERINITA Y DEL JABALI DE ERIMANTO (las Bajas Pasiones Animales).

4.- LIMPIEZA DE LOS ESTABLOS DE AUGIAS (fondos Sub-Conscientes sumergidos).

5.- MATO A FLECHAZOS LOS PAJAROS DEL LAGO ESTINFALIA (Agregados Psíquicos Brujescos de los Transfondos Inconscientes).

6.- CAPTURA DEL TORO DE CRETA (Impulsos Sexuales, Pasionales, Irreflexivos, Elementos Infrahumanos).

7.- CAPTURA DE LAS YEGUAS DE DIOMEDES (Elementos Pasionarios Infrahumanos, profundamente sumergidos en nuestros propios Abismos Inconscientes).

8.- ELIMINO AL LADRON CACO (el Mal Ladrón que saquea el Centro Sexual para satisfacer sus animalescas pasiones).

9.- CONQUISTA DEL CINTO DE HIPOLITA (Aspecto Psíquico Femenino de nuestra propia Naturaleza Interior).

10.- CONQUISTA DEL REBAÑO DE GERION (está relacionado con el Desprendimiento).

11.- ROBO DE LAS MANZANAS DEL JARDIN DE LAS HESPERIDES.(El Arbol de la Ciencia del Bien y del Mal).

12.- SACO DE SU DOMINIO PLUTONICO AL PERRO TRICIPETE (el Perro Guía, el Instinto Sexual).

Hércules el Instructor del Mundo, cada vez que viene tiene que realizar lo mismo, un trabajo de pacificación completa, el Cristo Cósmico practica lo que predica, desde pequeño vienen las Serpientes Tenebrosas del Mal a atacarlo, la persecución de Herodes, etc.

El Cristo Cósmico no exige sino lo que él mismo practica, es el Maestro de todos los Maestros, realiza sus trabajos de Purificación y Disolución del Yo, del Ego.

Se habla en la Mitología de los esfuerzos de los "Soplones", tratando de llevar la piedra a la cima, y dicha piedra vuelve a caer, es decir el esfuerzo de los estudiantes que derraman el Ens-Seminis.

El Arcano No. 5 es la Ley, este Arcano representa el "Karma" del Iniciado. Debemos saber que el Karma, en última síntesis, sirve para vivir en carne y hueso todo el Drama de la Pasión de nuestro Señor Jesucristo.

Es necesario que las gentes entiendan lo que es la palabra sánscrita "Karma". Amigos míos, existe una Ley que se llama Karma, no está de más aseverar que tal palabra significa en sí misma, Ley de Acción y Consecuencia. Obviamente *"no existe causa sin efecto, ni efecto sin causa".*

La Ley de la Balanza, la Ley terrible del Karma, gobierna todo lo creado. Toda causa se convierte en efecto y todo efecto se transforma en causa.

Vosotros debéis comprender lo que es la Ley de la Compensación. Todo lo que se hace hay que pagarlo, pues no existe causa sin efecto, ni efecto sin causa.

Se nos ha dado libertad, libre albedrío y podemos hacer lo que queramos, pero es claro que tenemos que responder ante Dios por todos nuestros actos. Cualquier acto de nuestra vida, bueno o malo tiene sus consecuencias. La Ley de Acción y Consecuencia gobierna el curso de nuestras variadas existencias y cada vida es el resultado de la anterior.

Comprender íntegramente las bases y "modus operandi" de la Ley del Karma es indispensable para orientar el navío de nuestra vida en forma positiva y edificante, a través de las diversas escalas de la vida.

Karma es Ley de Compensación, no de venganza. Hay quienes confunden esta Ley Cósmica con el determinismo y aún con el fatalismo, al creer que todo lo que le ocurre al hombre en la vida está determinado inexorablemente de antemano. Es verdad que los actos del hombre los determina la Herencia, la Educación y el Medio. Pero también es verdad que el hombre tiene libre albedrío y puede modificar sus actos: educar su carácter, formar hábitos superiores, combatir debilidades, fortalecer virtudes, etc.

"El Karma es una medicina que se nos aplica para nuestro propio bien"; desgraciadamente las gentes en vez de inclinarse reverentes ante el Eterno Dios Viviente, protestan, blasfeman, se justifican a sí mismos, se disculpan neciamente y se lavan las manos como Pilatos. Con tales protestas no se modifica el Karma, al contrario se torna más duro y severo.

Cuando uno viene a este mundo trae su propio destino; unos nacen en colchón de plumas y otros en la desgracia. Si en nuestra pasada existencia matamos, ahora nos matan, si herimos, ahora nos hieren, si robamos ahora nos roban, y *"con la vara con que a otros medimos seremos medidos".*

Reclamamos fidelidad del cónyuge cuando nosotros mismos hemos sido adúlteros en ésta o en vidas precedentes. Pedimos amor cuando hemos sido despiadados y crueles. Solicitamos compresión cuando nunca hemos sabido comprender a nadie; cuando jamás hemos aprendido a ver el punto de vista ajeno.

Anhelamos dichas inmensas cuando hemos sido siempre el origen de muchas desdichas. Hubiéramos querido nacer en un hogar muy hermoso y con muchas comodidades, cuando no supimos en pasadas existencias, brindarle a nuestros hijos hogar y belleza.

Protestamos contra los insultadores cuando siempre hemos insultado a todos los que nos rodean. Queremos que nuestros hijos nos obedezcan cuando jamás supimos obedecer a nuestros padres. Nos molesta terriblemente la calumnia cuando nosotros siempre fuimos calumniadores y llenamos al mundo de dolor. Nos fastidia la chismografía; no queremos que nadie murmure de nosotros, sin embargo, siempre anduvimos en chismes y murmuraciones, hablando mal del prójimo, mortificándole la vida a los demás. Es decir, siempre reclamamos lo que no hemos dado; en todas nuestras vidas anteriores fuimos malvados y merecemos lo peor, pero nosotros suponemos que se nos debe dar lo mejor.

Afortunadamente mis caros amigos, La Justicia y la Misericordia son las dos columnas torales de la Fraternidad Universal Blanca.

La Justicia sin Misericordia es Tiranía, la Misericordia sin Justicia es Tolerancia, complacencia con el delito. El Karma es negociable, y esto es algo que puede sorprender muchísimo a los secuaces de diversas escuelas ortodoxas,

Ciertamente algunos seudo-esoteristas y seudo-ocultistas se han tornado demasiado pesimistas en relación con la Ley de Acción y Consecuencia; suponen equivocadamente que ésta se desenvuelve en forma mecánica, automática y cruel. Los eruditos creen que no es posible alterar tal ley; lamento muy sinceramente tener que disentir con esa forma de pensar.

Si la Ley de Acción y Consecuencia, si el Némesis de la Existencia, no fuera negociable, entonces ¿dónde quedaría la Misericordia Divina? Francamente yo no puedo aceptar crueldad en la Divinidad. Lo Real, aquello que es todo Perfección, eso que tiene diversos nombres como Tao, Aum, Inri, Sein, Alá, Brahma, Dios, o mejor dijera Dioses, etc., etc., etc., en modo alguno podía ser algo sin misericordia, cruel, tiránico, etc. Por todo ello repito, en forma enfática, que el Karma es negociable.

Es posible modificar nuestro propio destino, porque *"Cuando una Ley Inferior es trascendida por una Ley Superior, la Ley Superior lava a la Ley Inferior".*

Modificando la causa se modifica el efecto. *"Al León de la Ley se combate con la Balanza".* Si en un platillo de la Balanza ponemos nuestras buenas obras y en la otra ponemos las malas, ambos platillos pesarán iguales o habrá algún desequilibrio. Si el platillo de las Malas Acciones pesa más, debemos poner buenas obras en el platillo de las Buenas Acciones con el propósito de inclinar la Balanza a nuestro favor, así cancelamos Karma, *"haced buenas acciones para que paguéis vuestras deudas"*; recordad que no solamente se paga con dolor, también se puede pagar haciendo bien.

· Ahora comprenderán ustedes, mis buenos amigos, lo maravilloso que es hacer bien; no hay duda de que el Recto Pensar, el Recto Sentir y el Recto Obrar son el mejor de los negocios.

Nunca debemos protestar contra el Karma, lo importante es saberlo negociar. Desgraciadamente a las gentes lo único que se les ocurre cuando se hallan en una gran amargura, es lavarse las manos como Pilatos, decir que no han hecho nada malo, que no son culpables, que son Almas justas, etc., etc., etc.

Yo les digo a los que están en la miseria que revisen su conducta, que se juzguen a sí mismos, que se sienten aunque sea por un instante en el banquillo de los acusados, que después de un somero análisis de sí mismos modifiquen su conducta. Si esos que se hallan sin trabajo se tornasen castos, infinitamente caritativos, apacibles, serviciales en un cien por ciento, es obvio que alterarían radicalmente la causa de su desgracia, modificándose en consecuencia, el efecto.

No es posible alterar un efecto si antes no se ha modificado radicalmente la causa que lo produjo, pues como ya dijimos no existe efecto sin causa ni causa sin efecto:

Se debe trabajar siempre desinteresadamente con infinito Amor por la humanidad, así alteramos aquellas Malas Causas que originaron los Malos Efectos. No hay duda de que la miseria tiene sus causas en las borracheras, asqueante lujuria, en la violencia, en los adulterios, en el despilfarro, y en la avaricia, etc., etc.

¿Quieres sanar?, sanad a otros. ¿Algunos de vuestros parientes están en la cárcel?, trabajad por la libertad de otros. ¿Tenéis hambre?, compartid el pan con los que están peor que tú, etc.

Muchas personas que sufren sólo se acuerdan de sus amarguras, deseando remediarlas, más no se acuerdan de los sufrimientos ajenos, ni remotamente piensan en remediar las necesidades del prójimo. Este estado egoísta de su existencia no sirve para nada; así lo único que consiguen realmente es agravar sus sufrimientos.

Si tales personas pensaran en las demás, en servir a sus semejantes, en dar de comer al hambriento, en dar de beber al sediento, en vestir al desnudo, en enseñar al que no sabe, etc., es claro que pondrían Buenas Acciones en el platillo de la Balanza Cósmica para inclinarla a su favor; así alterarían su destino y vendría la suerte a su favor. Es decir quedarían remediadas todas sus necesidades, más la gente es muy egoísta y por eso es que sufren, nadie se acuerda de Dios ni de sus semejantes, sino cuando están en la desesperación y esto es algo que todo el mundo ha podido comprobar por sí mismo, así es la humanidad.

Desgraciadamente, mis queridos amigos, ese ego que cada cual lleva adentro, hace exactamente lo contrario de lo que aquí estamos diciendo; por tal motivo considero urgente, inaplazable, impostergable, reducir al mí mismo a polvareda cósmica.

Pensamos por un momento en las muchedumbres humanoides que pueblan la faz de la Tierra. Sufren lo indecible víctimas de sus propios errores; sin el Ego no tendrían esos errores, ni tampoco sufrirían las consecuencias de los mismos.

Lo único que se requiere para tener derecho a la Verdadera Felicidad, es ante todo no tener Ego. Ciertamente cuando no existen dentro de nosotros los Agregados Psíquicos, los Elementos Inhumanos que nos vuelven tan horribles y malvados, no hay Karma por pagar, y el resultado es la Felicidad.

Es bueno saber también que cuando hemos eliminado radicalmente el Ego, la posibilidad de delinquir queda aniquilada y en consecuencia El Karma puede ser perdonado.

La Ley del Karma, la Ley de la Balanza Cósmica no es una Ley ciega; también se puede solicitar Crédito a los Maestros del Karma, y esto es algo que muchos ignoran. Empero, es urgente saber que todo crédito hay que pagarlo con buenas obras y si no se paga, entonces la Ley lo cobra con supremo dolor. Necesitamos hacernos conscientes de nuestro propio Karma y eso sólo es posible mediante el Estado de Alerta Novedad. Todo efecto de la vida, todo acontecimiento, tiene su causa en una vida anterior pero necesitamos hacernos conscientes de eso.

Todo momento de alegría o dolor debe ser estudiado en Meditación con Mente quieta y en profundo silencio. El resultado viene a ser la experimentación del mismo suceso en una vida anterior. Entonces hacemos conciencia de la causa del hecho, ya sea éste agradable o desagradable.

Quien despierta Conciencia, puede viajar en sus Cuerpos Internos fuera del Cuerpo Físico, a plena voluntad consciente y estudiar en el Templo de Anubis y sus cuarenta y dos Jueces, su propio Libro del Destino.

El Jefe de los Sacerdotes del Tribunal del Karma es el Gran Maestro Anubis. El Templo de Anubis, el Supremo Regente del Karma, se encuentra en el Mundo Molecular, llamado por muchas gentes Mundo Astral. En ese Tribunal sólo reina el terror de Amor y Justicia. En él existe un libro con su debe y haber, para cada hombre, en el que se anota minuciosamente a diario sus buenas y malas acciones. Las buenas las representan raras monedas que los Maestros acumulan en beneficio de los hombres y mujeres que las ejecutan. En ese Tribunal también se encuentran Abogados Defensores. Pero todo se paga. Nada se consigue regalado. *"El que tiene buenas obras paga y sale bien librado en los negocios"*. Los créditos solicitados se pagan con trabajos desinteresados e inspirados en Amor hacia los que sufren.

Los Maestros del Karma son Jueces de Conciencia que viven en Estado de Jinas. Tenemos que hacer constantemente buenas obras para que tengamos con qué pagar nuestras deudas de ésta y de vidas pasadas. Todos los actos del hombre están regidos por Leyes, Superiores unas, Inferiores otras. En el Amor se resumen todas las Leyes Superiores. Un acto de Amor anula actos pretéritos inspirados en Leyes Inferiores. Por eso hablando del Amor, dice el Maestro Pablo: *"El Amor es sufrido, bueno; no envidia, no se ensancha; no injuria, no busca lo suyo; no se irrita, no se huelga de la injusticia, mas se huelga de la verdad; todo lo cree, todo lo espera, todo lo soporta"*.

Cuando ofician como Jueces, los Maestros del Karma usan la Máscara Sagrada en forma de cabeza de Chacal o Lobo Emplumado, y con ella se presentan a los Iniciados en los Mundos Internos. Esa es la crueldad de la Ley del Amor.

Negociar con los Señores de la Ley es posible a través de la Meditación: Orad, Meditad y concentraos en Anubis, el Regente más exaltado de la Buena Ley.

"Para el indigno todas las puertas están cerradas menos una: la del arrepentimiento, pedid y se os dará, golpead y se os abrirá".

SINTESIS:

- No solamente se paga Karma por el mal que se hace, sino por el bien que se deja de hacer pudiéndose hacer.
- Cada mala acción es una letra que firmamos para pagar en la vida subsiguiente.
- *"Cuando una Ley Inferior es trascendida por una Superior, la Ley Superior lava a la Ley Inferior"*.
- Que nadie se engañe a sí mismo; lo que el hombre sembrare eso cosechará y sus obras lo seguirán".
- Los Señores del Karma en los Tribunales de la Justicia Objetiva, juzgan a las Almas por las obras, por los hechos concretos, claros y definitivos y no por las buenas intenciones.
- Los resultados son siempre los que hablan; de nada sirve te-

ner buenas intenciones si los hechos son desastrosos.

- Durante los procesos esotéricos iniciáticos del Fuego, hube de comprender en forma plena los siguientes postulados:

*"AL LEON DE LA LEY SE COMBATE CON
LA BALANZA".*
*"QUIEN TIENE CAPITAL CON QUE PAGAR,
PAGA Y SALE BIEN EN LOS NEGOCIOS"*
*"QUIEN NO TIENE CON QUE PAGAR, DEBE
PAGAR CON DOLOR".*
*"HACED BUENAS OBRAS PARA QUE PAGUES
TUS DEUDAS".*

"El Jefe de los Sacerdotes del Tribunal del Karma es el Gran Maestro Anubis. El Templo de Anubis, el Supremo Regente del Karma, se encuentra en el Mundo Molecular, llamado por muchas gentes Mundo Astral".

CAPITULO 28

ARCANO No. 6

El Arcano No. 6 está expresado por el Sello de Salomón. La Estrella de Belén es el Sello de Salomón. Las seis puntas de la Estrella son Masculinas. Las seis hondas entradas que se forman entre punta y punta, son Femeninas (en resumen esta Estrella tiene 12 Rayos). Seis masculinos, seis femeninos. En ellos están resumidos y sintetizados los misterios del Arcano A.Z.F. (la Magia Sexual).

El Sello de Salomón, la Estrella de Navidad es el símbolo perfecto del Sol Central (El Cristo Cósmico, Unidad Múltiple Perfecta).

Jamás puede nacer el Niño Dios en el Corazón del Hombre, sin el resplandor y la vida de la brillante Estrella de Navidad. Hay que trabajar con el Arcano A.Z.F. para poder encarnarlo.

En el Sello de Salomón se hallan resumidas todas las Medidas Zodiacales, los 12 Rayos de la brillante Estrella cristalizan mediante la Alkimia, en las 12 Constelaciones Zodiacales.

En el Sello de Salomón se hallan escritas las íntimas relaciones que existen entre el Zodíaco y el invencible Sol Central.

El Génesis Sexual del Zodíaco está representado en el Sello de Salomón. El V.M. de la Luz Hilarius IX, hablando de la brillante Estrella, dijo:

"Es la forma básica de todas las cristalizaciones y el modelo esquemático de todas las floraciones. Sus dos triángulos que junta o separa el Amor, son las lanzaderas con que se teje o desteje el misterio inefable de la Vida Eterna". "Arriba la Santísima Eternidad, que actúa como el Padre, el Hijo, y el Espíritu Santo". "Abajo su contraparte con el poder que gobierna, el poder que libera, y el poder que ejecuta". "Yo soy la Estrella resplandeciente de la mañana", exclama Juan, el Bien amado de Cristo, al recibir de sus propias manos la Iniciación Venusta".

"Y así cada vez que el Eterno Geómetra fija su atención en un punto del espacio, al punto surge la gloriosa Estrella anunciando el nacimiento de un nuevo Estado de Conciencia, el Arquetipo de un Ser, un globo, un astro, un Sol" (cuarto mensaje del Avatara Ashrama).

En el Sello de Salomón, el triángulo superior representa la Triada Inmortal Eterna. El triángulo inferior representa a los Tres Traidores que están dentro de nosotros mismos:

1º. DEMONIO DEL DESEO.

2º. DEMONIO DE LA MENTE.

3º. DEMONIO DE LA MALA VOLUNTAD.

Ellos son los Tres Malos Amigos de Job.Los tres asesinos de Hiram Abiff:

JUDAS, CAIFAS, PILATOS: SIMBOLOGIA CRISTIANA.

APOPI, HAI, NEBT: SIMBOLOGIA EGIPCIA.

SEBAL, ORTELUK, STOKIN: SIMBOLOGIA MASONICA.

Estos Tres Traidores viven en la Mente, están dentro de nosotros mismos. Recordemos que el Dante representa a Lucifer en el centro de la Tierra con tres bocas y en cada una de sus bocas hay un traidor. La Biblia cita a estos Tres Traidores en el Apocalipsis de San Juan, (16: 13-14): *"Y vi salir dentro de la boca del Dragón y de la boca de la Bestia y de la boca del Falso Profeta, Tres Espíritus Inmundos a maneras de ranas"*. Estos Tres Espíritus a manera de ranas son los Traidores que traicionan al Cristo Interno de momento en momento, y constituyen el fundamento del Ego reencarnante, el "Yo Psicológico", el Satán que debe ser disuelto para encarnar al Cristo Interno.

En el centro de los dos triángulos del Sello de Salomón se halla la Cruz Tao, o el Signo del Infinito. Ambos signos son Fálicos (Sexuales). El Alma se halla entre los dos triángulos y tiene que decidirse por uno u otro camino, el de la Luz o el de las Tinieblas y el problema es absolutamente sexual.

SIMBOLOS FALICOS SAGRADOS

La clave se encuentra en la Serpiente Sagrada, el Gallo que representa el I.A.O., el Verbo, la Palabra. Existe la Serpiente Tentadora del Edén, es la Serpiente de las Tinieblas que forma esa cola horrible de Satán; y existe la Serpiente de Cobre de Moisés entrelazada en el Tau, es decir, en el Lingam Sexual, esa, la que sanaba a los Israelitas en el desierto. La Serpiente dormita enroscada tres veces y media en la Iglesia de Efeso, la Serpiente debe salir de su Iglesia en el Chakra Muladhara y ascender por el canal medular para convertirnos en Angeles; si baja hasta los Infiernos Atómicos del hombre, entonces nos convertimos en Demonios. Ahora comprenderéis por qué la Serpiente del Caduceo es siempre doble. Cuando el estudiante derrama el semen durante sus prácticas con el Arcano A.Z.F., comete el crimen de los Nicolaitas que trabajan con el Maithuna en la Novena Esfera pero derraman el semen, ellos usan ese sistema para hacer bajar la Serpiente, precipitándose a los Infiernos Atómicos formando la cola de Satán. Así es como el hombre se convierte en Demonio.

Recuerdo a Krum Heller que enseñó Tantrismo Blanco, pero su hijo enseñó el Negro, prácticas del Maithuna con derrame y pérdida del Licor Seminal, éste se dejó fascinar por esa doctrina y se convirtió en un Demonio con cola y cuernos en la frente. Fueron muchos los estudiantes que se desviaron por el hijo de Krum Heller; fue un equivocado sincero que se fue de aquí para decir que la Gran Ley lo sacó.

Las Bodas Alkímicas significan el Matrimonio Perfecto. El Alkímista no sólo debe matar el Deseo, sino hasta la sombra misma del horrible árbol del Deseo. De nada servirá renunciar al sexo, sin antes trabajar y fabricar los Cuerpos Solares y llegar al Segundo Nacimiento, entonces sí se renuncia.

Hay que trabajar primero con el Tercer Logos en la terrible Forja de los Cíclopes, después trabajar con el Segundo Logos, Hércules, y posteriormente con el Primer Logos: El error de los monjes y monjas es renunciar al sexo sin haber fabricado los Cuerpos Solares; resulta que se encuentran en el Limbo, vestidos con harapos, hay que vestirse con el Traje de Bodas para poder entrar en el Reino de los Cielos.

En los Misterios de Eleusis las parejas danzaban para magnetizarse mutuamente. Hay que imitar en todo a la Naturaleza, o sea que hay que transmutar la Energía. En el Templo de la Esfinge se estudia el Libro de las Leyes de la Naturaleza, viniendo después una prueba llamada del Santuario y al pasarla se le da al estudiante un anillo con el Sello de Salomón (que no se debe tocar nunca con la mano izquierda) y el cual brilla con gran fuerza en los Mundos Internos.

En los trabajos de Alta Magia hay que trazar un círculo mágico que habrá que cerrarlo con el Sello de Salomón.

Se pueden hacer medallones y anillos del Sello de Salomón con los 7 metales. Se debe utilizar el Sello de Salomón en todos los trabajos de invocación y en prácticas con los Elementales. Los Elementales de la Naturaleza tiemblan ante el Sello del Dios vivo. El Angel del Sexto Sello del Apocalipsis está ahora reencarnado en un cuerpo femenino (es un especialista en la Ciencia Sagrada de los Jinas).

La Biblia en Apocalipsis 7: 1-3, dice: *"Y vi otro ángel que subía del nacimiento del sol, teniendo el Sello del Dios vivo* (el Sello de Salomón), *y clamó con gran voz a los cuatro ángeles* (los 4 Archiveros del Karma que controlan con la Ley a los cuatro puntos de la Tierra), *a los cuales era dado hacer daño a la tierra y a la mar. Diciendo: no hagáis daño a la tierra y al mar, ni a los árboles, hasta que señalemos a los siervos de nuestro Dios en sus frentes".*

Se necesitó un tiempo para que la gente estudiara la Doctrina del Cristo y se definiera por Cristo o por Jahvé, por la Logia Blanca o por la Logia Negra.

Los Siervos de Dios ya fueron sellados en sus frentes. Los Siervos de Satán también ya fueron sellados en sus frentes (la marca de la Bestia).

Los tiempos del fin ya llegaron, y estamos en ellos. Los "Diez Días" ya se vencieron (la Rueda de los Siglos, el Arcano No. 10).

Con el Sello del Dios Vivo queda clasificada la humanidad. La mayoría ya recibieron la marca de la bestia en sus frentes y en sus manos. Unos pocos recibieron la señal del Cordero en sus frentes.

SINTESIS:

- **Hemos entrado en el mundo de la Voluntad y del Amor.**
- **Para entrar en el anfiteatro de la Ciencia Cósmica, hay que robarle el Fuego al Diablo.**
- **El Enamorado debe robarle la Luz a las Tinieblas.**
- **Hay que practicar Magia Sexual intensamente con la mujer.**
- **Hay que reconquistar la Espada Flamígera del Edén.**

CAPITULO 29

ARCANO No. 7

El No. 7 representa el poder mágico en toda su fuerza, el Santo Siete es el Sanctum Regnum de la Magia Sacra, de la Alta Magia Esoterista en Kábala, el Carro de la Guerra.

El No. 7 es el Intimo o sea nuestro Real Ser, servido por todas las Fuerzas Elementales de la Naturaleza. La Naturaleza es un gran organismo viviente, en última síntesis esta gran máquina está dirigida por Fuerzas Elementales.

El Fuego Sagrado desde el punto de vista físico se produce por combustión, sin embargo en sí mismo desde el punto de vista esencia, puede existir el Fuego Elemental, el Fuego de los Sabios y dentro de ese Fuego Elemental viven las Salamandras.

Franz Hartman en su libro "Los Elementales", las describe.

Los esoterista saben que existen los Elementales y los Dioses Elementales del Fuego.

Si vemos la Angeología Maya, Azteca, etc., encontraremos los Dioses del Fuego.

El Fuego Elemental de los Sabios existe en toda la Naturaleza.

El Aire en última síntesis es Elemental. El Tattva Vayu, el Principio Elemental del Aire está animado por Criaturas Elementales o Silfos, de los cuales hablan los kabalistas; ese Aire Elemental de los Sabios es en realidad Eter en movimiento. Los Físicos dicen que el viento es aire en movimiento, pero los Ocultistas ven que en ese Aire en movimiento existen fuerzas que impulsan y son los Silfos.

El Agua tiene un Principio Elemental, el Tattva Apas, en ese principio, en esa base, en esa sustancia encontramos las Ondinas, Nereidas, Ninfas; quien haya estudiado las obras clásicas latinas o antiguas encontrará en ellas a los Elementales de las Aguas.

El Elemento Tierra está regido por ciertas Criaturas Elementales y es en el Tattva Prithvi donde están contenidos los Gnomos o Pigmeos de la Kábala.

El Fuego se transforma en Aire, el Aire en Agua y el Agua en Tierra. Los Tattvas nos ayudan a la transmutación del plomo en Oro a través del Caduceo de Mercurio.

TATTVAS	ELEMENTOS
AKASH	PRINCIPIO DEL ETER
VAYU	PRINCIPIO DEL AIRE
TEJAS	PRINCIPIO DEL FUEGO
PRITHVI	PRINCIPIO DE LA TIERRA
APAS	PRINCIPIO DEL AGUA

Este primer orden que se menciona es de acuerdo con Ramá Prasat; el orden verdadero es:

TATTVAS	ELEMENTOS
AKASH	PRINCIPIO DEL ETER
TEJAS	PRINCIPIO DEL FUEGO
VAYU	PRINCIPIO DEL AIRE
APAS	PRINCIPIO DEL AGUA
PRITHVI	PRINCIPIO DE LA TIERRA

Lo primero que hay en la Creación es el Espacio Infinito, que es una Gran Alma. Surge el Fuego que se convierte en Aire, el Aire en Agua y el Agua en Tierra y aparecen los Mundos, éste es el verdadero orden de los Elementos; el Intimo es Espíritu Divino, es el Jefe de todas las Fuerzas Elementales.

Todo aquel que trabaje con el Arcano A.Z.F., recibe la Espada Flamígera, esta Espada corresponde al Arcano No. 7 de la Kábala.

Los Guardianes de los antiguos Templos de Misterios usan la Espada Flamígera, y la recibe aquel que ha despertado el Kundalini.

En la Masonería Oculta se usa la espada, se la recibe con el advenimiento del Fuego. Desde el punto de vista de la Masonería Oculta, la Espada Flamígera es el resultado de las transmutaciones incesantes.

Los Elohim o Prahapatis llevan su Espada Flamígera, esos Elohim son Divinos y sería inconcebible un Elohim sin la Espada.

Sabemos que los Organos Sexuales constituyen el legítimo Sanctum Laboratorium del Tercer Logos, son los órganos creadores de la Espada Flamígera.

Los 22 Arcanos en el fondo pertenecen a la Novena Esfera. El Anfiteatrum de la Sapiencia Eterna está en los Organos Creadores, puesto que de ahí sale toda vida. En el Jardín de Placeres de la Alkimia encontramos la palabra VITRIOL, que se encuentra en los tratados de Alquimia y tratados antiguos de Kábala.

Dicha palabra es un acróstico derivado de la frase: "Visita Interiore Terrae Rectificando Invenies Occultum Lapidem" (Visita el interior de nuestra Tierra, que rectificando encontrarás la Piedra Oculta).

Debemos buscar en el interior de nuestra Tierra Filosófica (el organismo humano) que rectificando y trabajando con el Arcano A.Z.F., el Maithuna, hallaremos la Piedra Filosofal.

El Sol (Phalo), Principio Masculino, es el Padre de la Piedra. La Luna (Utero), Principio Femenino, es la Madre de la Piedra Filosofal. El Viento (Vapores Seminales) llevó al Hijo en su seno y la Tierra lo alimentó, está relacionado con los Cuatro Elementos que son manifestaciones vivas del Akash.

El Sol y la Luna, los Principios Masculino y Femenino, se combinan dentro del Cáliz (el Cerebro) que se apoya sobre el Caduceo de Mercurio con los dos cordones de Ida y Píngala.

Las dos influencias que actúan con la Piedra Bruta a la cual necesitamos darle forma cúbica perfecta, son una de carácter masculino y otra de carácter femenino.

El Ser Humano tiene Siete Cuerpos, cada cuerpo tiene su Médula Espinal y su Serpiente Sagrada.

Los Siete Cuerpos del Hombre son los siguientes:

1º. CUERPO FISICO

2º. CUERPO ASTRAL O DE DESEOS

3º. CUERPO MENTAL

4º. CUERPO CAUSAL

5º. CUERPO DE LA VOLUNTAD

6º. CUERPO DE LA CONCIENCIA

7º. CUERPO DEL INTIMO

Nosotros tenemos Siete Serpientes, dos grupos de a tres, con la coronación sublime de la Séptima Lengua del Fuego, que nos une con el Uno, con la Ley, con el Padre.

Toda la obra se realiza con el Gran Arcano. La Estrella de Siete Puntas es la parte vital inseparable del VITRIOL, de ese trabajo con el Maithuna.

Las Siete Serpientes de la Alkimia se relacionan con los 7 Planetas, las Siete Grandes Realizaciones Cósmicas, y los Siete Grados del Poder del Fuego.

El acróstico VITRIOL con sus 7 letras y sus 7 palabras simbolizan toda la Gran Obra, dan las 7 Palabras Secretas pronunciadas por el Logos Solar en el Calvario. Los Misterios del Arcano 7 son terriblemente divinos.

En el Museo Nacional de Antropología de la ciudad de México hay una escultura Azteca en forma de hombre decapitado, en lugar de la cabeza hay 7 Serpientes que representan los Siete Grados de Poder del Fuego, las Siete Culebras (figura fálica) están relacionadas con los 7 Planetas, las 7 Dimensiones básicas fundamentales, las 7 Vocales I.E.O.U.A.M.S. que resuenan en la Naturaleza, con las 7 palabras del VITRIOL. Todo esto se relaciona con la Ley del Heptaparaparshinohk, ésta es la Ley del Eterno Siete, la Ley Cósmica inefable.

Un símbolo kabalístico esotérico es la Estrella de Siete Puntas, rodeada por un doble círculo, con los signos de los 7 Planetas; es un talismán poderoso. Los dos círculos representan los Eternos Principios Masculino y Femenino.

Aquellos estudiantes de ocultismo que piensan realizarse sin el Arcano A.Z.F. están absolutamente equivocados. La Madame Blavatsky después de haber escrito los 6 volúmenes de la Doctrina Secreta, dice que los que quieran conocer los Misterios del Chiram deben buscar a los Antiguos Alquimistas.

Ella estuvo en el Agarthi. Renunció al Nirvana para lograr la Iniciación Venusta, es ya Dos Veces Nacida, posee los Cuerpos Solares, vive en los Monasterios Sagrados y va a regresar a este mundo que es más amargo que la hiel, se prepara para tomar cuerpo en Estados Unidos, en Nueva York, la gran Maestra fue una verdadera Yoguina, discípula de Kouth Humi y sin embargo después de haber enviudado del Conde Blavatsky se casó con el Coronel Olscott, para trabajar con el Arcano de la Magia Sexual. Sólo así logró realizarse a fondo.

El Gran Yogui-Avatara, señor Lahiri Mahasaya, fue llamado para la Iniciación por el inmortal Babaji cuando tenía ya esposa, así se realizó el Yogui-Avatara. En el Indostán la Magia Sexual es conocida con el término Sánscrito de Urdhvaratus. Los Auténticos Yoguis practican Magia Sexual con sus esposas.

Hay dos clases de Bramacharya (abstención sexual). Solar y Lunar. El Solar es para los que realizaron el Segundo Nacimiento y el Lunar es aquella abstención sexual absurda que para lo único que sirve es para ocasionar poluciones nocturnas asqueantes, con todas sus nefastas consecuencias.

Hay siete vicios que debemos transmutar:

EL ORGULLO SOLAR: EN FE, EN HUMILDAD.

LA AVARICIA LUNAR: EN ALTRUISMO.

LA LUJURIA VENUSIANA: EN CASTIDAD.
LA COLERA MARCIANA: EN AMOR.
LA PEREZA MERCURIANA: EN DILIGENCIA.
LA GLOTONERIA SATURNIANA: EN TEMPLANZA.
LA ENVIDIA JUPITERIANA: EN ALEGRIA POR EL
BIEN AJENO.

Sólo con la Ciencia de las Transmutaciones podemos desintegrar los Defectos y disolver el Yo Psicológico. Sólo con la Ciencia de las Transmutaciones podemos modificar nuestros errores, transmutar los metales viles en Oro Puro y gobernar. Trabajad con el Arcano A.Z.F. para que recibáis la Espada. El Arcano 7 "El Triunfo" se logra a través de grandes luchas y amarguras, esto lo vemos en los Siete Pecados Capitales que debemos transmutar en Siete Virtudes. La transmutación de los 7 Metales Inferiores en Oro Puro.

Los Gobernadores de los Siete Planetas son:

GABRIEL	LUNA
RAFAEL	MERCURIO
URIEL	VENUS
MICHAEL	SOL
SAMAEL	MARTE
ZACHARIEL	JUPITER
ORIFIEL	SATURNO

Los Siete Signos Kabalísticos de los Planetas son:

LUNA:	GLOBO CORTADO POR DOS MEDIAS LUNAS.
MERCURIO:	UN CADUCEO Y EL CINOCEFALO.
VENUS:	LINGAM SEXUAL
SOL:	SERPIENTE CON CABEZA DE LEON.
MARTE:	DRAGON MORDIENDO LAS GUARDAS DE UNA ESPADA.
JUPITER:	PENTAGRAMA O EL PICO DEL AGUILA.
SATURNO:	VIEJO COJO O UNA PIEDRA CON LA SERPIENTE ENROSCADA.

Los Siete Talismanes tienen el poder de atraer las Siete Fuerzas Planetarias. Con las piedras y los metales se pueden preparar talismanes perfectos.

SINTESIS:

- **El Padre Nuestro es la oración más perfecta. Entre las oraciones mágicas está el Padre Nuestro con sus Siete Peticiones Esotéricas. Hay que meditar cada petición.**

- **El que quiera ser Mago, tiene que conseguir la Espada.**

- **La Espada es el Kundalini. La Espada es el Fuego del Espíritu Santo.**

- **Hay que Trabajar en el Arcano A.Z.F. para lograr la Espada. La lucha es terrible. El Guerrero sólo puede liberarse de los Cuatro Cuerpos de Pecado mediante el Arcano A.Z.F.**

- **Nada ganamos con llenarnos la cabeza con teorías.**

- **Es mejor amar a una buena mujer y practicar Magia Sexual con ella todos los días, que estar perdiendo el tiempo con polémicas, intelectualismo y teorías.**

- **Así adquirimos la Espada del Kundalini, y despertamos todos nuestros Poderes Mágicos, para entrarnos por las puertas de la Ciudad Triunfante.**

"El No. 7 representa el poder mágico en toda su fuerza, el Santo Siete es el Sanctum Regnum de la Magia Sacra, de la Alta Magia Esoterista en Kábala, el Carro de la Guerra".

CAPITULO 30

ARCANO No. 8

En el Arcano 8 encontramos la Octava Llave de Basilio Valentín. No hay duda de que fue un gran Gnóstico. El Evangelio de Valentín es admirable, la Octava Llave se refiere a los procesos de la Vida y de La Muerte en la Piedra Filosofal, cincelada con el martillo de la Inteligencia y el cincel de la Voluntad.

La Octava Llave es una alegoría Alkímica, clara y perfecta de los procesos de la Muerte y Resurrección que se suceden inevitablemente en la preparación esotérica de la Piedra Filosofal que está entre las columnas Jachin y Boaz. Hay que pulir la piedra bruta para transformarla en cúbica.

La Piedra es Pedro y se refiere a las benditas Aguas del Amrita. En las aristas y ángulos perfectos de la Piedra vemos al hombre que trabajó con Amrita. La Piedra Bruta y la cincelada están situadas a la entrada del Templo, atrás de las columnas. La Piedra Cincelada está a la mano derecha, su particularidad es que tiene "Nueve Angulos" formando "Cuatro Cruces". Quienes levantan el Templo sobre las arenas fracasan, hay que levantarlo sobre la Peña Viva, sobre la Piedra. Todo material humano empleado en este trabajo muere, se pudre, se corrompe y se ennegrece en el Huevo Filosofal, luego se blanquea maravillosamente.

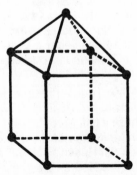

Es decir, dentro de nosotros muere lo Negro, luego aparece lo Blanco, lo que nos hace Maestros. Recordemos por un instante el trabajo en la Novena Esfera, la Disolución del Yo. Recordemos el trabajo de la Región Purgatorial, los Iniciados ahí aparecen como cadáveres en putre- facción, porque todas esas Larvas, que están metidas dentro de noso- tros afloran, dando a los Cuerpos del Iniciado apariencia de cadáver en descomposición.

En la Octava Llave, ilustración del Viridarium Chymicum, la Muerte está representada por un cadáver, la Putrefacción por unos cuernos, la Siembra por un humilde agricultor, el Crecimiento por una espiga de tri- go, la Resurrección por un muerto que se levanta del sepulcro y por un Angel que toca la trompeta del Juicio Final.

Todo esto representa que debe morir en nosotros "El Ego", el Mí Mis- mo hasta quedar Blancos, Puros, Limpios, Perfectos. La Putrefacción es cuando uno está metido en la Región Purgatorial, representada por los cuernos, ahí aparece un cadáver en putrefacción, con repulsivas for- mas animalescas, reptiles, arañas, gusanos inmundos, larvas horribles. Con ayuda de la Madre Divina Kundalini aquellas formas animalescas son reducidas a polvareda cósmica.

Después que se han incinerado las Semillas del Ego, con la Purifi- cación de la podredumbre en el Purgatorio, el Iniciado se baña en los rios Leteo y Eunoe, resplandeciendo sus Cuerpos maravillosamente. Luego debe ser confirmado en el Sexo-Luz y después viene la Resu- rrección Iniciática, representada por el Angel que toca la trompeta. Je- sús después de su Resurrección instruyó a sus discípulos durante mu- chos años.

Lo interesante es que toda esa podredumbre se efectúe en el Hue- vo Filosofal (el Sexo). Uno viene a ser confirmado por la Luz en la Oc- tava Llave de Basilio Valentín. Después de lograr el Nacimiento Segun- do se prohibe el Sexo y se le dice al Maestro: *"Tú no puedes volver a trabajar en la Novena Esfera porque entonces resucitaría el Yo y habéis quedado libre de él, tus pruebas esotéricas han terminado y te queda prohibido el Sexo para toda la Eternidad"*. El Sexo es la parte más baja de la Iniciación, si es que queremos llegar a la Iluminación, a la Auto- Realización hay que rasgar el Velo de Isis que es el Velo Adámico Se- xual.

En el Huevo Filosofal (el Sexo) que representa el germen de toda vi- da se halla contenido todo el trabajo de la Gran Obra. Los Principios Se- xuales Masculinos-Femeninos se hallan contenidos en el Huevo. Así co- mo del huevo sale el pichón; así como del Huevo de Oro de Brahama sale el Universo, así también del Huevo Filosofal sale el Maestro. Por eso se dice que son Hijos de las Piedras y se les rinde culto a las Pie- dras.

Los Gnósticos sabemos que el cadáver, la Muerte de la Octava Lla- ve, representa a los Dos Testigos del Apocalipsis (11: 3-6) que ahora están muertos. Mediante la Putrefacción Alkimista, representada por los cuernos, mediante los trabajos de la Alkimia, resucitan los Dos Testigos. Todo el poder se halla encerrado en la Espiga del Trigo. El Angel Sagrado que llevamos dentro toca su trompeta y los Dos Testigos se levantan del sepulcro. Los Dos Testigos son un par de cordones simpáticos, semi-etéricos, semi-físicos, que se enroscan en la Médula Espinal formando el Caduceo de Mercurio, el Ocho Sagrado, el signo del Infinito y que son conocidos en el Oriente como Ida y Píngala.

El Ocho es el Número de Job, el hombre de Santa Paciencia. Este número representa la vida y sacrificio de Job que es el camino que lleva el Iniciado hasta el Nacimiento Segundo. Las pruebas son muy duras; necesitamos la Paciencia del Santo Job, sin ella es imposible que se pueda hacer ese Trabajo.

A Job le dio una enfermedad grave (cap. 2, versículo 9) (a Lázaro se le podrían sus carnes; (Lucas 16: 19-31), los amigos de Job, Eliphaz, Bildad y Zophar (los Tres Traidores del Cristo Interno) le decían: *"si tú eres amigo de Dios, ¿por qué no protestas?"*; él decía: *"el Señor dio, el Señor quitó"* (1:21). El Número de Job es Paciencia y Mansedumbre, ahí está el camino para "Podrirnos". Lo atestigua la Biblia original que incluye las obras de la Eneida, Odisea y Macabeos, ejemplares de dicha Biblia se encuentran en el Museo de Londres, en el Vaticano y el Museo de Washington. La Biblia moderna es un cadáver. La Biblia es un Arcano, en Salmos Capítulo XIX trata sobre el Tarot.

En el Arcano No. 8 se encierran las Pruebas Iniciáticas. Cada Inciación, cada grado tiene sus pruebas. Las Pruebas Iniciáticas son cada vez más exigentes de acuerdo al Grado Iniciático. El Número Ocho es el Grado de Job, este signo, este número significa Pruebas y Dolores. Las Pruebas Iniciáticas se realizan en los Mundos Superiores y en el Mundo Físico. Las pruebas de la Iniciación son muy terribles. Se necesita una Gran Paciencia para no caer en el Abismo. Somos probados muchas veces.

SINTESIS:

- Cuando nuestros discípulos quieran pedir auxilio a los Señores del Karma, pintan una Estrella de Seis Puntas en el suelo, abren los brazos en forma de balanza y los mueven hacia arriba y hacia abajo, teniendo la mente concentrada en Anubis.

- Entonces podemos pedir mentalmente a los Señores del Karma el servicio deseado. Al mover los brazos en forma de balanza, vocalícense las sílabas: NI, NE, NO, NU, NA.

- Así es como podemos pedir auxilio a los Señores del Karma, en los momentos de necesidad o peligro. Todo crédito hay que pagarlo.

CAPITULO 31

ARCANO No. 9

Este Arcano es el del Ermitaño, se le presenta con un anciano que lleva una lámpara en su mano derecha, esta lámpara hay que subirla para hacer luz en la Senda, hay que levantarla, subirla en alto para iluminar.

El Número Nueve, si se multiplica con cualquier número dígito da siempre nueve. Ejemplo:

$$2 \times 9 = 18 \quad 1 + 8 = 9$$
$$4 \times 9 = 36 \quad 3 + 6 = 9$$
$$5 \times 9 = 45 \quad 4 + 5 = 9$$

Esto resulta interesantísimo, existen 9 Círculos Infernales dentro del interior de la Tierra, desde la epidermis de la Tierra hasta el interior se puede decir que hay Nueve Universos Paralelos Infernales que van hasta el corazón mismo de la Tierra, quedando el Círculo Noveno en el centro de la Tierra; estos Nueve Círculos son las 9 Regiones Demoníacas o Diabólicas. También existen 9 Círculos Superiores que en ocultismo se denominan los 9 Cielos, esos 9 Cielos podemos representarlos con los 9 Planetas:

Luna ☽ Venus ♀ Marte ♂ Saturno ♄

Neptuno ♆ Mercurio ☿ Sol ☉ Jupiter ♃ Urano ♅

Cuando nos referimos por ejemplo a la Luna, no hay que pensar en el satélite físico Luna. La Región Sub-Lunar Diabólica no hay que buscarla en la Luna, sino en el interior de la Tierra. Pensamos ahora en el Cielo Lunar, no quiere decir precisamente que sea de la Luna, sino de las Regiones Superiores o sea regiones moleculares que son Lunares y están gobernadas por la Luna; es un Mundo Molecular Lunar que se halla aquí en nuestro mundo.

Este Primer Cielo Lunar tiene su ciencia, ahí se encuentran las Almas que merecen subir a esa región, porque no todos los desencarnados logran llegar a este Cielo, la mayor parte de los desencarnados se regresan desde el umbral para entrar a la región de los muertos y luego penetrar a una nueva matriz, otros entran en la involución sumergida de las Nueve Esferas Infernales.

Se penetra al primer Cielo Lunar como un descanso, la Luna está relacionada con la Castidad, con el Sexo. Ahí puede uno rememorar distintos errores cometidos con el Sexo.

Existe un grave problema; La Luna tiende a la materialidad, toda la mecanicidad terrestre está controlada por la Luna. Toda la vida de la Tierra, toda la mecánica terrestre está controlada por la Luna, todo esa vida mecánica en que vivimos es de tipo Lunar.

La Luna como una pesa de un gran reloj hace mover la maquinaria terrestre, de la Luna depende el crecimiento de los vegetales, animales, la ovulación en la mujer, el flujo y reflujo de los mares, las altas y bajas mareas, etc.

Como quiera que la vida es tan mecanicista, si realmente se quiere triunfar se debe aprovechar la Luna Creciente para nuestras actividades; también la Luna Llena; si se usa la Menguante, fracasamos. La Luna Nueva es muy difícil, No tiene fuerza.

Si se quiere triunfar en alguna actividad o en los negocios inevitablemente hay que aprovechar la Luna Creciente y la Luna Llena. Nunca empezar un negocio en Menguante o Luna Nueva.

Para controlar la materialidad Lunar hay que apelar a los perfumes vegetales de rosas y violetas.Hay que usarlos para controlar la materialidad, porque la Luna ejerce una influencia materialista sobre la Mente humana.

Para desgracia nuestra los Elementos Subjetivos que tenemos dentro son controlados por la Luna.

El Alma de cada Ser viviente emana de un átomo, el Ain Soph, cada cual tiene su Ain Soph, ésta es una estrella que resplandece en el espacio infinito, más allá de los Nueve Cielos, las Almas deben retornar a su Estrella, a su Ain Soph, el regreso hacia su Estrella es algo divino.

El día que se Auto-Realice se dará el lujo de regresar a su Estrella, esto fue comentado por Platón en su "Timeo".

Cada bípedo tricerebrado necesita hacer, fabricar, la mariposa para retornar a esa Estrella.

Los Nueve Cielos están en íntima concordancia, se compaginan con los 9 Círculos Infernales, en total tenemos que:

Nueve Cielos + Nueve Círculos Infernales = 18.
1 + 8 = 9, el Número del Maestro, del Iniciado.

Necesitamos Auto-Realizarnos en los 18 Círculos, un individuo que no se haya Auto-Realizado en los 18 Círculos, no es un Maestro.

En síntesis, ser el Nueve Perfecto es desenvolverse en los Dieciocho Círculos para ser un Maestro.

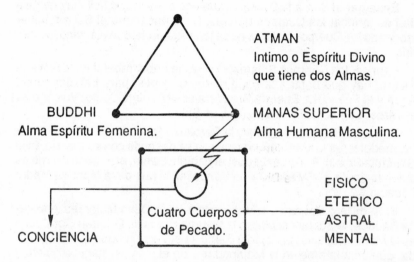

ATMAN
Intimo o Espíritu Divino
que tiene dos Almas.

BUDDHI
Alma Espíritu Femenina.

MANAS SUPERIOR
Alma Humana Masculina.

FISICO
ETERICO
ASTRAL
MENTAL

Cuatro Cuerpos
de Pecado.

CONCIENCIA

Atman es el Espíritu Divino (es una emanación del Logos) que tiene dos Almas, Buddhi y Manas. Comprender esto es vital, en la Edad Media cuando el caballero medieval salía a luchar por su dama, no es más que el Alma Humana peleando por conquistar a su Alma Espiritual.

Llegué a comprender esto cuando mi Real Ser me llevó al Mundo Causal que es de color intensamente azul eléctrico. El Rey, Atman, el Señor, se sentó en una mesa con una bella dama, su Alma Espiritual, su Beatriz, su Walkiria; y con el Alma Humana se sentaron en Triángulo. Atman empezó a hablar y dijo: *"Yo tengo dos Almas, el Alma Espiritual y el Alma Humana, y mientras el Alma Humana trabaja, el Alma Espiritual juega, vive feliz. Esta es mi doctrina. Así los Tres somos Uno"*.

Atman, Buddhi y Manas nos Reunimos en el Mundo Causal, en esa región de las Causas, sin esa experiencia no podría explicar en forma clara. Atman se desdobla en Buddhi y Buddhi en Manas, como si nos viéramos en un espejo y entonces se crea la Trinidad. La Esencia es un desdoblamiento del Manas Superior, esa Esencia a su vez se embotella en el "Ego".

El despertar de esa Esencia es despertar Conciencia, es hacerce uno consciente de los Misterios de la Vida y de la Muerte, muchos quieren despertar la conciencia pero en cualquier momento abandonan el trabajo, por esto a nadie se le comunicaba el Maithuna sin antes despertar Conciencia.

El "Mensaje de Navidad 1968-69" trae las Runas para el despertar de la Conciencia.

Encarnar el Ser, a la Divina Tríada eso sí es muy difícil, hay necesidad de fabricar los Cuerpos Solares. Si se encarnara el Ser sin haber fabricado los Cuerpos Solares no se toleraría el choque eléctrico, se moriría.

Fabricar los Cuerpos Solares es vital, se debe trabajar en la Novena Esfera; hay que bajar a la Forja de los Cíclopes, para trabajar con el Agua y el Fuego. La Energía Creadora es el Espíritu Santo. Vulcano es el Tercer Logos, la Fuerza Sexual, es Shiva.

El Fuego Sagrado es "Ella", la Serpiente Ignea que sube por el canal medular, es la Madre Kundalini, ella se desposa con su marido en la Glándula Pineal. El Tercer Logos, el Espíritu Santo, el Esposo Eterno es quien fecunda a la Madre Divina Kundalini, la raíz de la Mónada Madre Espacio.

El Semillero Cósmico, la Matripadma, es la Deva Mater, es la Materia Caótica, la Sustancia Mater, la Materia Prima de la "Gran Obra", esa es la Madre Espacio. El Espíritu Santo es el Tercer Logos que la Fecunda, que está latente en la Matripadma, sin él, ella permanece quieta y con él se enciende, reverbera, se hincha.

El Padre es el Primer Logos, el Segundo es el Hijo y el Tercero el Espíritu Santo. Estos tres aspectos están detrás de Atma, Buddhi y Manas. Del Ain Soph emana el Padre, de él, el Hijo y de él, el Espíritu Santo. Esos tres Logos es el TAO, es Brahama, el Espíritu Universal de Vida y más allá está el Absoluto. Esos tres Logos emanan de ese Océano Universal de Vida, una ola que brota puede ser Ishvara, un Purusha que instruye, y una vez que instruyó se funde en el Espíritu del Océano.

El Absoluto en sí mismo tiene sus tres aspectos, el Ain, el Ain Soph y el Ain Soph Aur, hablar del Ain es difícil porque es el Absoluto Inmanifestado. En el Absoluto no existe forma, ni figura, ni número, ni peso, cuando se disuelve el Universo sólo queda el recuerdo en la conciencia de los Dioses y con esos recuerdos se forma el Universo de Pleroma y si se quisiera sacar de ahí alguna cosa ya no existiría, pues sólo son recuerdos.

SINTESIS:

- Se entiende por un Ser Auto-Realizado uno que creó los Cuerpos Solares y que acabó con el Ego.
- Sólo se baja al Abismo por orden del Anciano de los Días y será para Subir.
- La Iniciación es tu vida misma.
- El Intimo es el que recibe las Iniciaciones.
- Así pues la Iniciación nada tiene que ver con ninguno de esos relatos fantásticos que tanto abundan en ciertos libros.
- Aquí nada se nos da regalado, todo cuesta. Al que nada se le debe, nada se le paga.
- Las Iniciaciones son pagos que el Logos le hace al hombre, cuando el discípulo se ha sacrificado por la humanidad.
- Aquellos que sólo se preocupan por su progreso espiritual, y que no trabajan por los demás, no consiguen absolutamente nada. El que quiera progresar, tiene que Sacrificarse por los demás.
- La Iniciación es la misma vida intensamente vivida, con Rectitud y con Amor.

"Fabricar los Cuerpos Solares es vital, se debe trabajar en la Novena Esfera".

CAPITULO 32

ARCANO No. 10

El Arcano 10 del Tarot es la Rueda de la Fortuna, es la misma Rueda del Samsara, la trágica rueda que simboliza la Ley del Antiguo Retorno. Hay que diferenciar entre Retorno, Reencarnación y Transmigración que son completamente diferentes.

Retorno: Retornan los mundos, los cielos, las estrellas, las cuatro estaciones, a su punto de vida original. A través de las 108 vidas de cada ser humano según las 108 cuentas del collar de Buddha, Retorna el Ego. Cuando llega la desencarnación los Egos entran a los Mundos Infiernos y otros retornan a una nueva matriz; el Ego está compuesto por muchas entidades, algunas se reincorporan en algunos organismos vegetales, animales, y otros a matrices humanas, y el Ego viene a un nuevo organismo. Dentro de estos Egos retorna la parte del Buddhata (Esencia) embotellado, que es la parte Divina y sustancial. Indubitablemente muchas partes de nosotros viven en organismos animales.

Al retornar a este valle de lágrimas se repite lo mismo por la Ley de Recurrencia, es que todo vuelve a ocurrir igual que en otras vidas. La Ley de Retorno está íntimamente ligada, asociada con la Ley de Recurrencia, es decir todo vuelve a ocurrir tal como sucedió más sus consecuencias buenas o malas, los mismos dramas se repiten, esto se llama Karma.

Reencarnación: Es el descenso de la Divinidad a un Hombre. La Encarnación de Vishnú en un Hombre es lo que se llama un Avatara.

Vishnú es propiamente el Cristo, el Logos Solar, por eso en la India llamaban reencarnación a la hecha por Vishnú. Krishna habló sobre esto diciendo: *"Sólo se reencarnan los Devas"*.

Transmigración: Es cuando el Ser empieza a formar parte del Reino Mineral, evoluciona al Reino Vegetal después de mucho tiempo y posteriormente a través de eternidades sube a la evolución del Reino Animal para después subir al Estado Humano donde se nos asignan 108 vidas, si al cabo de las 108 vidas no se ha Auto-Realizado comienza la involución en los Reinos Sumergidos del planeta Tierra, recapitulando por los estados animaloides, vegetaloides y mineraloides. En las profundidades del Abismo, en los Infiernos Atómicos de la Naturaleza, la Esencia o Buddhata es purificada, es liberada del Ego por la desintegración del mismo; y así libre la Esencia después de eternidades vuel-

ve a subir empezando nuevamente por el Reino Mineral, luego el Vegetal, el Animal, hasta escalar el Estado Humano antes perdido. Esta es
la Ley de la Transmigración de las Almas.

Sólo despertando Conciencia sabremos si ya involucionamos y vol-
vimos a empezar. Todo esto del Retorno y la Transmigración son de tipo Lunar, sólo la Reencarnación es Solar.

Las Fuerzas Solares, se apartan de la Ley del Retorno, de la Ley de
Recurrencia, todo esto forma parte del Arcano Nº. 10, mientras no disol-
vamos el Ego tenemos que estar retornando.

Para liberarse se necesita "Morir", es indispensable la muerte del
Ego, entonces se dejará de "Retornar".

Si se estudia el "Libro de los Muertos" de los Egipcios, es Isis la llamada a dar muerte al "Ego", sin la Madre Divina resulta imposible la
muerte del Ego. Con la muerte del Ego la Esencia se libera y se pierde
en Osiris el Cristo Divino. La Esencia resucita en el corazón de Osiris,
donde quedan los afectos, el apego a las cosas, nuestros deseos, todo
eso no existirá ya.

Tenemos que morir para liberarnos de la Trágica Rueda, y hay que
freír las semillas para que no resucite el Ego, y bañarnos en las aguas
del Leteo y el Eunoe y ser confirmado en la Luz, matar al Caín que es
la Mente Lunar. Esta Mente no sirve, hay que eliminarla, hay que darle
Muerte porque es el animal.

Por eso los antiguos veían en la Luna la figura de Caín; a la Mente
se le llama Caín y este era cazador, y la Mente anda cazando fortunas,
posición social, fama. Esta Mente la usan los bribones para triunfar, se
sienten sabios poderosos con esa Mente Animal Lunar bien cultivada.

Hay una figura de un Angel Decapitado, el Angel de Samotracia, esta escultura significa que después que se ha disuelto el "Ego", de haber
quemado las semillas, haberse bañado y que se ha confirmado en la
Luz, etc., tiene que pasar por la Decapitación. Falta la muerte del Cuerpo Lunar y de la Mente Lunar, estos dos cuerpos que forman el Caín
son los dos Elementos Subjetivos a los que hay que decapitar. Después
sólo queda Osiris y la Esencia que queda en el corazón de Osiris, entonces ya se tiene derecho de llevar el Aspid (la Serpiente) en la frente
y como dice el "Libro de los Muertos", *ya puede sentarse como los otros
Osiris se sientan y llevar la Serpiente en la frente*", ya tiene al Verbo, ha
triunfado, sus poderes no los utiliza en forma egoísta.

Osiris es el Cristo Cósmico, un hombre Osirificado ya tiene el Cristo
Cósmico, ya no tiene Elementos Subjetivos, ya se ha liberado de esa
Rueda Trágica de Vidas y de Muertes donde radica la causa del Dolor.

La lucha más violenta para poder lograr la eliminación del Ego está
con la terrible Serpiente Tentadora que es el abominable Organo Kun-

dartiguador, la cola de Satán, ésta es la horrible Pitón que Apolo hirió con sus dardos. Es la antítesis de la Madre Divina, materia densa y espantosa que lucha contra nosotros.

Mientras no estemos dentro de la "Barca de Isis", no servimos para nada.

Según la Sabiduría Egipcia, Toth es Hermes y Hermes es Mercurio, el Gran Hierofante, el Ministro, el Embajador del Logos Solar, el Gran Instructor, el que nos eleva de Iniciación en Iniciación. Pero ¿Quién es en nosotros? El es el "Ens Seminis".

Solamente mediante La Gran Muerte nos podemos escapar de esa Gran Rueda y del Dolor de este Mundo que es totalmente pasajero y doloroso. Hay que pasar más allá de los afectos de nuestros seres más queridos, esto es algo que cuesta trabajo.

Este mundo es terriblemente doloroso, para lo único que vale la pena vivir es para Auto-Realizarse, porque todo es vano.

SINTESIS:

- **Sólo por medio del Arcano A.Z.F. nos liberamos de la Rueda del Samsara.**
- **Los Sephirotes forman el cuerpo de Adam-Kadmon.**
- **Cuando el hombre se realiza a fondo entra en el Reino de Adam-Kadmon.**
- **El Reino de Adam-Kadmon al fin se absorbe en el Absoluto, donde resplandece la vida libre en su movimiento.**

CAPITULO 33

ARCANO No. 11

Este Arcano en la Kábala se le conoce como el Arcano de La Persuasión. La Persuasión en sí misma es una fuerza de orden sutil, Espiritual; la Sabiduría Oculta dice: *"Avivad la llama del Espíritu con la fuerza del Amor"*.

El Amor en sí mismo es una fuerza poderosa, omnipotente, la fuerza del Amor mantiene a los mundos alrededor de sus centros de gravitación cósmica. Estos centros de gravitación cósmica son "los Soles". Por eso dice Hermes Trimegisto: *"Te doy Amor en el cual está contenido todo el súmmum de la Sabiduría"*.

Una palabra suave apacigua la Ira. La Persuasión tiene más poder que la violencia. Si una persona violenta quiere atacar, se le envía una frase amable y ésta apacigua su violencia. Por eso es que en el Arcano 11 aparece una mujer abriendo las fauces de un León, esa es la fuerza viva de la Persuasión.

Profundizando más nos encontramos al León de doble cabeza que representa a las dos Tierras, a la Visible y a la Invisible. El León en sí mismo como animal es muy importante, muy interesante; en la Atlántida sirvieron como animales de tiro, arrastraban carruajes, eran mansos, después de la sumersión de la Atlántida se volvieron furiosos. El León es un símbolo viviente del "Fuego".

Observan ustedes la Esfinge que tiene garras de León, representando al Fuego. En el Calendario Azteca o Piedra del Sol, hay unas garras de León. Esas garras tienen un significado muy grandioso.

Si sumamos el No. 11 Kabalísticamente 1 + 1 = 2, el Arcano No. 2 es la Sacerdotisa, la Ciencia Oculta, la Madre Divina, ella en sí misma es "Fuego Vivo", por eso en el Oriente se le denomina Devi Kundalini en lo individual y Maha Kundalini en lo Macrocósmico. Aprender a trabajar en el Fuego es vital, por eso ese dos se descompone kabalísticamente en 1 Hombre + 1 Mujer que deben trabajar con el Fuego, en el Magisterio del Fuego.

El carro arrastrado por leones es una alegoría muy esotérica y viene de tiempos muy arcaicos. El Carro representa al Ser Humano, el León, el Fuego, no es más que un símbolo viviente del Hombre Solar, el Hombre Sol. Cuando se habla del Carro se alude a los Cuerpos Internos del Hombre, el Vital, Astral, Mental; en ese Carro debe Montar el Real Ser,

El Zohar nos pinta al "Anciano de los Días" viajando en su carro a través del infinito. No hay duda que el Real Ser tiene que viajar siempre en su carro para trabajar en los mundos.

Los Leones del Fuego son la síntesis de este número kabalístico, pues 11 se descompone en 1 + 1 = 2; el 2 en 2 unidades: Hombre-Mujer, las dos columnas del Templo: Jachín y Boaz; entre esas dos columnas está el Arcano; analizando este Arcano concluimos en el Magisterio del Fuego. El Fuego Sagrado no se puede despertar con el Pranayama o ejercicios respiratorios combinados con la Meditación, eso sólo logra que pequeñas fracciones o chispas aviven el despertar de los Chakras, tales chispas se elevan a tales o cuales centros, pero no significan que se haya levantado la Serpiente.

Agni, el Dios del Fuego, ayuda a despertar el Fuego, pero trabajando en la Novena Esfera. Los solteros pueden ayudarse con Pranayamas para levantar chispas, pero eso no significa que levanten la Serpiente.

Tenemos un "Hornillo" que es el "Coxis" o Chacra Muladhara, ahí según nos indican los Alkimistas hay que poner el "Recipiente"; dentro del Recipiente está el Mercurio de la Filosofía Secreta o "Ens Seminis", en él se encuentra el "Ens Virtutis" y hay que cerrar el Recipiente para impedir que la Materia Prima (El Semen), se pierda totalmente.

El Laboratorio tiene una "Chimenea" por donde deben ascender los Vapores, este es el Canal Medular, y un "Destilador" que está en el Cerebro para destilar el Oro Puro. Este es el laboratorio de los Alquimistas Medievales que transformaban el Plomo en Oro.

Muchos desprecian a los Elementales y nosotros no debemos hacer esto. Las Salamandras cuidan del Fuego, las Ondinas están entre la Materia Prima encerrada en su recipiente; las Ondinas nos ayudan si las dominamos, sino, hacen de las suyas porque son muy veleidosas. Los Silfos hacen subir los vapores que se escapan de la Materia Prima. Los Gnomos se encargan en el Cerebro de destilar la Materia Prima para que quede convertida en oro.

He conocido verdaderos Devas del Fuego, me he puesto en contacto con ellos, viven en el mundo Causal o de la Voluntad Consciente, me dijeron: *"más allá de la Clarividencia está la Intuición que es superior porque pertenece al Espíritu Puro"*. Con la Clarividencia se investiga en el Mundo Molecular, regiones superiores e inferiores; en cambio la Intuición funciona directamente en el Mundo del Espíritu Puro, Por eso la Intuición es superior. La Intuición tiene su raíz en la Glándula Pineal, Chakra Sahasrara o Loto de los Mil Pétalos. Esta facultad está en relación con Shiva o Fuego Flamígero, por eso este centro nos da acceso al Mundo del Espíritu Puro.

En el Ser Humano pueden existir 49 Fuegos; los 7 Chakras o Iglesias por 7 Niveles, da como resultado 49 Fuegos. 7 x 7 = 49

Hay diversas clases de Fuegos; el Fuego del rayo, el que se concentra en las plantas, el Fuego que arde en el interior de las montañas y que vomitan los volcanes de la tierra, el Fuego que se usa para cocinar, el Fuego de cada mundo, pero en síntesis podríamos hablar de dos: Fuego Solar y Fuego Lunar. El Fuego Solar es Crístico, sublime, es Devi Kundalini. El Fuego Lunar es Lucíferico, negativo, fatal.

El Fuego Solar cristaliza en Mundos, Soles, Universos, El Fuego Lunar cristaliza en todas esas entidades que constituyen el Ego Animal.

El Hombre tiene que desarrollar los 49 Fuegos en sus Chakras.

SINTESIS:

- **El Arcano 11 es el Trabajo con el Fuego, con la Fuerza del Amor, para convertirnos en Llamas Vivientes.**
- **Las Ondinas trabajan en el "Ens Seminis".**
- **Las Salamandras tienen el Fuego Encendido.**
- **Los Silfos suben los vapores.**
- **Los Gnomos destilan el "Ens Seminis" en el Cerebro.**
- **Las criaturas del Agua se conjuran con la Copa en la mano.**
- **Las criaturas del Aire, se mandan con una Pluma de ave.**
- **Las criaturas de Tierra, se conjuran con el Báculo o Bastón.**
- **Las criaturas del Fuego se conjuran con la Espada.**

"En la Atlántida sirvieron como animales de tiro, arrastraban carruajes, eran mansos, después de la sumersión se volvieron furiosos. El León es un símbolo viviente del Fuego".

CAPITULO 34

ARCANO No. 12

El Arcano No. 12 implica Sacrificios, es la carta del Apostolado, Sufrimientos. Sin embargo este número es un número muy completo, es el famoso dodecaedro sobre el cual se sostienen todas las creaciones universales del Sistema Solar que tiene 12 Fundamentos, 12 Planetas.

La Ciencia Esotérica enseña que existen 7 planetas principales: LUNA-MERCURIO-VENUS-SOL-MARTE-JUPITER-SATURNO.

Con Urano, Neptuno y Plutón serían 10 planetas; la Ciencia Esotérica sostiene que hay dos planetas, más allá de Plutón. Siempre se ha hablado de los 12 Planetas Salvadores, el Maestro Jesús tenía 12 Discípulos, y en la Pistis Sophia de los textos Gnósticos se hace referencia a los 12 Salvadores.

El Arcano No. 12 trae mucho sufrimiento, muchas luchas. Tiene una síntesis muy bonita porque 1 + 2 = 3 que significa producción tanto Material como Espiritual.

Recordemos el ligamen maravilloso de la cruz con el triángulo; en el Arcano No. 12 vemos un hombre que cuelga de un pie hacia abajo para indicar el trabajo fecundo en la Novena Esfera sin el cual no se podría lograr el ligamen de la Cruz con el Triángulo; el Oro Filosofal no se podría lograr sin ese ligamen.

En la Edad de Piscis hubo una ascética regresiva, retardaría que aborrecía y odiaba el sexo.

Todavía en el Cáucaso existen vestigios de una secta que odiaba al Sexo mortalmente, quienes ingresaban a esa secta tenían que castrarse con un fierro al rojo vivo; a las mujeres les quitaban los labios menores de la vulva, ésta era la primera fase; en la segunda fase, los hombres tenían que amputarse el phalo y a las mujeres les quitaban en plena ceremonia religiosa un seno, y bebían la sangre y se comían la carne, luego la acostaban en un lecho de flores; esto es monstruoso, abominable, vean ustedes a donde llega el horror al Sexo; esto pertenece a la Esfera de Lilith.

Las tradiciones kabalísticas dicen que Adán tenía dos esposas, Lilith que es la madre de los abortos, homosexualismo y el odio al Sexo; a la inversa es Nahemah que es la madre de la belleza maligna, de la pasión, del adulterio, lujuria y todo lo que son abusos del sexo. La secta

Cáucaso es de Lilith, aborrece al Tercer Logos, al Espíritu Santo.

Vean ustedes como el odio al Sexo descarta la Piedra Filosofal, esto es absurdo, sin embargo creen que van bien. Las autoridades intervinieron en otra secta, donde cada año crucificaban a un hombre hasta morir, para recordar al Gran Maestro. Barbarismo de este tipo son de la Era de Piscis.

En la Era de Acuario que está gobernado por Urano, que es el planeta regente de las Glándulas Sexuales, tenemos que aprender a usar el Sexo; debe combinarse inteligentemente el "Ansia Sexual" con el "Entusiasmo Místico" y de esa sabia mezcla resulta la Erótica Inteligencia Revolucionaria de la Edad de Acuario.

La Edad de Piscis es conservadora, regresiva, retardataria, hay que salir del acoplamiento vulgar y pasar al círculo de polarización Hombre-Mujer, es necesario. Cuando un hombre y una mujer se unen algo se crea, en los Antiguos Misterios se creaba el "Genius Lucis del Sexo", en esos tiempos se practicaba Magia Sexual. Había acoplamientos colectivos, era otro tiempo porque no había llegado el grado de degeneración de hoy, por lo que antes las gentes pronunciaban el nombre de la Divinidad en ese momento del Genius Lucis.

La Lanza de Longibus es el emblema extraordinario del "Genius Lucis", la fuerza Odica o Magnética con la cual se convierte en polvareda cósmica el Ego Animal. Hay que aprender a utilizar el Genius Lucis para eliminar el "Yo". El Genius Lucis del Hombre y la Mujer puede eliminar a todas esas entidades que forman el "Yo", el "Mí Mismo", porque es el arma para poder destruir al "Ego".

Krisnhamurti le ha enseñado a la humanidad a disolver el Ego, pero la enseñanza está incipiente porque él cree que sólo a base de Comprensión se elimina (la ira, los celos, etc.), eso no es posible se necesita un poder capaz de eliminar al Ego y es el Fuego Serpentino, "Devi Kundalini", quien tiene el poder de eliminar todos nuestros Defectos Psicológicos. La Comprensión y Eliminación deben estar compensados. Devi Kundalini puede empuñar la Lanza y lo hace durante el Sahaja Maithuna, sabe utilizar al Genius Lucis.

Orar en el tálamo del Jardín de las Delicias; en el lecho nupcial de las maravillas eróticas; Suplicar en el momento de los goces, en el instante inolvidable del coito, Pedirle a nuestra Divina y adorable Madre Divina Kundalini, Empuñe esplendorosamente en esos instantes de besos y ternuras la Mágica Lanza; para eliminar aquel Defecto que hemos comprendido en todos los departamentos de la Mente; y luego retirarnos sin derramar el vino sagrado, el "Ens Seminis", significa muerte, dicha, embriaguez, delicia, gozo...

Esto de la Muerte es algo trascendental, se realiza por grados. Cuando se logra una Muerte Absoluta en la Mente, la transformación de los Iniciados es asombrosa, tal muerte implica una Muerte Radical. Esta no se puede hacer más que en la región de Mercurio y el elemento que nos puede ayudar es ese "Genius Lucis" del Hombre y de la Mujer; es Isis, Cibeles, Insoberta, o Kundalini Shakti quien nos puede llevar a esa transformación intelectual de fondo.

La Muerte se la va realizando en las Esferas de los diversos Planetas. Los Angeles trabajan en el Mundo Astral y están gobernados por la Luna. Los Arcángeles se desarrollan bajo la regencia de Mercurio y su trabajo lo realizan en el mundo de la Mente, ellos manejan las sustancias o Esencia del Mundo Mental y lo han conseguido en la Novena Esfera de momento en momento.

En Venus hay que hacer otro trabajo; a este mundo corresponde el Causal, Reino de los Principados. Las Virtudes corresponden al Buddhico Intuicional, son de la Esfera del Sol. Al Atman corresponden las Potestades con Marte, luego sigue Júpiter con las Dominaciones. Continúa Saturno, es lo más elevado entre los 7 Planetas; es de lo más Divinal, lo más exaltado. Más allá de Saturno está el Mundo Paranirvánico. Más allá del Empíreo lo más elevado son los Serafines. Todo el Sistema Solar está dentro de nosotros mismos.

GRADO INICIATICO	REGION	PLANETA
Angeles	Mundo Astral	Luna
Arcángeles	Mundo Mental	Mercurio
Principados	Mundo Causal	Venus
Virtudes	Búddhico-Intuicional	Sol
Potestades	Mundo Atmico	Marte
Dominaciones	Mundo Nirvánico	Júpiter
Tronos	Mundo Paranirvánico	Saturno
Querubines	Mundo Mahaparanirvánico	Urano
Serafines	El Empíreo	Neptuno

En cada uno de estos planetas hay que hacer trabajos específicos. ¿Cómo podríamos tener la Voluntad al servicio del Padre si no hemos trabajado en la Esfera de Venus?.

Tenemos que liberarnos primero del Planeta Tierra, llegar al Nacimiento Segundo. Luego liberarnos de la Luna, el trabajo relacionado con la Luna. En Venus se libera de la Mala Voluntad, es algo grandioso.

Primero hay que liberarse del Sistema Solar (Deuterocosmos) y luego de la Galaxia (Macrocosmos). Mediante trabajos trascendentales ingresamos al Protocosmos, a pesar de que está dentro del Absoluto hay que liberarnos del Protocosmos, el camino es sexual, no hay otro camino.

La Edad Acuaria es signo de Saber, todo es Revolucionario.

URANO = SEÑOR DE LAS GLANDULAS SEXUALES.

UR - ANAS = FUEGO Y AGUA.

Toda escuela que no enseñe el Sahaja-Maithuna no es Acuariana. Acuario no rechaza al Sexo, se le investiga. Un Mutante es un Hombre en el sentido más amplio, se acabaron los tabúes en la Era Acuario.

La Psicología de la Era Acuario con sus cinco famosas emes (M) (ritual Pancatattva) es Revolucionaria.

Tan absurdo es el que odia al Sexo como el que abusa, el que se emborracha como el que no toma. Se debe recorrer la senda intermedia, no caer en los extremos.

SINTESIS:

- El Alquimista necesita un Atanor (Horno), para trabajar en la Gran Obra. Ese Atanor es la Mujer
- El que quiera convertirse en un Dios Inefable tiene que adorar a la Mujer.
- Considero que es imposible Auto-Realizarse sin mujer.
- Es imposible ser alquimista si no se trabaja con la Piedra Filosofal. Esa Piedra Bendita tiene cuatro nombres: Azoe, Inri, Adán, Eva.
- El Rey Sol se engendra dentro de nosotros mismos, practicando Magia Sexual Intensamente con la Mujer.
- La Mujer nos convierte en Dioses Inefables.

CAPITULO 35

ARCANO No. 13

Este Arcano, la Muerte, abarca dos aspectos: el primer aspecto es la muerte de todos los seres humanos y el segundo es desde el punto de vista esotérico.

En el primer aspecto todos los textos de ocultismo, pseudo-ocultismo, pseudo-rosacrucismo, teósofos, afirman que uno nace a determinada hora y fallece en determinado día, hora y segundo, según la Ley del Destino.

Este concepto no es exacto porque los Señores del Karma depositan en uno, determinados "Valores Cósmicos" y ese "Capital" lo puede uno conservar y la vida se puede prolongar por largo tiempo; o gastar los Valores y acortar la vida.

La vida se prolonga acumulando Capital Cósmico. Si no hay buenas acciones, sólo en determinados casos los Señores del Karma prolongarían la vida. Los Señores del Karma depositan en cada uno de nuestros Tres Cerebros una determinada cantidad de Valores Vitales:

Primer Cerebro, Pensante o Intelectual, en la cabeza.

Segundo Cerebro, Motor, situado en la parte superior de la columna vertebral.

Tercer Cerebro, Emocional, situado en el Plexo Solar y centros nerviosos simpáticos.

Si uno agota los Valores Vitales del Cerebro Pensante, abusando del Intelecto, es claro que se provoca la muerte de este cerebro o se contraen enfermedades de tipo nervioso, neurastenias, imbecilidad, esquizofrenia, o provocando locura o manías que tienen las gentes que han agotado los Valores del Centro Intelectual.

Si uno agota los Valores del Centro Emocional se provocan enfermedades al corazón, psíquicas, nerviosas; enfermedades relacionadas con los aspectos emotivos, emocionales; muchos artistas agotan el cerebro emocional y terminan con ciertos estados psicópáticos, emotivos, cardíacos. Quienes agotan los Valores del Cerebro Motor terminan paralíticos o con enfermedades relacionadas con los músculos, las rodillas, las articulaciones o parálisis, etc., daños en la espina dorsal. Todas las enfermedades en general devienen del mal uso de estos Tres Cerebros, lo que quiere decir que se muere por tercios, poco a poco.

Ejemplo: los futbolistas, los corredores, boxeadores, son gentes que abusan del Cerebro Motor, estas personas terminan mal, su muerte es por mal uso del Cerebro Motor.

Si uno aprende a manejar los Tres Cerebros, en forma equilibrada, se ahorran los Valores Vitales que depositan los Señores del Karma y se alarga la vida. En el Asia existen monasterios donde los monjes llegan a la edad de 300 años o más porque manejan los tres valores armoniosamente, en forma equilibrada, ahorrando los Valores Vitales de los Tres Cerebros. ¿Entonces en qué queda lo de la hora y fecha exacta de vida o muerte?.

Si agota los Valores muere pronto, si los ahorra alarga la vida. Es claro que a unos le dan más capital que a otros, depende del debe y del haber de cada uno.

Cuando uno cree que ha abusado del Cerebro Pensante hay que poner a trabajar el Cerebro Motor.

Para poder prolongar la vida al estar en estos estudios esotéricos, hay que negociar con los Señores del Karma, pero hay que pagar haciendo buenas obras.

Todo hombre que encarna el Alma puede pedir el Elixir de Larga Vida. Este es un gas de inmaculada blancura. Dicho gas es depositado en el Fondo Vital del organismo humano. Después de la Resurrección el Maestro ya no vuelve a morir, es Eterno.

Tenemos el caso del Maestro Paracelso, no ha muerto, vive en Europa con el mismo cuerpo, es uno de los que "tragó tierra", quedó como vagabundo haciéndose pasar por diferentes personas. Nicolás Flamel, el Iniciado, vive en la India con su esposa Perenelle, él también tragó tierra junto con su esposa. El Conde San Germain que dirige el Rayo de la Política Mundial, trabajó en Europa en los siglos XVI y XVIII, hace poco lo encontró Giovanni Papini. El Cristo Yogui de la India, el Inmortal Babaji y su inmortal hermana Mataji viven con su Cuerpo Físico desde hace millones de años.

Los Inmortales pueden aparecer y desaparecer instantáneamente, se hacen visibles en el Mundo Físico a voluntad. Cagliostro, San Germán, Quetzalcoatl y muchos otros Inmortales han hecho en el mundo Grandes Obras.

La Muerte es la corona del Sendero de la Vida, está formada por los cascos del caballo de la muerte.

LA MUERTE DEL INICIADO

"El Libro de los Muertos" de los Egipcios es para los que viven y están muertos, hay que saberlo entender, trata de los Difuntos Iniciados que aunque ya están muertos, viven: ya entraron a la Región de los muertos y salen al Sol para dar sus enseñanzas.

Lo primero que hay que hacer para Morir es Disolver el "Yo", eso que es un conjunto de Demonios y al cual llaman los Egipcios los Demonios Rojos de Seth. Hay que hacer eso para despertar Conciencia y recibir el conocimiento directo. Los Demonios Rojos de Seth, son todos los Demonios que tenemos, es Satán, éstos deben ser muertos. Horus debe derrotar esos Demonios.

Seth tiene dos aspectos, como Negativo es Satán y como Positivo corresponde a la Espina Dorsal. Este tenebroso Seth Satánico debe ser Muerto; ese Ego Lunar que está constituido por millares de Demonios que Horus debe derrotar con la ayuda de Isis, la Madre Divina, debe Morir.

Esos Yoes deben ser reducidos a polvo y hay que quemar las semillas y bañarse en el agua del Leteo para olvidar y del Eunoe para fortificar virtudes y luego ascender a los Cielos. Para ascender a cada uno de los cielos hay que Bajar primero a los Infiernos.

Eso no es todo, vienen tremendas batallas, esto hay que estudiarlo al pie de la Pistis-Sophia.

El Iniciado debe convertirse en "cocodrilo", para esto hay que destruir el Cuerpo de Deseos que es Lunar y después subir al Cielo Lunar; para poder destruirlo hay que "Sumergirse" y eso significa una bajada espantosa a través de sacrificios enormes, y ahí deja el Cuerpo Lunar que poco a poco se va desintegrando. Cuando ya se deshizo del Cuerpo de Deseos, entonces sale el Iniciado con su Cuerpo Astral Solar.

Luego hay que pasar a Mercurio, a la Decapitación, para deshacerse de la Mente Lunar. Y el Iniciado clama pidiendo su cabeza, la cabeza de Osiris, pero tiene que pasar por muchas matanzas, hay que pelear contra los Demonios. Así como hay 8 Kabires, también hay 8 Anti-Kabires, dos en cada punto cardinal que son las antítesis. Al Iniciado le toca pelear con los 8 Kabires Negros, no se puede "subir sin bajar".

No se puede entrar al Absoluto "hasta pasar por la Gran Muerte" y la Esencia sumergirse en el Ser.

En el camino hacia el Absoluto, hay que Bajar, ahí es donde se vuelve uno Cocodrilo Muerto. Luego toca subir y la subida es dificilísima. Cuando se ha sumergido uno en el Ser, se puede decir: *"Yo soy Horus"*, puede hablar en el Lenguaje de los Dioses, puede ser el Dios Vivo a la vista de los Demonios Rojos que constituyen el Ego.

La carta 13 contiene el Evangelio de Judas. Judas representa la Muerte del Ego. Ese es su Evangelio, ese papel lo desempeñó como se lo ordenó el Gran Maestro. Judas se encuentra actualmente trabajando en los Mundos Infiernos con los Demonios, para poder redimirlos y lograr uno que otro. Cuando termine su trabajo se irá con Jesús al Absoluto, porque se lo tiene bien ganado.

SINTESIS:

- Hay que convertirse en el Cocodrilo Sagrado Sebeck a través de ordalias enormes y grandes sacrificios.
- En esto no bastan los esfuerzos, sino los super-esfuerzos.
- Nosotros nos tenemos que dar forma a sí mismos, esto requiere super-esfuerzos por medio del trabajo constante diario intensivo.
- Hay que trabajar para terminar con la Ira.
- Los muertos viven en la esfera de Jetzirah, los muertos viven en el mundo de Nogah (Mundo Astral).
- Los difuntos que han sido fornicarios son fríos y tenebrosos, viven en el Mundo de Assiyai, llenos de frío y tinieblas.
- Los discípulos que han sido castos y que han despertado el Kundalini, después de la muerte, están llenos de juventud y de Fuego.
- La hora 13 está íntimamente relacionada con la Muerte, no puede haber Resurrección si no hay Muerte, la Liberación es la Hora Trece de Apolonio.
- Las Doce Puertas de la Misericordia son los 12 Signos Zodiacales, 12 Regiones o 12 Mundos Suprasensibles, la Puerta Número 13, la Liberación es para escaparse al Absoluto.
- Se muere para el Cosmos. Se nace para el Absoluto.
- Hay que Morir para Vivir. Hay que Morir y Resucitar.

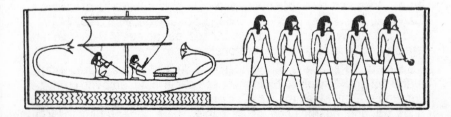

CAPITULO 36

ARCANO No. 14

La profunda sabiduría del Arcano 14 se divide clásicamente en 3 partes:

1. TRANSMUTACION DE LA ENERGIA CREADORA.
2. TRANSFORMACION.
3. TRANSUBSTANCIACION.

Vamos a estudiar cada una de estas tres partes por separado.

Transmutación. La mezcla de los Elixires del hombre y la mujer, el Rojo y el Blanco, dan origen al "Elixir de Larga Vida". Tenemos el caso concreto de Nicolás Flamel y su señora que actualmente viven físicamente en la India, ellos tienen el "Elixir de Larga Vida", Paracelso vive actualmente en una montaña de Bohemia, en un Templo de Jinas, los que poseen el "Elixir de Larga Vida" saben vivir como vagabundos.

El Gran Maestro Sanat Kumara, fundador del Colegio de Iniciados de la Logia Blanca, vive en un oasis del desierto de Gobi, su cuerpo no es de la Tierra, vino en una nave cósmica en la época de la Lemuria, vino de Venus, es uno de los Cuatro Shadai, uno de los cuatro Tronos de los Kumaras. Está trabajando, ayudando a todos los que están en el Camino, él ayuda intensamente, vive junto con un Guru Lemur. Lo mencionan antiquísimos escritos. Lo llaman el "Gran Inmolado" ahora es Inmortal.

Este Elixir de Larga Vida es una sustancia metafísica eléctrica, cuando alguien la recibe queda depositado en el Cuerpo Vital. Quien recibe este elixir tiene derecho a vivir 1.000 años, pero puede alargar este tiempo, así Sanat Kumara tiene ya viviendo tres millones de años. Para este Elixir se necesita la transmutación del Fuego Sagrado.

Transformación. La segunda parte de este arcano 14 se refiere a la Transformación de las Energías. Se puede transformar una energía en otra como por ejemplo, el Odio en Amor.

Existen muchas formas de transformación de la Energía. Se sabe en la Sabiduría Esotérica que el Iniciado debe transformarse en pájaro, en gavilanes con cabeza humana, cuando se Disuelva el "Yo". Con la Conciencia libre, transformados en pájaros, penetramos en el Mundo de los Muertos en vida, podemos volar encima de los mares, atravesar montañas.

Necesitamos Trasformarnos en Serpientes de Sabiduría o un "Naga". Necesitamos Transformarnos en Cocodrilos, si queremos subir debemos primero "sumergirnos en el fondo del Abismo", esta es la Ley. Los Dos Veces Nacidos, deben transformarse en verdaderos Difuntos Esotéricos de Muerte Mística. Esto es trascendental, puede uno ser adepto pero antes se tiene que haber bajado y destruido al Ego, de otro modo se convierte en un Hanasmussen con doble centro de gravedad.

Un Hanasmussen es alguien que fabricó sus Cuerpos Solares pero que no pasó por la Muerte Filosofal de los Maestros, polarizándose en un individuo con Doble Centro de Gravedad, así resultan dos personalidades, una Angélica y otra Demoníaca, esto se llama un aborto de la Madre Cósmica, un falso proyecto. El Adepto después de haber vivido todo el drama cósmico de la Crucifixión, tiene que pasar por la Ascensión, tal como la vivió Jesús, tiene que hacerla a través de los Nueve Mundos:

1.- LUNA. 2.- MERCURIO. 3.- VENUS. 4.- SOL. 5.- MARTE.

6.- JUPITER. 7.- SATURNO. 8.- URANO. 9.- NEPTUNO.

Después de haber vivido el Drama, para la Disolución del Ego tiene que pasar por los Planetas. Se transforma en el Cocodrilo Sebeck, para la purificación y eliminación de los diferentes Egos, pues para subir a sus respectivos Cielos hay que bajar a los Infiernos Atómicos de cada planeta. Los dos últimos no tienen Infiernos.

En el Infierno de la Luna deja el Cuerpo de Deseos, el Astral. En Mercurio deja el Caín, la Mente y sube al Cielo, y así sucesivamente tiene que convertirse en 7 veces Cocodrilo para bajar siete veces y subir a los Cielos. Todo este proceso es para liberarse de las Leyes del Sistema Solar, después hay que liberarse de las Leyes de la Galaxia, posteriormente de las Leyes de los Universos y transformarse en una purísima Flor de Loto; convirtiéndose en un Cosmocrator, es decir un Señor creador de Universos y posteriormente sumirse y ser absorbido en el seno del Absoluto.

Existen transformaciones de orden inferior. Circe transformaba a los hombres en cerdos. La leyenda dice que Apuleyo se convirtió en asno. Si uno mete su Cuerpo Físico en la Cuarta Dimensión, utilizando los "Estados Jinas", puede asumir cualquier figura, transformarse en un ave, pez, o lo que quiera. En la Cuarta Dimensión el Cuerpo Físico es elástico y puede transformarse en un animal. Los Mantrams latinos para la transformación son éstos: "EST SIT, ESTO, FIAT", sólo en "Estado de Jinas podemos transformarnos.

Transubstanciación. La Ultima Cena del adorable Salvador del Mundo, data de épocas arcaicas. El Gran Señor de la Atlántida, también la practicó como el Cristo Jesús.

Esta es una ceremonia de sangre, un pacto de sangre. Los Apóstoles trajeron cada uno su sangre entre una copa y la mezclaron luego con Sangre Real del Adorable entre el Cáliz de la Ultima Cena (el Santo Grial). Así, los Cuerpos Astrales de los Apóstoles están unidos al Astral del Cristo, mediante el pacto de sangre. Los Apóstoles bebieron de la Sangre contenida en el cáliz, Jesús también bebió.

La Santa Unción Gnóstica está unida a la Ultima Cena por el pacto de sangre. Cuando los Atomos Crísticos descienden al Pan y al Vino, éste se convierte de hecho en la Carne y la Sangre de Cristo, éste es el Misterio de la Transubstanciación.

El Pan y el Vino, la Semilla de Trigo y el fruto de la Vid deben ser regiamente transformados en la Carne y en la Sangre del Cristo Intimo.

El Logos Solar con su vida pujante y activa hace germinar la simiente; para que la espiga crezca de milímetro en milímetro encerrándole al Logos Solar dentro de la prieta dureza del grano como un cofre precioso. El germen encantador de la espiga sacra tiene su exponente íntimo en la humana simiente.

Los rayos solares penetrando solemnes en la cepa de la vida, se desarrollan y desenvuelven en sigilo hasta madurar en el fruto sacrosanto de la vid, emblema realmente de la vida que se manifiesta con todo su esplendor en la sustancia.

El Sacerdote Gnóstico en estado de éxtasis percibe esa substancia cósmica del Cristo-Sol encerrada en el Pan y el Vino y actúa desligándola de sus elementos físicos para que los "Atomos Crísticos" penetren victoriosos dentro de los organismos humanos.

Cuando Jesús estableció la Escuela Gnóstica partió el Pan y dijo a todos: *"Tomad y comed que éste es mi Cuerpo";* repartió el Vino y dijo: *"Tomad y bebed que ésta es mi Sangre"; "El que come mi Cuerpo y bebe mi Sangre en mí mora y Yo en él".*

Durante el Ritual Gnóstico nos comunicamos con el Mundo del Logos Solar con el "Ra" Egipcio, con el Tum; esta palabra es muy importante, tiene tres aspectos para representar las Tres Fuerzas Primarias:

T: EL PADRE. U: EL HIJO. M: ESPIRITU SANTO

Este es un Mantram poderoso, se atraen las Fuerzas del Logos hacia nosotros; en el instante en que se consagra el Pan y el Vino descienden los "Atomos Crísticos" y se transforman de hecho en Carne y Sangre de Cristo. Esto se logra por medio de un canal que se abre y se comunica directamente con el Logos mediante el Mantram.

Al estar en éxtasis con la Transubstanciación descienden "Atomos Crísticos" de altísimos voltajes dándonos Luz dentro de las Tinieblas. Estos Atomos Crístonicos nos ayudan en la lucha contra los Demonios de Seth. Así hacemos Luz en las Tinieblas, nosotros somos tinieblas profundas. Escrito está, que *"La Luz sale de las Tinieblas"*. Los Dioses surgen del Abismo y se pierden luego en el Absoluto. Luego el Abismo es indispensable para que hayan Dioses.

Los Dioses tienen que conocer el Bien y el Mal. El Abismo es un Anfiteatro Cósmico, donde se forjan Dioses. Por eso hay que Bajar para poder Subir.

Los Atomos Crísticos Solares, esas Vidas Igneas, esos Agentes Secretos del Adorable, trabajan silenciosos dentro del Templo-Corazón, invitándonos una y otra vez a hollar la senda que nos ha de conducir al Nirvana. A todas luces resalta con entera claridad meridiana la misteriosa ayuda de los Atomos Crísticos.

Y resplandece la Luz en las Tinieblas y aparecen sobre el Ara los Doce Panes de la Proposición; manifiesta alusión a los Signos Zodiacales o distintas modalidades de la Substancia Cósmica. Esto nos recuerda al Arcano 12; el Magnus Opus, el ligamen de la Cruz con el Triángulo.

En cuanto al Vino que se deriva del fruto maduro de la vid, es el símbolo maravilloso del Fuego, de la sangre de la vida que se manifiesta en la Substancia.

Es incuestionable que aunque las palabras Vino, Vida, Vid, tienen distintos orígenes, no por ello dejan de tener ciertas afinidades simbólicas. No de otra manera se relaciona el Vino con Vis "Fuerza y Virtus", "Fuerza Moral", así como con Virgo, "Virgen" la Serpiente Ignea de nuestros Mágicos Poderes.

El Sahaja Maithuna (la Magia Sexual) entre **Varón** y Hembra, Adán-Eva, en el lecho delicioso del Amor Auténtico, **guarda** en verdad sublimes concordancias rítmicas con el ágape místico del gran Kabir Jesús.

Transformar el Pan (Simiente), en Carne **Solar** y el Vino delicioso en Sangre Crística y Fuego Santo, es el milagro más extraordinario de la Sexo-Yoga. El Cuerpo de Oro del Hombre Solar, el famoso "To Soma Heliakon" (síntesis completa de los Vehículos Crísticos), es carne, sangre y vida del Logos Creador o Demiurgo. La viviente cristalización secreta de la Energía Sexual en la resplandeciente forma de ese Cuerpo Glorioso sólo es posible con la Magia Amorosa.

Einstein, una de las grandes lumbreras del intelecto, escribió un sabio postulado que a la letra dice: *"La masa se transforma en energía. La energía se transforma en masa"*.

Es ostensible que mediante el Sahaja Maithuna podemos y debemos transformar el Ens Seminis en Energía. Transformar el Pan en Carne y al Vino en Sangre real, Fuego Viviente y Filosofal, es realizar el milagro de la Transubstanciación.

Hay que sublimar nuestra Energía Sexual al Corazón. La comunión del Pan y el Vino, tienen el poder de sublimar la Energía Sexual al corazón. Podemos poner un pan y una copa de vino junto a nuestro lecho y después de trabajar en el Arcano A.Z.F., orar y bendecir el pan y el vino, luego comer el pan y beber el vino. El Arcano 14 convierte el Pan y el Vino en la Sangre del Cristo, con este Arcano se carga el Pan y el Vino con los Atomos Crísticos que descienden del Sol Central.

SINTESIS:

- El Maestro que renuncia al Nirvana por amor a la humanidad, es confirmado tres veces Honrado.

- El Maestro que renuncia al Nirvana para quedarse en el Mundo Físico tiene que pedir el Elixir de Larga Vida.

"Necesitamos Trasformarnos en Serpientes de Sabiduría o un Naga".

CAPITULO 37

ARCANO No. 15

Este Arcano corresponde a Satán del cual habla la Biblia, al Seth en su aspecto negativo del que hablan los Egipcios.

Si descomponemos kabalísticamente el No. 15, tenemos 1 + 5 = 6, ya sabemos que el seis en sí mismo es el Sexo, esto significa que en el Sexo está la mayor fuerza que puede liberar al hombre, pero también la mayor fuerza que puede esclavizarlo.

Recordemos la "Constelación de Orión" de los Egipcios; es evidente que esta constelación está gobernada por 12 Grandes Maestros, esotéricamente se dice que esos 12 Maestros se dan la mano entre sí, pero siempre falta el 6o. significa que *para llegar a la Auto-Realización se necesita rasgar el Velo de Isis"* o sea el Velo Adámico Sexual.

Sólo liberándose del Sexo en forma absoluta, se puede llegar a la Liberación Final. Lo malo en todo esto es como el dicho que dice: *"querer ensillar el caballo antes de tenerlo";* es decir, todas las escuelas que predican que hay que liberarse del Sexo sin haber fabricado los Cuerpos Solares.

Primero hay que Fabricar los Cuerpos Solares y después hay que renunciar al Sexo, ese es el derecho de las cosas y las cosas del derecho. Primero es lo Animal y después lo Espiritual, en el trabajo.

La Constelación de Orión tiene influencia marcada sobre la Estrella Atómica que guía nuestro interior, que es el Ain Soph Paranispana, nuestra Estrella Intima, como dijo un Maestro: *"Levanto mis ojos sobre las estrellas las cuales han de llegar en mi auxilio, pero yo siempre me guío por mi Estrella que llevo en mi interior".*

El Arcano 15 del Tarot es el "Yo Pluralizado", esotéricamente se le dice Satán.

El signo del Infinito es muy importante, le corresponden 8 Kabires que gobiernan toda la Creación, toda la Naturaleza, son los Rectores de la Vida Universal que gobiernan nuestro planeta Tierra. Pero tienen su antítesis que son los 8 Jerarcas de la Logia Negra o sea los 8 Anti-Kabires, 2 al Oriente, 2 al Occidente, 2 al Norte y 2 al Sur. Los mencionamos porque pertenecen al Arcano 15, al Tiphón Bafometo, al Satán. El esoterista tiene que saber defenderse de esos Ocho Kabires, para eso están las Conjuraciones y todo el esoterismo de la Alta Magia.

Los que trabajan en la Alta Magia necesita:ı protegerse con el Círculo Mágico; saber usar la Víbora Sagrada con la que huyen los tenebrosos; los antiguos Egipcios la proyectaban por el corazón. Hay que saber invocar a "Ra" para defenderse de los 8 Anti-Kabires de la Logia Negra, porque así como existen cristalizaciones de Adeptos de la Logia Blanca, también existen Adeptos de la Logia Negra, de la Mano Izquierda con todos sus poderes.

Esta clase de Adeptos Tenebrosos cristalizan con el Tantrismo Negro, en el que existe la misma conexión del Lingam Yoni, pero con derrame de Ens-Seminis. Los 8 Anti-Kabires son las 8 cristalizaciones de H-Si-12 del Ens Seminis en su forma negativa, fatal.

Se dice que cuando el Adepto gana la batalla se refugia en el Ojo de Horus y es cubierto por un Triple Velo quedando protegido de los Demonios Rojos de Seth, éstos ya nada pueden contra él y se hace invisible para los Demonios Rojos. Es claro que esto no es más que el Yo Pluralizado de cada cual que es una legión de demonios. No hay duda que todos estos diablos son personificaciones vivientes de nuestros propios errores y defectos psicológicos.

Es bueno saber que el más difícil de vencer de estos demonios es el de la Lujuria, éste es el defecto principal, representado en el Arcano "15" del Tarot por la Pasión Sexual o Lujuria.

El Arcano No. 15 representa "La Pasión" porque ésta se fundamenta en el modus operandis del Fuego Luciférico, constituye el funcionalismo de dicho fuego.

Existen en síntesis, dos grandes Fuegos: el Fuego Sagrado del Kundalini que asciende por la Espina Dorsal y el Kundartiguador que baja, que se precipita a los Infiernos.

El Kundalini es la Serpiente de bronce que sanaba a los Israelitas, que levantó Moisés en la Vara.

El Fuego Kundartiguador es la Serpiente Tentadora del Edem, que desciende a los Infiernos Atómicos del hombre.

En la sabiduría Egipcia, la Serpiente Tentadora recibe el nombre de "Apep"; en los Rituales del Antiguo Egipto, se la representaba en cera con la cabeza hacia abajo y así exorcizaba, la conjuraban.

Contra esta Serpiente Tentadora de la Pasión Sexual, contra esta horrible Apep, tiene que luchar espantosamente el Iniciado, la lucha es a muerte. El Fuego Negativo de Apep es el aspecto negativo de la Prakriti, o sea Kalí, que asume el aspecto de una horrible víbora que se arrastra en el lodo (ver vida de Krishna), si queremos vencerla en el Cosmos, tenemos que vencerla dentro de nosotros mismos.

El fundamento vivo de la Pasión Animal está en ese Fuego Luciférico de la Serpiente Apep, la cristalización de ese Fohat (Fuego) Negativo Luciférico, está personificada en esos Demonios Rojos, en ese Yo Pluralizado. Es en el Fuego Luciférico Sexual donde existen los Demonios Rojos de Seth. Si queremos disolver el "Yo" hay que empezar por acabar con la Lujuria. Si a los peces del mar se les quita el agua se mueren; Si a nuestros Yoes les quitamos el Fuego Luciférico, estos Yoes se mueren. Hay que acabar con el alimento en donde viven.

Los Infiernos Atómicos del hombre son una realidad. Las guerras se ganan en el campo de batalla, tenemos que ganarla a los Demonios Rojos.

El Arcano No. 15 significa el trabajo con el Demonio, por medio del Phalo-Osiris y el Utero-Isis, de los cuales se ha apoderado Satán o Seth. El Phalo de los Dioses es de Oro Puro. Es necesario erradicar todo aquello que tenga sabor de Pasión Animal.

En los antiguos misterios entre los Iluminados Gnósticos-Rosacruces, había un ceremonial de Iniciación; el neófito sometido a pruebas era conducido a cierto lugar vendado; lo más interesante era cuando se le arrancaba la venda, se encontraba en un salón iluminado, todos se encontraban en el centro alrededor de un Macho Cabrío, en su frente brillaba la pentalfa entre sus grandes cuernos.

Se le ordenaba al Neófito ir a besarle el trasero al Diablo o sea la cola; al darle la vuelta al animal se encontraba con una Hermosa Dama, que le daba la bienvenida, lo abrazaba y le besaba en la frente, entonces había triunfado. Pero si se oponía, entonces había fracasado y lo sacaban del recinto, sin que el Neófito conociera el secreto.

La dama que lo besaba representaba a Isis, la Madre Divina y lo besaba en la frente, como diciéndole, ha llegado la hora de que trabajes con la Serpiente Sagrada.

Hay que robarle el Fuego al Diablo; al Macho Cabrío, mediante la Transmutación de los metales viles en Oro, para convertirnos en Dioses; éste es el Misterio de la Alkimia, a ese macho hay que eliminarlo.

Cada Defecto hay que cambiarlo, matarlo, y nace una Virtud, he ahí el motivo de la frase "Solve et Coagula". Los Dioses surgen del Abismo y se pierden en el Absoluto.

El Mago carga el poder en los órganos sexuales, porque ahí dentro está el Laboratorio Oratorium del Tercer Logos.

SINTESIS:

- En el Mundo de Assiyal, existen millones de Logias Negras.
- Los Magos Negros más peligrosos del Universo, existen en el Mundo Mental.

- **Todo Ocultista que recomienda la eyaculación seminal es Mago Negro.**
- **Todo fornicario es Mago Negro. Toda asociación de fornicarios, forma Logia Negra.**
- **Nuestros discípulos deben aprender a Conjurar a los tenebrosos, para hacerlos huir atemorizados. Utilizar las Conjuraciones de los Cuatro y de los Siete.**
- **A los tenebrosos hay que conjurarlos con la Espada.**

"El Kundalini es la Serpiente de bronce que sanaba a los Israelitas, que levantó Moisés en la Vara; el Fuego Sagrado que asciende por la Espina Dorsal".

CAPITULO 38

ARCANO No. 16

Este Arcano es la Torre Fulminada, en Kábala se conoce como Torre de Babel, de la cual habla la Biblia, de dicha torre se aprecia la caída del Iniciado, formando el Pentagrama invertido. El símbolo Sagrado del Infinito representa al Cerebro, Corazón y Sexo. Si el Sexo domina al Cerebro, viene la caída, la Torre Fulminada, la Estrella de Cinco Puntas invertida, el Pentagrama al revés, el hombre cabeza abajo con las dos piernas hacia arriba; es precipitado al fondo del Abismo. Recordemos aquel enunciado sagrado de: *"Infinito igual a Pentalfa"*.

Si analizamos cuidadosamente, el Arcano 16 nos invita a la reflexión. ¿Quiénes son los que se caen? Son los que derraman el Vaso de Hermes. Por eso decía Krumm Heller: *"Hay que levantar bien la copa"*, se refería al "Vino Sagrado".

En los tiempos arcaicos, allá en la Lemuria conseguí el Elixir de Larga Vida, éste se fundamenta en la Sustancia Primordial que puede hacer reverdecer la vida, es el "Néctar de los Dioses", lo que Paracelso le llama el Ens Seminis donde se encuentra el Ens Virtutis.

En el continente "Mu" o Lemuria que estaba situado en el gigantesco Océano Pacífico, la Blanca Hermandad me concedió el Elixir Maravilloso, "El Regalo de Cupido", con el cual uno puede conservar el cuerpo durante millones de años.

Pude conservar el Cuerpo Físico durante miles de años en la Atlántida, fui un Inmortal. Comenzando la Primera Sub-Raza Aria me pasó lo que al Conde Zanoni, que por haberse enamorado de una corista de Nápoles, le quitaron su Cuerpo Inmortal. Fue así como quedé reencarnado en distintos cuerpos, hasta ahora que he vuelto para arriba.

Hay que llegar a una transformación por medio de Nu, la Madre Divina, con cuya ayuda podemos eliminar todo ese conjunto de entidades tenebrosas, el Satán... "Nu" puede transformarnos radicalmente en forma definitiva. Es necesario que se verifique una transformación completa; que nuestra cabeza, nuestro rostro sea de "Ra" y nuestro cuerpo, manos y piernas sean de "Tum".

RA ES EL PADRE.
TUM ES EL CUERPO DEL PADRE.

Tum es un Mantram terriblemente Divino, nunca debe pronunciarse en vano o por juego porque de inmediato desciende de donde esté nuestro Padre que esta en secreto.

Debemos convertirnos en obreros de la Gran Obra del Padre. Ra es el Cristo, es vida, es el Segundo Logos. Tum es el Padre, el Primer Logos, al pronunciarse hay Fuego y desciende. Son Mantrams de Inmenso Poder Sacerdotal Mágico.

Solamente podemos llegar a encarnar al Padre cuando hemos desarrollado los Siete Grados de Poder del Fuego. Es claro que si el Iniciado viola sus Votos de Castidad, cae.

Si sumamos kabalísticamente los números del Arcano 16, da 1 + 6 = 7; los 7 Grados de Poder del Fuego, las "Siete Escalas de la Mente". Si el Iniciado cae es fulminado por el Arcano 16 y rueda esas escalas. En Ciencia Oculta se dice que queda sin Inri (Ignes, Natura, Renovatur, Integer) está fracasado. Esta es pues la Torre Fulminada.

Hay de aquellos que quedan sin Inri, se viene de la Torre hacia abajo. Los victoriosos, los que llegan al Nacimiento Segundo, ingresan a la Orden de Melkisedech, a la orden de Keb, el Genio de la Tierra.

Para que queden los Cuerpos Lunares en el Amenti, hay que morir, morir y morir. Sólo con la muerte adviene lo nuevo. Los verdaderos Difuntos Iniciados son los que mataron al Yo, tomaron posesión de las Dos Tierras; y pueden entrar en el Amenti o aquí a voluntad. Por eso se dice que se ha hecho Rey y Sacerdote de la Tierra según la Orden de Melkisedech. Es claro que si se deja caer, pierde el cetro de mando y es precipitado de la torre hacia abajo.

En el Camino Esotérico, todos tenemos que luchar. Los Dos Veces Nacidos también. Hay Iniciados cuyas gargantas están estancadas, así que la batalla es dura, entre más alto esté, la caída es más dura, más honda.

Hay que cuidar el tipo de alimentos de la mente: Como prensa, televisión, películas. Transmutar el Esperma Oral, Mental, con ofrendas sepulcrales. Es decir, no alimentarse con basuras, porque no sirven, carroña de la Mente: mala literatura, mal cine, mala televisión, malas palabras. No hay que olvidar que tenemos una diablera terrible, "Kali" que es el Abominable Organo Kundartiguador, la espantosa Serpiente "Apopi". Las gentes son víctimas de la Kali, la Serpiente Tentadora de la cual hablan los Indostanes.

El Iniciado que se deja caer pierde la Corona y la Espada, La Pineal, el Chakra Sahasrara es la Corona, la Espada es la Espada Flamígera, que hay que ponerla a los pies de Osiris. Al que vence, al victorioso, se le entregan los Cuatro Pilares Secretos, Ocultos, adquiriendo poder sobre las Cuatro Regiones del Cosmos:

1. VIDA.
2. MINERAL SUMERGIDO.
3. MOLECULAR.
4. ELECTRONICA O DEL MUNDO ESPIRITUAL.

Profundizando más en el Esoterismo, el entrecejo, el Tercer Ojo, centro de la Clarividencia es el Ojo de Horus, quien en sí mismo es el Intimo, nuestro Ser Divino, que está en los brazos de nuestra Madre Divina.

El Halcón es el símbolo de Horus, el Halcón de Oro robustece a Horus (se pronuncia Aurus) con la muerte total de nosotros mismos; está relacionado con el Sol Naciente. Hay que ponerse en contacto con el Sol Espiritual. Necesitamos robustecer a Horus, tenemos derecho de pedir que fortifique nuestros Tres Cerebros:

INTELECTUAL - EMOCIONAL - MOTOR

Necesitamos los Tres Cerebros fuertes para la batalla.

SINTESIS:

- Cuando la Luz Astral se coagula en una flor, nosotros quedamos enamorados de la flor. Si la Luz Astral se acumula en una mujer, nos enamoramos de la mujer.
- Aquel que vive hechizado por distintas mujeres, no pasa de ser un débil pajarillo fulminado por los hechiceros ojos de la tentadora, de la Luz Astral.
- Los Hechiceros de la Luz Astral son Peligrosos.
- "Desdichado el Sansón de la Kábala que se deja dominar por Dalila; el Hércules de la ciencia que cambia su cetro de poder por el huso de Onfalia, sentirá bien pronto las venganzas de Deyanira, y no le quedará más remedio que la hoguera del Monte Eta, para escapar de los devoradores tormentos de la túnica de Neso".

CAPITULO 39

ARCANO No. 17

La Estrella de Ocho Puntas de este Arcano representa a Venus, la Estrella Vespertina. En este Arcano encontramos representado el trabajo con el Oro y con la Plata, con el Sol y con la Luna. Los antiguos Alkimistas decían que *"había que transformar a la Luna en Sol";* esto hay que saberlo entender, con eso querían decir, "abandonar el Sendero Lunar y venir al Sendero Solar".

Toda la gente es "Lunar", la Luna se los lleva y la Luna se los trae. Analicemos este detalle; los primeros siete años de la vida de la infancia son Lunares, la Luna los trae. El segundo septenario de los 7 a los 14 años es Mercuriano, el niño se mueve de un lado a otro, va a la escuela, necesita moverse.

El tercer septenario es de los 14 años a los 21 años, es Venusino, siente la punzada y andan con amoríos, a los 14 años es obvio que entran en acción las glándulas sexuales y se manifiesta la influencia en el ser humano.

De los 21 a los 42 años hay 3 septenarios (4º., 5º. y 6º.), o 3 etapas Solares, es la lucha por conquistar nuestro puesto en la vida. En esa época (21-42) se manifiesta tal cual es.

El séptimo septenario es de los 42 a los 49 años, es Marciano, hay luchas, es la época decisiva para cada uno.

El octavo septenario es de los 49 a los 56 años, es la influencia de Júpiter en el ser humano, en esa época a los que tienen buen Karma les va bien económicamente, a los que no les va mal.

En el noveno septenario de los 56 a los 63 años entra el viejo Saturno, entra la vejez en el Ser Humano, es una época Saturniana regida por el Anciano de los Cielos, puede presumir la persona todo lo que quiera.

Después de los 63 años entramos en la Ancianidad, viene nuevamente la influencia Lunar. La Luna se lo trae y ella se lo lleva.

Si se examina la vida del ser humano todo es regido por la Luna y cuando se entra en los Mundos Internos entra uno por la puerta de la Luna. Lo importante es transformar la Luna en Sol y para esto hay que trabajar con el Oro y con la Plata. Sin Alkimia no se podría entender este Arcano; lo más importante es Transmutar el Plomo en Oro, ese es el trabajo que hay que realizar en la Forja de los Cíclopes.

Lo vital de este Arcano 17 está en la Iniciación Venusta, es la parte más alta de este Arcano y está representada por la Estrella de Ocho Puntas de Venus; si observamos cuidadosamente el símbolo de Venus, encontramos :

EL CIRCULO, EL ESPIRITU.

LA CRUZ, EL SEXO BAJO EL CONTROL DEL ESPIRITU.

El signo a la inversa representa que el Espíritu está dominado por el Sexo: Es lo que sucede en la Tierra que el Sexo ha dominado al Espíritu.

Venus, la Estrella de la Aurora, es muy grande en su aspecto positivo, es maravillosa, es la Iniciación Venusta, pero en su parte negativa encontramos el aspecto Luciférico.

La hora ideal para Salir en Astral es la de la Aurora, la Hora de Venus, pero si no se está en un grado muy puro lo halan las Corrientes Luciféricas. Recordemos a Venus-Lucifer que tiene dos aspectos, así como hay el Fuego Sagrado que sube (Kundalini), hay el Fuego que baja, (Kundartiguador).

Todo el trabajo con la Alkimia es alcanzar la Iniciación Venusta, realmente esto es muy difícil. Tenemos el caso de Madame Blavatsky, que se casó con el Conde Blavatsky, a los dos meses se separó de él sin tener relación sexual, viajó por India y estuvo en Shangri-La. Su misión fue grandiosa, escribió la "Doctrina Secreta", en el Tomo VI, termina invitando a los que leen a la Alkimia, sin ella no se llega a la Auto-Realización. Se casó ya anciana con el Coronel Olcott, ya no por pasión, la respuesta se encuentra en los Mundos Internos y fabricó los Cuerpos Solares.

Madame Blavatsky es una Dama Adepto, que hizo una Gran Obra, sin embargo, no alcanzó la Iniciación Venusta porque debía Tener Cuerpo de hombre. El Cristo encarnó únicamente en cuerpo de varón. Por eso ella se está preparando para tomar cuerpo de hombre porque va a nacer en EE.UU. Se le ha estado dando ánimo para que no desmaye, porque renunciar al Gran Nirvana y tener que regresar a este mundo no es nada agradable.

Para lograr la Iniciación Venusta necesita del Sexo, pues hay Siete Serpientes de Fuego que corresponden a los Siete Cuerpos: Físico, Etérico, Astral, Mental, Causal, Búddhico y el Intimo o Atmico; a cada uno le corresponde una Serpiente, total son 7 Serpientes, dos grupos de a tres con la coronación sublime que nos une con el Padre, con la Ley.

El que quiera alcanzar la Iniciación Venusta tiene que levantar las Siete Serpientes de Luz. Levanta primero la del Cuerpo Físico para recibir la Primera Iniciación Venusta, después la del Cuerpo Vital que corresponde a la Segunda Iniciación Venusta y así sucesivamente.

La Encarnación del Cristo comienza con la Iniciación Venusta y se vive en dos formas; primero en forma simbólica y después a desarrollar todo lo que se dio en las Iniciaciones, a vivirlo, esa es la cruda realidad, a practicar lo que se predica, es un trabajo arduo.

El Cristo es el Maestro de Maestros. Es un error de la gente creer que Jesús es el único Cristo; Hermes, Quetzalcóatl, Fu-Ji, Krishna, etc., también encarnaron el Cristo. Este Encarnado tiene que hacer lo que predica, y esto lo practica, siendo Dios se hace Hombre, tiene que pelear contra sus propias pasiones, contra Todo; el oro se prueba con fuego y siempre sale victorioso. Se Encarna, se hace Hombre siempre que necesita. Y lo hace con el objeto de cambiar al mundo. Es el Ser de nuestro Ser, en El todos somos Uno; El, El, El, El, se sumerge en el Padre y éste a su vez en El.

El que encarna al Cristo pasa la prueba y se va mucho más allá del Nirvana, a Mundos de Super-Felicidad y Dicha.

Por esta Senda sólo entran los valientes. Si no se sabe asir con fuerza a su Padre y a su Madre con alma, vida y corazón, no se llega se Fracasa.

Hay que agarrarse a su Padre y a su Madre, "desarrollando el amor". ¿Cómo se va uno a coger de sus padres si uno no tiene amor?.

En este mundo actualmente no hay escuela Rosa-Cruz, la única y verdadera está en los Mundos Internos; en el Monasterio Rosa-Cruz fui sometido a una prueba, la de la Paciencia, intencionalmente le ponen a uno la prueba de la Paciencia.

SINTESIS:

- **El objetivo más alto es llegar a la Iniciación Venusta; éste es el Arcano No. "1"; la Encarnación del Cristo.**

- El Cristo no tiene individualidad ni Personalidad, ni Yo, es el Verdadero Instructor, el Supremo "Gran Maestro", el Maestro de Maestros.
- El Cordero de Dios es Cristo, él lava los pecados del mundo, pero para esto hay que Trabajar.
- El es el Verdadero Instructor del mundo.
- En Egipto el Cristo era Osiris, quien lo encarnaba era un nuevo Osirificado, y tenía que sacrificarse por toda la humanidad.
- Hay que saber ser paciente.
- Hay que saber ser sereno.

"¿Cómo se va uno a coger de sus padres si no tiene uno amor?".

CAPITULO 40

ARCANO No. 18

El Arcano 18 sumado kabalísticamente es 1 + 8 = 9, la Novena Esfera, el Sexo. Las tradiciones esotéricas afirman, que la Tierra tiene 9 estratos o regiones subterráneas, es claro que en el Noveno Estrato está eso que le podemos llamar Núcleo Planetario que es de una densidad extraordinaria. Dicen los kabalistas que en el centro de la Tierra está el signo del Infinito; es obvio que dentro del corazón de la Tierra circulen sus Energías Vitales.

Es por tal motivo que los kabalistas afirman que en el centro de la Tierra se encuentra el Cerebro, Corazón Y Sexo del Genio de la Tierra, es decir el Genio Planetario. Sobre ese modelo están construidas todas las organizaciones de las criaturas, es decir dentro de nosotros mismos.

La lucha es terrible, cerebro contra sexo, sexo contra cerebro y lo que es peor, Corazón contra Corazón.

El Pentagrama con el vértice hacia arriba es el Hombre; si el Sexo gana la batalla, entonces el Pentagrama se Invierte con el vértice hacia abajo; originando la caída de la Torre Fulminada del Arcano 16.

En el Sexo está la mayor fuerza que puede liberar o esclavizar al hombre. El descenso a la Novena Esfera, fue desde los antiguos tiempos la prueba máxima para la suprema dignidad del Hierofante. Todos los tratados hablan del descenso de Eneas a la Novena Esfera, al Tártarus Griego (Libro VI). La Sibila de Cumas, le advirtió lo que significa el descenso al Averno: *"Descendientes de la sangre de los Dioses, troyano, hijo de Anquises, Fácil es la bajada al Averno; día y noche está abierta la puerta del negro Dite; pero retroceder y restituirse a las auras de la tierra, esto es lo arduo. Esto es lo difícil; pocos, y del linaje de los Dioses, a quienes fue Júpiter propicio o a quienes una ardiente virtud remontó a los astros, pudieron lograrlo".*

Los Kabalistas hablan del Adam Protoplastos, que mediante la Transmutación de las Energías Creadoras se convierte en algo distinto, diferente. Las tradiciones kabalistas nos cuentan de que Adán tenía dos esposas, Lilith y Nahemah; se dice que la primera es la madre de los abortos, homosexualismos, de la degeneración sexual, y la segunda es la madre de los adúlteros, fornicarios, etc.

Lilith y Nahemah son los dos aspectos de la infrasexualidad, esas dos mujeres corresponden a dos Esferas Infradimensionales, minerales, sumergidas, dentro del mismo interior del planeta Tierra.

En todo caso el Tártarus Griego, el Averno, son símbolos del Reino Mineral sumergido. Existe vida en todo, en el Elemento Aire vivimos nosotros y dicho elemento es invisible para nosotros, así como para los peces el agua tampoco la ven; puedo asegurarles que en la piedra hay vida, existen seres vivientes y tal elemento es invisible para ellos, no son seres de carne y hueso, son sutiles, elementos perdidos, degenerados, que están en vías de involución.

Eneas encontró a su Padre, a la Bella Helena. Dante en su "Divina Comedia", encontró a multitudes de seres; los 9 Círculos del Dante tiene relación con las Nueve Esferas en el Elemento Mineral Sumergido.

Se hace necesario descender a nuestros propios Infiernos Atómicos para trabajar con el Fuego y el Agua, origen de mundos, bestias y hombres. En todas las escuelas Pseudo-Ocultistas se habla de subir, ascender a los Mundos Superiores, pero a nadie se le ocurre bajar, y lo grave es que a toda exaltación le corresponde una humillación.

En la Esfera Sumergida de Lilith encontramos a las que gustan de abortar y las gentes que usan píldoras, que no quieren tener hijos y el resultado es obvio. En la Esfera de Nahemah encontramos a los que se fascinan por el Sexo, hombres terriblemente fornicarios, mujeres entregadas al adulterio, orgullo, vanidad, que se divorcian y se vuelven a casar. Tradiciones kabalísticas dicen que cuando un hombre abandona a su esposa para casarse con otra, queda marcado en la frente, con un Fuego Luciférico. Afirman los kabalistas que cuando una mujer se casa con un hombre que no le corresponde, el día de la boda ella aparece "Calva" e inconscientemente se tapa demasiado la cabeza.

"Sin Transmutación nadie se puede Auto-Realizar".

La Novena Esfera se repite dos veces en el Arcano 18, esto deja mucho que pensar, el primer nueve es positivo, y el segundo nueve es negativo, entonces el Arcano 18 manifiesta el aspecto fatal o negativo de la Novena Esfera. Dicho aspecto está en las Esferas de Lilith y Nahemah.

Es obvio que los Mundos Infiernos son infrasexuales, es evidente que la infrasexualidad reina soberana entre la humanidad; se reparten unos en la Esfera de Lilith y otros en la de Nahemah.

Cuando uno intenta trabajar en la Novena Esfera, inmediatamente es atacado por los Demonios Rojos, éstos trabajan para desviarnos de la senda del Filo de la Navaja. Es claro que en el Magisterio del Fuego existen muchos peligros, por dentro y por fuera.

Cuando la Serpiente Ignea o Kundalini asciende por la Espina Dorsal, el avance es lento, se realiza de vértebra en vértebra muy lentamente. Cada vértebra representa determinadas Virtudes, corresponden a un

Grado esotérico. Jamás se logra el ascenso a determinada vértebra sin haber llenado las condiciones de Santidad requeridas por la vértebra a la cual se aspira. Las "33" Vértebras corresponden a los "33" Grados de la Magia Oculta, los 33 Grados del Maestro Masón, a los 33 años de Jesús y a cada vértebra le corresponden pruebas y el ascenso se realiza *"de acuerdo con los méritos del corazón". Aquellos que creen que el Kundalini una vez despertado sube instantáneamente a la cabeza, para dejarnos totalmente iluminados, son gentes realmente ignorantes.*

El Fuego Sagrado tiene Siete Grados de Poder; hay que desarrollarlos para poder Auto-Realizarse.

En esta presente reencarnación cuando luchaba con el Cuarto Grado de Poder del Fuego y aún no había disuelto el Ego, vi en la pantalla de un cine a una pareja de tipo erótico; y por la noche en el mundo de la Mente fui sometido a una prueba, en la que la pareja de la pantalla hacía la misma escena, dicha escena era reproducida por mi Mente, parecía tener vida, moverse, salí de la prueba. Cuando dejé el Mundo de la Mente y pasé al Astral fui duramente recriminado y se me advirtió que si volvía a esos lugares (los cines) perdería la Espada, que mejor estudiara mis vidas pasadas, en los Registros Akashicos.

La atmósfera de los cines es tenebrosa, hay millones de larvas creadas por las mentes de los asistentes, y luego vienen por la noche las poluciones nocturnas. Este es el Arcano "18", es las Tinieblas.

En la Divina Comedia se habla del perro Cerbero que es el Sexo que hay que Sacarlo del Tártarus al "Sol". Esto es la Ascensión de las Fuerzas Sexuales en nosotros, que hay que hacerlas subir y eliminar al Yo. Esto es básico para la Auto-Realización Intima del Ser. Es la lucha entre la Luz y las Tinieblas en el Arcano 18.

Esta lucha terrible se afirma, en las 3 escuelas Tántricas que se dedican al Sexo.

1. Tantrismo Blanco. Conexión del Lingam-Yoni sin eyaculación del Ens Seminis. Nos lleva al ascenso del Kundalini y a la Auto-Realización.

2. Tantrismo Negro. Existe eyaculación del Ens Seminis durante el Maithuna para desarrollar el Organo Kundartiguador.

3. Tantrismo Gris. Trabajar a veces con la eyaculación y a veces no, trabajando únicamente por el goce del placer sexual, pero con el peligro inminente de caer en el Tantrismo Negro.

De manera que al llegar al Arcano 18 nos encontramos ante el dilema del Ser o no Ser.

Nadie se auto-realiza sin la práctica del Maithuna. Se tiene que despertar Conciencia porque sin ella se abandona el camino, pues no tiene seriedad.

Antes el secreto del Arcano A.Z.F. no se lo daban a nadie que no hubiera despertado Conciencia para que no abandonara el camino.

SINTESIS:

- El que derrota al Satán en el Sexo, lo derrota en todos los aspectos.
- Sacar al Perro Cerbero significa liberar la Energía Sexual, utilizarla en forma trascendente.
- Los ojos son las ventanas del Alma. El Hombre que se deja prender por los ojos de todas las mujeres, tendrá que resignarse a vivir entre el Abismo.
- Hay mujeres que trabajan a los hombres con brujerías. Esas víctimas deben defenderse incesantemente con las conjuraciones de los Cuatro y de los Siete.
- Nosotros podemos defendernos de la brujería invocando a nuestro Intercesor Elemental. Se le llama con todo el corazón a tiempo de acostarnos.

"El Fuego Sagrado tiene Siete Grados de Poder; hay que desarrollarlos para poder Auto-Realizarse; sin Transmutación nadie se puede Auto-Realizar".

CAPITULO 41

ARCANO No. 19

Este es el Arcano de la Alianza o de la Victoria. En pasadas lecciones ya hablamos sobre la Sal de la Alquimia que es el Cuerpo Físico, el Mercurio que es el Ens Seminis dentro del cual está el Ens Virtutis y el Azufre que es el Fuego, el Fohat, el Kundalini; el Mercurio debe transformarse en Azufre, el Fuego Serpentino que resulta de la Transmutación, estos 3 son los instrumentos pasivos de la Magna Obra.

Tenemos que buscar el Principio Positivo, el Magnus Interior de Paracelso, el Principio Mágico. Cuando los 3 elementos Sal, Mercurio y Azufre se encuentran sin trabajo son elementos negativos; pero trabajando en la Magna Obra se vuelve positivo, éste es el Principio Mágico o Magnus Interior.

El Arcano 19 es obvio que establece una Gran Alianza entre hombre y mujer, una Alianza para realizar la Gran Obra.

Esa Gran Alianza tiene muchos aspectos. El Evangelio habla de la necesidad del Traje de Bodas. Acordémonos de las bodas en las cuales uno no llevó el traje de bodas, y le amarraron y ordenó el Señor que fuera arrojado a las tinieblas donde sólo se oye el crujir de dientes (Mateo 22: 1-14).

Ese traje famoso es el Sahú Egipcio o el To Soma-Heliakon en latín, o sea el Cuerpo de Oro del Hombre-Solar, el Traje de Bodas para asistir al Banquete del Cordero Pascual. Así que, es necesario ir comprendiendo que para tener ese cuerpo se necesita la Gran Alianza, el trabajo en la Novena Esfera entre el Hombre y la Mujer.

Así como aquí abajo hay una Gran Alianza, para alcanzar la Iluminación se necesita otra Gran Alianza, allá arriba.

Espíritu Divino, Atman.

Alma Humana, Manas.   Alma Espiritual, Buddhi.

Deben fusionarse las dos Almas: el Alma Humana Masculina con el

Alma Espiritual Femenina. Esto no se logra sin haber eliminado al Yo, y haber eliminado al Cuerpo de Deseos. Las dos Almas deben ser una.

Esta es la Gran Alianza entre el Caballero y la Dama Medievales; esto lo encontramos en los libros de Caballería, "El Romancero", las Baladas, el Conde Roldán, los Juglares Trovadores.

El Caballero que pelea por su Dama es el Alma Humana, la Dama es el Alma Espiritual. El Caballero tiene que pelear por su Dama de otro modo se queda sin ella.

Para llegar a la iluminación total, debe integrarse totalmente el Caballero con su Dama y pelear por ella en todo momento hasta desarrollar el Loto de los 1.000 Pétalos.

En el Gran Matrimonio o Bodas Alkimicas de Manas-Buddhi, el Buddhi da la Iluminación, sin él no puede tener desarrollo completo el Chakra Sahasrara de los 1.000 pétalos.

Con el matrimonio se produce un chispazo y viene la iluminación, éste es el resultado de la Gran Alianza. Ese chispazo divino sobre la Glándula Pineal, da la Intuición Iluminada, junto con la Polividencia. Es el triunfo total.

La Intuición Iluminada es mejor que una Clarividencia. El Sol Espiritual es el que cuenta. El Sol de la Media Noche nos guía y orienta. *"Hay que esperarlo todo del Poniente, no esperes nada del Oriente"*. El Sol Sirio es el Sol Central, punto gravitacional de la Vía Láctea.

La meta de nuestros estudios es entrar al Absoluto. Para esto debemos emanciparnos de todas las Leyes de los Siete Cosmos que nos rigen.

Con la Alianza nos liberamos de:

Las 96 Leyes del Abismo (TRITOCOSMOS).

Las 48 Leyes del Hombre (MICROCOSMOS).

Las 24 Leyes de la Tierra (MESOCOSMOS).

Las 12 Leyes del Sistema Solar (DEUTEROCOSMOS).

Las 6 Leyes de la Galaxia (MACROCOSMOS).

Las 3 Leyes del Firmamento (AYOCOSMOS).

La   1 Ley del Absoluto Solar (PROTOCOSMOS).

Y entramos al Absoluto.

La llegada al Absoluto está sembrada de renunciaciones y muerte. Hay que renunciar a la Omnipotencia y hasta la Omnisciencia para ingresar al Absoluto.

SINTESIS:

- **La Piedra Filosofal es el Semen.**
- **El que practica Magia Sexual todos los días, está trabajando con la Piedra Filosofal.**
- **Todo lo que se necesita para trabajar con la Piedra Filosofal es tener una buena hembra.**

"Ese traje famoso es el Sahú Egipcio o el To Soma-Heliakon en latín, o sea el Cuerpo de Oro del Hombre-Solar, el traje de Bodas para asistir al Banquete del Cordero Pascual".

CAPITULO 42

ARCANO No. 20

El jeroglífico de este Arcano es la Resurrección de los Muertos. Es necesario concentrarnos bien en eso de la Resurrección que tiene muchas fases, muchos aspectos. Ante todo para que haya Resurrección se necesita que haya Muerte, sin ella no hay Resurrección, es necesario comprender que de la Muerte sale la Vida, *"la Muerte es la corona de todos"*. *"El Sendero de la Vida está formado con las huellas de los cascos del Caballo de la Muerte"*.

Todo lo que hay en la vida está sujeto a la muerte, en todo existe algo de Mortalidad y algo de Inmortalidad. Quiero decirles que eso de la Mortalidad y de la Inmortalidad es muy relativo, hasta Dios mismo que es Inmortal, sin embargo, a la larga es Mortal.

Es necesario analizar qué es lo que se entiende por Dios; Dios es "El Ejército de la Voz", es "La Gran Palabra"; ciertamente dijo San Juan: *"en el principio era el Verbo, y el Verbo era con Dios y el Verbo era Dios"*.

Dios es la Voz de los Elohim, el Coro de los Maestros que inician el Mahamvantara (Día Cósmico), eso es Dios. Cuando llega la noche del Pralaya (Noche Cósmica), deja de existir para el Universo. Mueren para el Universo y nacen para el Absoluto. Por eso puede decirse que Dios también Muere. Después de la Noche Cósmica, en la Nueva Aurora del Día Cósmico, vuelven a surgir de entre el Absoluto.

Concentrémonos ahora en la constitución del Hombre; para ser Hombre en el sentido más completo de la palabra se necesita tener o poseer Cuerpos Solares. Ya hemos hablado bastante sobre el Sahú Egipcio, que es el mismo Traje de Bodas de la parábola, de aquel que se sentó a la mesa del Señor sin Traje de Bodas y que ordenó el Maestro lo echaran a las tinieblas. De modo que nosotros, sin Traje de Bodas o Cuerpos Solares tampoco entramos al Reino de los Cielos. Es lógico que el que no posee los Cuerpos Solares está vestido con los Cuerpos Lunares, que son fríos, espectrales, diabólicos, tenebrosos.

Un Hombre vestido con Cuerpos Lunares, no es Hombre, es un Animal Intelectual, que es un animal superior; el error de la humanidad es creerse que ya son Hombres, pero no lo son. Acordémonos de la historia de Diógenes y su linterna, que buscaba un Hombre y no lo encontró. Sólo un Kout Humi, Maestro Moria, San Germán, etc., son Hombres; aquí lo que abunda son los Animales Intelectuales.

Lo primero que hay que fabricar en la Forja de los Cíclopes es el verdadero Cuerpo Astral, haciéndose inmortales en el Mundo de las 24 Leyes. En seguida necesitamos fabricar el Mental Solar regido por las 12 leyes, quien lo fabrica es inmortal en el Mundo de las 12 Leyes. En seguida hay que fabricar el Cuerpo de la Voluntad Consciente y se hace inmortal en el Mundo de las 6 Leyes.

El que fabrica sus Cuerpos Solares, necesita pasar por varias muertes. Necesitamos que nazca en nosotros el Adam Solar, el Abel de la Biblia. Para hacerse inmortal se necesita poseer los Cuerpos Solares.

Si queremos emanciparnos o meternos por el Sendero del Filo de la Navaja, la Senda de la Revolución de la Conciencia, hay que bajar a la Novena Esfera de la Naturaleza, nada tiene que ver con lo anterior. Bajar a la Novena Esfera es entrar en revolución, revolucionarnos contra el Cosmos, contra la Naturaleza, contra todo y es así como fabricamos los Cuerpos Solares y encarnamos el Real Ser, convirtiéndonos en un Dos Veces Nacido.

"En verdad, en verdad os digo, que si no nacierais de nuevo no podréis entrar al Reino de los Cielos". El Adam Celestial está vestido con los Cuerpos Solares, tiene que pasar por varias muertes, matar el Yo.

Nosotros traemos del pasado esa Multiplicidad de Yoes, dentro del ser humano, no existe verdadera individualidad, y esos Yoes personifican: Pereza, Gula, Lujuria, Ira, etc.; ese Ego que está vestido con los Cuerpos Lunares es el Adam Lunar, el de Pecado, necesitamos que dentro de nosotros nazca el Adam Solar.

El Dos Veces Nacido se encuentra ante dos caminos, el de la Derecha y el de la Izquierda. El que se decide a disolver el Ego toma el camino de la derecha para convertirse en un Ser Inefable, los que no se deciden a disolver el Ego, toman el camino de la izquierda y se convierten en seres diabólicos (un Hanasmusen es un aborto de la Madre Cósmica), pero eso no es todo, hay que destruir las semillas de los Yoes, bañarse en las aguas del Leteo, para olvidar todas las maldades del Ego, después en las aguas del Eunoe, para fortalecer las Virtudes y ser confirmado en la Luz.

Hasta aquí todo el trabajo corresponde al planeta Tierra, se ha alcanzado la Inocencia aquí; pero quedan los cascarones de los Cuerpos Lunares y éstos hay que destruirlos en los Infiernos Lunares. Hay que destruir al Demonio Apopi o "Cuerpo de Deseos", que conserva el Deseo Sexual y de toda índole. Este Apopi es un Demonio terriblemente perverso y se destruye en los Infiernos Lunares, antes de subir al Cielo Lunar.

Más tarde, se continúa el trabajo en el planeta Mercurio, donde hay que destruir a la "Mente Animal" o Demonio Hai, que es la Mente Animal Diabólica, tal vehículo no es más que un Demonio y hay que ir a destruirlo a los Infiernos Atómicos de Mercurio.

La Muerte del Demonio Apopi, el terrible monstruo de las apetencias significa tremendos super-esfuerzos, super-trabajos, sólo así se consigue destruir al Demonio Apopi y al Demonio Hai.

El Adam de pecado debe morir, es necesario que todo lo que tenemos de terrenal, animal, muera, para resucitar en el corazón de Osiris. Quien ha fabricado los Cuerpos Solares ya no necesita cargar con ese lastre de deseos y apetencias, hay que darles muerte a través de tremendas purificaciones.

Osiris significa más allá de las profundidades, más allá de los Deseos y de la Mente. Cuando retornamos al Padre Osiris, a la Madre Isis y al Intimo Horus, la triada queda completa, perfecta, queda Auto-Realizada. Esta es la Resurrección de los Muertos, pues aquí tenemos Muerte y Resurrección.

Yo estuve Reencarnado en la tierra sagrada de los Faraones durante la dinastía del Faraón Kefren. Conocí a fondo los Antiguos Misterios del Egipto Secreto y en verdad os digo que jamás he podido olvidarlos.

Hay dos clases de momias, una de ellas corresponde a los muertos cuyo cadáver fue sometido a los procesos de momificación y la otra clase a los muertos en estado de "Catalepsia".

Había un secreto muy especial sobre la momificación, le tenían que sacar el cerebro, vísceras y corazón y éstos se conservaban en vasos sagrados y en el lugar donde quedaba el hueco del corazón le ponían el símbolo de la Vaca Sagrada de Oro y los Atributos de Hathor. Los cuerpos se conservaban gracias a que los Egipcios mantenían el Cuerpo Etérico. Utilizaban vendajes muy sabios sobre los Chacras, en las palmas de las manos, en la curvatura de los pies. La miel de abejas ayuda a conservar la momia; y sobre ésta se ponían Genios Elementales a cuidar la momia y los mismos eran puestos bajo la protección del Genio de la Tierra Keb.

Aunque mis palabras puedan parecer enigmáticas y extrañas en verdad os digo, que mi Cuerpo Físico no murió y sin embargo fue al sepulcro. Hay otro tipo de momias, el de la catalepsia. Mi caso no fue ciertamente una excepción; muchos otros Hierofantes pasaron al sepulcro en estado cataléptico.

Que ese tipo muy especial de momias continúen vivas y sin alimento alguno, pero con todas sus facultades naturales en suspenso, es algo que en modo alguno debe sorprendernos. Recordad que los sapos durante el invierno, sepultados ente el lodo, yacen cadavéricos sin alimento alguno, pero en primavera vuelven a la vida. ¿Habéis oído hablar sobre hibernación?

La Catalepsia Egipcia va mucho más lejos; además está sabiamente combinada con la Magia y la Química Oculta.

Es obvio que mi Alma se escapó del cuerpo; es incuestionable que ese tipo muy especial de momificación no fue óbice para continuar mi ciclo de reencarnaciones.

Después de mi muerte, mi Alma podría reincorporarse definitivamente en esa momia si Tum (el Padre) así lo quisiera.

Entonces tal cuerpo saldría del estado cataléptico definitivamente y mi Alma vestida con esa carne podría vivir como cualquier persona, viajando de país en país. Volvería a comer, beber, vivir bajo la luz del Sol, etc., etc. Dicha momia sería sacada definitivamente de entre el sepulcro a través de la Cuarta Dimensión.

La Sabiduría Azteca y Egipcia fue Atlante y a su vez Lemúrica. Los Lemures y Atlantes eran gigantes, construyeron las grandes pirámides de Egipto y San Juan de Teotihuacán.

SINTESIS:

- **El Oro Potable es el mismo Fuego del Kundalini. La Medicina Universal está en el Oro Potable.**
- **Nosotros debemos acabar con toda clase de debilidades humanas.**
- **Las Sierpes del Abismo intentan robarle al discípulo el Oro Potable.**
- **El discípulo que se deja caer tiene después que luchar muchísimo para recuperar lo perdido.**

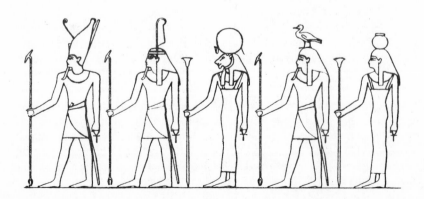

CAPITULO 43

ARCANO No. 21

Este Arcano es el Loco del Tarot o "La Transmutación". Se le ha confundido con el Arcano 22 que es la "Corona de la Vida".

Al Arcano No. 21 se le puede representar con la estrella pentagonal invertida que representa la Magia Negra.

Se afirma enfáticamente en las escuelas esotéricas que tenemos un Cuerpo Astral Luminoso. Esto es muy discutible porque el Cuerpo Astral hay que fabricarlo en la Novena Esfera, mediante las transmutaciones del H-Si-12.

La gente común y corriente lo que posee es el Cuerpo de Deseos que se le confunde con el Cuerpo Astral, es un grave error, una tremenda equivocación, porque el Cuerpo de Deseos no es el Cuerpo Astral.

En los Misterios Egipcios se le conoce a ese cuerpo como Apopi, éste es el Demonio del Deseo. Tal demonio es espantosamente maligno, y pensar que todo el mundo lo tiene, todo el mundo es maligno; para dejar de serlo, solamente con los esfuerzos y super-esfuerzos de este sendero, dejaremos de ser Demonios.

Mr. Leadbeater describe el Cuerpo Mental como un cuerpo maravilloso amarillo, con una resplandeciente Aura; todos mencionan el Cuerpo Mental diciendo que es sublime, pero cuando se estudia se descubre que no es el auténtico Cuerpo Mental; el auténtico hay que fabricarlo con las transmutaciones del H-Si-12, un cuerpo precioso que no viene de Adam.

Así que el Cuerpo Mental que las gentes tienen es otro Demonio que en los Misterios Egipcios se le conoce como el Demonio Hai, que es terriblemente perverso, que debe ser muerto de acuerdo con los Misterios Egipcios y decapitado en la Esfera de Mercurio.

En la Teosofía nos hablan del Cuerpo Causal, y el hombre no tiene el Cuerpo Causal sino el demonio de la Mala Voluntad, denominado Nebt en los Misterios Egipcios.

El Demonio del Deseo, el Demonio de la Mente y el Demonio de la Mala Voluntad son las Tres Furias de las cuales nos habla la Mitología Clásica; son los tres asesinos de Hiram-Abiff; los Tres Traidores que crucificaron al Cristo: Judas, Pilatos y Caifás, los Tres Traidores que encuentra el Dante en el Noveno Círculo: Judas, Bruto y Casio.

Para encarnar el Real Ser hay que fabricar los Cuerpos Solares mediante la transmutación del H-Si-12 y convertirnos en Hombres de Verdad pero al llegar a este estado hay que disolver el Ego para no convertirse en un Hanasmussen con doble centro de gravedad, por ejemplo Andrameleck.

Un Hanasmussen es un Maestro de la Logia Negra y de la Logia Blanca.

En el Oriente algunas sectas le dan el nombre de Marut y algunas sectas Mahometanas les rinden culto; éstos trabajaron en la Forja de los Cíclopes pero no disolvieron el Ego, entonces son abortos de la Madre Cósmica.

El Arcano No. 21 es el Fracaso o Loco del Tarot, Transmutación indica que hay que transmutar. El que trabaja en la Auto-Realización, está expuesto a cometer locuras, hay que trabajar con los Tres Factores de la Revolución de la Conciencia:

1. MORIR. - 2. NACER. - 3. SACRIFICIO POR LA HUMANIDAD.

Es necesario la Disolución del Ego, porque éste no es más que una suma de entidades tenebrosas.

Hemos llegado a la conclusión que todo ser humano debe disolver el Ego; hay que freir las semillas y después bañarse en el Leteo, para acabar con las memorias del pasado; y después de la confirmación en la Luz, entonces es recibido por la Blanca Hermandad, ahí firma los papeles y luego se le enseña que debe tener cuidado, desde ese instante debe rasgar el Velo de Isis que está en el Sexo.

Si la mujer no está de acuerdo en el Maithuna, que no trabaje, que lo haga el hombre en silencio y viceversa; Si el hombre no está de acuerdo en trabajar en el Maithuna, que lo haga la mujer en Silencio.

Lo más difícil es la destrucción de los Cuerpos Lunares, el que disuelve el Ego tiene un terreno bien abonado, así el hombre o la mujer que ya están viejos, deben aprovechar su tiempo en disolver el Ego, despertar Conciencia, conseguir la Iluminación.

Mientras que el hombre o la mujer que estén casados deben trabajar en la Novena Esfera.

Uno no está solo, está asistido por Padre-Madre, ella lo asiste como la Madre que vela por su hijo y El también, pero si uno viola el juramento de Castidad, viene la caída y su Madre lo abandona y queda sometido al dolor y la amargura.

En el Arcano 21 el Peligro lo indica con precisión el Cocodrilo. La Locura, el error es apartarnos del Camino.

SINTESIS:

- Nuestros discípulos solteros de ambos sexos pueden practicar transmutando su Energía Sexual con su Runa Olín.
- 1. Práctica. En posición de pie firme, hará el discípulo varias inspiraciones y exhalaciones rítmicas.
- 2. Conforme inspira el aire, debe unir su imaginación y su voluntad en vibrante armonía, para hacer subir la Energía Sexual por los dos cordones ganglionares de la Médula hasta el Cerebro, Entrecejo, Cuello y Corazón, en sucesivo orden.
- 3. Luego exhalará el discípulo el aliento imaginando firmemente que la Energía Sexual se ha fijado en el Corazón.
- 4. Al exhalar el aliento el discípulo vocalizará el mantram "Thorn" así: THOOOOOOOOORRRRRRRRRRNNNNNNNNNN.
- 5. Con las prácticas de la Runa Olín, debemos realizar varios movimientos de los brazos.
- 6. Debe el discípulo colocar la mano derecha en la cintura.
- 7. Extenderá ambas manos hacia el lado izquierdo, la mano izquierda algo más elevada que la derecha, estirando los brazos, formando ángulo agudo con el tronco.
- 8. Colóquese ambas manos en la cintura.
- Así es como nuestros discípulos solteros de ambos sexos pueden transmutar su Energía Sexual.
- Las Energías Sexuales también se transmutan con el Sentido Estético, con el Amor a la Música, a la Escultura, y con las grandes caminatas, etc.
- El soltero que quiera no tener problemas sexuales, debe ser absolutamente puro en pensamiento, en la palabra y en la obra.

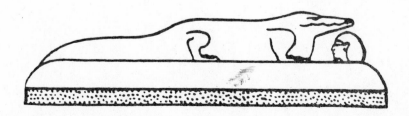

CAPITULO 44

ARCANO No. 22

Este Arcano es La Corona de la Vida, el regreso a la Luz, encarnación de la Verdad en nosotros.

El Apocalipsis dice: *"Sé fiel hasta la muerte y yo te daré la Corona de la Vida"*. Indudablemente esto merece ser estudiado profundamente, recordemos La Corona de los Santos. En la Glándula Pineal existe la Iglesia de Laodicea, en tiempos de los Hiperbóreos existía una virgen con ese nombre que llevaba las ofrendas hasta Delos o Delfus, la Antigua Grecia.

Este Arcano representa una corona que tiene muchas radiaciones, este es el Chacra Sahasrara, situado en la Glándula Pineal. Cuando el Fuego Sagrado del Kundalini llega a la Pineal pone en movimiento a ese loto de los 1.000 pétalos.

Profundizando más debemos saber que la Madre Kundalini viene a desposarse con el Espíritu Santo en la Glándula Pineal.

El Espíritu Santo es el Tercer Logos o Vulcano de la Mitología Griega, es el Mahachoan en Tibetano. El Kundalini se desarrolla, evoluciona y progresa dentro del Aurora del Mahachoan.

Así pues en la Glándula Pineal vibra intensamente el Tattva Sagrado de Shiva-Shakti, es decir la Divina Madre Kundalini y el Tercer Logos (Tattva es la vibración del Eter).

La absoluta Santidad no se puede lograr hasta acabar completamente con los Tres Traidores que asesinaron a Hiram Abiff, que es el Maestro constructor del Templo de Salomón:

SEBAL: DEMONIO DEL DESEO (APOPI, JUDAS).
HORTELUT: DEMONIO DE LA MENTE (HAI, PILATOS).
STOKIN: DEMONIO DE LA MALA VOLUNTAD (NEBT, CAIFAS).

El objetivo de nuestro estudio, es dejar de ser demonios.

1. Judas es el Demonio del Deseo. Es un demonio terriblemente perverso; lo tiene todo el mundo; y todos somos demonios y dejar de serlo sólo corresponde a los Misterios Iniciáticos, tenemos que empezar por reconocer que somos demonios.

2. Pilatos es el Demonio de la Mente, éste siempre se lava las manos y seguirá lavándoselas.

3. Caifás es el Demonio de la Mala Voluntad, el que no hace la Voluntad del Padre es desobediente; hay que hacer la Voluntad del Padre aquí y en los Mundos Internos.

"Los que están dormidos deben hacer la Voluntad del Padre". La Voluntad del Padre se hace:

SI HAY RECTO PENSAR
SI HAY RECTO SENTIR
SI HAY RECTO OBRAR.

Si hacemos algo "chueco" o equivocado, no es la Voluntad del Padre.

En conclusión, hay que eliminar totalmente el Ego, que no quede ningún Elemento Subjetivo dentro, y quedar en Espíritu Puro como Gautama el Buddha, por eso se le llama el Gran Iluminado; y para llegar a eso hay que pagar y el precio de esto es la propia vida.

Se deben olvidar las vanidades del mundo y dedicarse a la Gran Obra, a trabajar, trabajar y trabajar hasta lograrlo.

Esto no es cuestión de Evolución o Involución, éstas son dos Leyes Cósmicas de la Naturaleza.

Hay que fabricar los Cuerpos Solares y disolver el Ego; les hablo por lo experimentado, no por teorías, conozco los Misterios Egipcios, los Misterios Tibetanos, los Misterios de la Lemuria porque estuve en el continente Mu, los Misterios Hiperbóreos. Si se explica el camino es para que se siga. Sólo se puede enseñar con idoneidad.

SINTESIS:

- Yo, Samael Aun Weor, el auténtico y legítimo Avatara de la Nueva Era de Acuario, declaro que todas las ciencias del Universo se reducen a la Kábala y a la Alquimia.
- El que quiera ser Mago, tiene que ser Alquimista y Kabalista.
- Hay Magos Negros que enseñan a los discípulos una Magia Sexual Negativa, durante la cual eyaculan el Licor Seminal.
- Esos Cultos Fálicos los practicaron los malvados Magos Negros Cananeos, y los Hechiceros de Cartago, de Tiro y de Sidón, lo practicaron los Magos Negros Lemuro-Atlantes para congraciarse con los Demonios.

- Esas ciudades quedaron reducidas a polvo y todos esos malvados penetraron al Abismo.

- Cuando el hombre derrama el semen, recoge de los mundos sumergidos millones de Atomos Demoníacos que infectan nuestro cordón Brahamánico y nos hunden dentro de nuestros propios Infiernos Atómicos (lo mismo para la Mujer si llega al Orgasmo).

- Con la Magia Sexual, los Tres Alientos del Akash Puro quedan reforzados.

- Empero si el hombre eyacula el Semen, esos Tres Alientos harán descender el Kundalini hacia abajo, hacia los Infiernos Atómicos del Hombre. Esa es la Cola de Satán.

- Ningún discípulo debe derramar ni una sola gota de Semen.

- Aquí le entrego a la humanidad la llave de todos los imperios del Cielo y de la Tierra. Porque no quiero ver más este triste hormiguero humano sufriendo tanto.

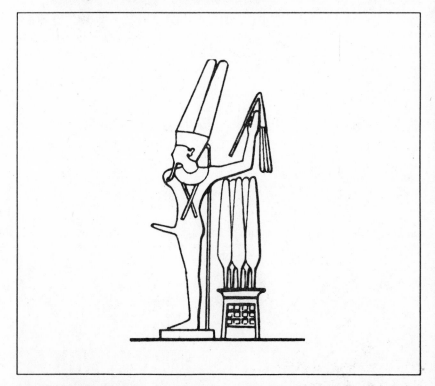

"Yo, Samael Aun Weor, el auténtico y legítimo Avatara de la Nueva Era de Acuario, declaro que todas las ciencias del Universo se reducen a la Kábala y a la Alquimia".

CAPITULO 45

ARCANOS 13, 2, 3 y 14

Ahora se van a estudiar ciertas combinaciones de los Arcanos

13 (MEM)   2(BETH)   14(NUN)

מ M   ב B   נ N

13 + 2 + 3 = 18   1 + 8 = 9   LA NOVENA ESFERA

En la Kábala tendremos constatemente que ver con las letras hebraicas. Estas letras iniciales se refieren a la Palabra del Maestro Masón que por juramento no se puede revelar. Se puede hablar sobre las tres letras iniciales por separado.

En primer lugar se refiere a la palabra que corresponde a Muerte y Resurrección; "Hiram Abiff" quiere decir que el Espíritu se separa de la Materia. Significa que la carne se separa de los huesos. Por eso se dice que hay que Morir para poder Resucitar, si no se Muere, no se Nace.

En lo segundo es la construcción que sigue a la destrucción. Así como estamos nosotros debemos ser destruidos. Todos somos demonios, porque tenemos al terrible Demonio Apopi de los Misterios Egipcios, que es el Cuerpo de Deseos mal confundido con el Cuerpo Astral que no se lo tiene, que hay que fabricarlo en la Forja de los Cíclopes, en el Sexo.

Luego tenemos el Cuerpo Mental Animal, éste es peor, es el Demonio Hai de los Misterios Egipcios, éste debe ser destruido y decapitado. Vean ustedes que no hay paz sobre la faz de la Tierra; se vive constantemente en guerra, fornicación, adulterios, venganzas, este Cuerpo Mental no tiene nada de Angélico.

El Cuerpo Causal no lo tenemos, hay que fabricarlo en la Forja de los Cíclopes, en su lugar tenemos al Demonio de la Mala Voluntad, es ese que dice fulano o fulana me cae mal...

Estos tres Demonios no faltan en ningún evangelio, en el Buddha figuran como las Tres Furias, el famoso Mara. Hay que entender que somos Demonios y partir de cero, situarnos en nuestro lugar, necesitamos la Gran Destrucción de nosotros mismos, la Muerte del Yo, la Destrucción de las Semillas y los Cuerpos Lunares.

"Está en Putrefacción lo que ha nacido del Padre". Esto significa que el Cristo está Muerto, que está en Putrefacción, por lo que dice que cada cual es un Sepúlcro Viviente. Se dice que está muerto porque en ninguno de nosotros vive.

El Hijo debe nacer en nosotros y luego liberarse, vivir todo el Drama y luego ascender al Padre. Lo nacido del Padre vive en el Hijo, nace del Ens Seminis y vive en el Cristo.

Las Aguas Puras de la Vida, son el elemento básico de la Regeneración. Cuando el Buddha estaba meditando, luchando contra las Tres Furias, "Mara" desató una tormenta y ya lo iba a ahogar el agua al Buddha, cuando apareció una serpiente y se metió debajo del Buddha sentado, y esa Serpiente se enroscó tres veces y media, conforme el agua subía la Serpiente también; ésta representaba a la Madre Divina y ya no se ahogó.

Sin las Aguas De Vida no es posible la Regeneración y el Hijo del Hombre sale de entre esas Aguas de Vida.

Es bueno ir comprendiendo a fondo el esoterismo de estas cosas sagradas, pero entendiéndolo de verdad. Recordemos al pez, es vida que nace y muere en las aguas. Recordemos el caso del Pez Dari de los caldeos, representa lo mismo, el Cristo saliendo de dentro de las Aguas. El Hijo del Hombre naciendo de entre las Aguas.

LA PRIMERA LETRA ES LA FE- MEM.
LA SEGUNDA LETRA ES LA ESPERANZA- BETH.
LA TERCERA LETRA ES LA CARIDAD- NUN.

La primera letra es Muerte y Regeneración, vean qué relación tan íntima existe entre la Muerte y el Agua. El Arcano 13 que es la Muerte está relacionado con las Aguas, es imposible sin la Transmutación (Arcano 14) de las Aguas, llegar al Nacimiento Segundo.

Se necesita morir y el fundamento de la Muerte está en las cuestión Sexual. En el Sexo está la Muerte y en el Sexo está la Vida. Después de llegar al Nacimiento Segundo hay que eliminar el Sexo. Recordemos la frase: *"Condúceme de las Tinieblas a la Luz".* la Muerte conduce a la Inmortalidad, de lo Irreal a lo Real.

Todo eso debe realizarlo el Maestro y lo realiza cuando encuentra la Palabra Perdida. Esta es la palabra que logró Resucitar a Hiram Abiff, es el Verbo, la Palabra de la Luz o la Enseñanza Superior que recibe el Iniciado mediante el cual logra el Magisterio. Es claro que el Arcano

A.Z.F. es el modus operandis, igualmente para la Destrucción del Ego.

El Arcano 13 por lo tanto significa Muerte y Resurrección, está relacionado con el Tantrismo (Arcano 14).

La segunda letra, el Arcano 2, La Casa del Espíritu, está relacionada con el Sanctum Sanctorum que significa La Conciencia, La Piedra Filosofal, sin la cual no puede haber Transmutación. Es necesario fabricar los Cuerpos Solares; *"no se puede poner vino nuevo* (El Cristo Intimo), *en odres viejos"* (los Cuerpos Lunares). Se necesita fabricar los Cuerpos Solares para contener ese Vino Sagrado.

En el Arcano "2" está la Piedra Filosofal con la que se realizan todas las Transmutaciones, hay que cincelar la Piedra sin la cual no se puede conseguir la Transmutación Sexual. Esto significa que hay que trabajar duro, esto nos indica el Arcano 14, la Transmutación.

Así pues, en la Resurrección o el levantamiento al Misterio son necesarios:

1. NEGARSE A SI MISMO -MUERTE.
2. TOMAR SU CRUZ -LEVANTARSE AL MAGISTERIO.
3. SEGUIR AL CRISTO.

En el Arcano No. 14 se ve la Sagrada "N" (Nun), es el Pez de la Vida que nace y muere en las Aguas, llegando a la luz; recordemos La Multiplicación de los Peces. Si no descendemos a destruir al Ego, no podremos ser levantados en el Magisterio, por más que lleguemos al Nacimiento Segundo.

"Es necesario bajar para poder subir"; en el Arcano No.3 existe la Victoria tanto Material como Espiritual...

El Arcano No. 3, la Madre Divina, El Kundalini, es la Diosa del Verbo, es Hadit, la Diosa Alada; "La Palabra Perdida", es el Lenguaje Universal. En la Biblia el famoso Banquete de Nabucodonosor.

ARCANOS 7, 8 Y 9

Los Arcanos "7", "8" y "9", son "Los Tres Grados del Maestro" Son las herramientas de trabajo en la Gran Obra.

En el Arcano No. 7 encontramos el Carro, emblema del Triunfo; el Arcano No. 8 es la Justicia, emblema de la Fuerza Equilibrada en todas las direcciones; el Arcano No. 9 es el Ermitaño, es el emblema de La Cruz Oculta y de su búsqueda, todos los aspirantes la buscan, más a fondo sabemos que es la Novena Esfera, el Sexo.

El Arcano 7 son cualidades y capacidades indispensables para el Magisterio, por medio del auto-dominio, hay o tiene uno que aprender a dominarse a sí mismo, auto-controlarse, para llegar algún día a la Maestría, al Magisterio del Fuego. Si observamos cuidadosamente el Arcano 7, el Carro está arrastrado por dos Esfinges, una Blanca y una Negra, es necesario el enyugamiento de la Naturaleza Inferior simbolizado por las dos Esfinges que arrastran el Carro. El enyugamiento significa dominar, controlar las pasiones, enyugar la bestia. El Carro es nuestra propia vida. Las dos Esfinges significa el Par de Opuestos, el Odio y el Amor, la Luz y las Tinieblas.

El Arcano No. 8 considerado detenidamente significa La Vigilancia, la Justicia, la Espada hacia arriba significa la Rectitud, necesitamos ser rectos de Pensamientos, de nuestras Palabras y de nuestras Obras. La mano izquierda de la mujer sostiene la Balanza de la Equidad, Equilibrio, Precisión; eso representa la Balanza de la Justicia.

Así como el Arcano No. 7 el Triunfo, se logra por el auto-dominio del Carro de la Vida, dominándose a sí mismo, sabiendo manejar la propia vida, o sea dirigiendo inteligentemente el Carro de la Vida, así también el Arcano 8 representa la Rectitud, Justicia, Firmeza, Equilibrio; la Firmeza la Espada; el Equilibrio la Balanza; esa firmeza debe convertirse en el eje mismo de la vida, en el punto central de gravitación de la vida y de nuestra existencia.

En cuanto al Arcano No. 9 es la Luz Oculta que se manifiesta en la Iniciación, se vivifican los Poderes; para llegar a ver esta Luz hay que convertirse en Maestro y es claro que todo aspirante debe llegar al Magisterio.

Los Arcanos 7, 8 y 9 son herramientas de trabajo. El Arcano 7 nos enseña a Controlarnos a sí mismos. El Arcano 8 nos enseña la Justicia y Rectitud de nuestros Pensamientos, Palabras y Obras, con Rectitud debe vivir el hombre.

El Arcano 9 nos habla del Ermitaño que lleva en la mano derecha la Vara y en la izquierda la Lámpara, lo interesante es echarla ésta hacia arriba subirla es lo vital para iluminar el camino de otros.

El Arcano 9 es Fundamental es el de la Maestría Auténtica el Arcano 9 está en todo el Cosmos, observen la construcción del Universo y verán el Arcano 9 en todas partes encontramos 9 Arriba, 9 Abajo.

$9 + 9 = 18$, $1 + 8 = 9$.

ARCANOS 11 Y 12

Es ostensible y palmario que los Troncos o Tablas de la Ley, donde el profeta Moisés escribiese sabiamente por mandato de Jehová los 10 Mandamientos, no son en realidad sino una doble lanza de las Runas, sobre cuyo significado fálico existe mucha documentación.

No está de más enfatizar la idea trascendental de que existen dos mandamientos más en el Esoterismo Mosaico. Quiero referirme a los Mandamientos Once y Doce íntimamente relacionados con los Arcanos 11 y 12 de la Kábala.

El No. 11 tiene su clásica expresión en el Sánscrito Dharman Chara: "HAZ TU DEBER". Recuerda hermano lector que tú tienes el deber de buscar el Camino, angosto, estrecho y difícil que conduce a la Luz.

El No. 11 del Tarot ilumina este deber: la fuerza maravillosa que puede dominar y sujetar a los Leones de la adversidad es esencialmente Espiritual. Por esta razón está representado por una bella mujer que sin esfuerzo aparente abre con sus manos deliciosas las fauces terribles de Leo, el puma espantoso, el león furioso.

Con el 11 se relaciona y se entrelaza el 12avo. Mandamiento de la Ley de Dios, ilustrado por el Arcano 12: "HAZ QUE TU LUZ BRILLE".

Para que la Luz, que constituye la Esencia, embotellada entre el Yo, pueda realmente brillar y resplandecer, debe liberarse y esto sólo es posible mediante la Aniquilación Buddhista; disolviendo el Ego.

Necesitamos morir de instante en instante, de momento en momento, sólo con la muerte del Ego adviene lo nuevo.

Así como la Vida representa un proceso de gradual y siempre más completa exteriorización o extroversión, igualmente la Muerte del Yo es un proceso de interiorización graduativa, en el que la conciencia individual, La Esencia, se despoja lentamente de sus inútiles vestimentas, al igual que Istar en su simbólico descenso, hasta quedar enteramente desnuda en sí misma, ante la Gran Realidad de la vida libre en su movimiento.

La Lanza, el Sexo, el Phalo, juega también gran papel en numerosas leyendas orientales como instrumento maravilloso de Salvación y Liberación, que blandido sabiamente por el Alma anhelante, le permite reducir a polvareda cósmica a todas esas entidades cavernarias que en su conjunto pecaminoso constituyen el Mí Mismo.

La Energía Sexual es altamente explosiva y maravillosa. En verdad os digo que aquel que sabe usar el Arma de Eros (la Lanza, el Sexo), puede reducir a polvareda cósmica el Yo Pluralizado.

Orar es conversar con Dios y uno debe aprender a orar durante el coito, en esos instantes de suprema dicha pedid y se os dará, golpead y se os abrirá.

Quien pone corazón en la súplica y ruega a su Madre Divina Kundalini que empuñe el Arma de Eros, obtendrá el mejor de los resultados, porque Ella entonces le ayudara destruyendo el Ego.

Condición previa a toda Eliminación es Comprensión Integra del Defecto que se quiera eliminar.

ARCANOS 6, 9, 12, 13, 14, 15, 16, 17 Y 20

El Arcano No. 20 es el de la Resurrección, esto es muy importante, se dice en el esoterismo oculto que Hiram Abiff o Chiram Osiris, está muerto en la Novena Esfera, en el corazón de la Tierra. Se dice que para llegar al sepulcro hay que atravesar las Nueve Bóvedas, los Nueve Estratos del interior de nuestro organismo planetario. Esa Novena Esfera, está en nuestro organismo humano, es el Sexo, si ahí está muerto el Cristo Interno, sólo ahí podrá resucitar.

Esto de la Resurrección es algo grandioso, Jonás estuvo en el vientre de una ballena "Tres Días", Jesús resucitó al tercer día. Esto es simbólico, esa Gran Ballena de Jonás es la misma Tierra, nuestro mismo organismo planetario. Los Tres Días son simbólicos pues son "Tres" períodos de Trabajo Esoterico antes de llegar a la Resurrección del Cristo Intimo, en nosotros:

PRIMER DIA: ES EL NACIMIENTO SEGUNDO.

SEGUNDO DIA: ES MATAR A LOS TRES TRAIDORES.

TERCER DIA: ES LA RESURRECCION DEL SEÑOR.

Ahí encontramos los Tres Factores de la Revolución de la Conciencia:

1. MORIR. - 2. NACER. - 3. SACRIFICIO POR LA HUMANIDAD.

Lobsang Rampa dice que estuvo metido en un sarcófago por tres días como muerto. Esto es simbólico, no hay escuela que no hable de estos Tres Días; varias escuelas pseudo-ocultistas enfatizan que se debe pasar 3 días en un sepulcro para llegar a la Auto-Realización. Lobsang Rampa dice que *"en ese intervalo de tiempo de tres días, su cuerpo yacía como muerto en la sepultura y aprendió muchas cosas en los Mundos Superiores"*. Esto es una ceremonia iniciática, simbólica y nos entrega una enseñanza, y hay que hacer la diferenciación entre la enseñanza simbólica y la enseñanza vivida.

Jesús estuvo en el Sepulcro y a los 3 días resucitó, enseñando, instruyendo y duró 11 años viviendo (lo dice la Pisthis Sophia). En los tiempos arcaicos se conoció esto de los Tres Días en el Sepulcro; en Samotracia, entre los Mayas, los Egipcios, los Aztecas, tienen en sus tradiciones aquello del sepulcro y los tres días. Los aspirantes al Adepto eran llevados a volcanes o cámaras, o sepulcros cerrados que tenían la forma de un Pez; recordemos que el Ataúd de Osiris en el viejo Egipto de los Faraones, en el país asoleado de Kem, tenía la forma de un pez. Esto nos recuerda a Oannes, (una vieja tradición que se pierde en la noche profunda), quien pasa Tres Días entre su sarcófago.

Cuentan viejas tradiciones que se pierden en la noche aterradora de todos los siglos que durante este intervalo, mientras el cuerpo del Iniciado yacía como un cadáver entre el sarcófago, su Alma ausente de la humana forma densa, experimentaba directamente en los Mundos Superiores El Ritual de la Vida y de la Muerte. La Masonería no ha olvidado su Ataúd.

Hay algo que demuestra en Martes Lobsang Rampa y otros autores no poseer el Conocimiento Integro y es el hecho de que confunden el símbolo funerario de los Tres Días con la cruda realidad que en el fondo se esconde. Es como si nos confundiéramos con la bandera que es un símbolo; como confundirse con las dos columnas de Jachín y Boaz que son un símbolo esotérico que representa al hombre y a la mujer; así también es un símbolo la caja funeraria, antes se acostumbraba tener al Iniciado tres días en el sepulcro; mas todo tiene su límite y más allá de ese límite tenemos que desarrollar los conocimientos, es necesario ahondar en la realidad.

¿Qué significa eso de Jesús levantándose del sepulcro? ¿Qué significa eso de que Jonás estuvo tres días en el vientre de una ballena y fue vomitado? *"Esta generación mala y adúltera demanda señal, mas señal, no le será dada, sino la de Jonás Profeta. Porque así como estuvo Jonás en el vientre de la ballena tres días y tres noches, así estará el Hijo del Hombre en la tierra tres días y tres noches"* (Mateo 12: 39-40).

Esto es simbólico, dice Jonás que se sumergió en las Aguas y a los fondos de las montañas bajó, la tierra se cerró y clamó dentro de las profundidades de la tierra a Jehová. Eso de que el Abismo se cerró es muy significativo, ahondando más acordémonos del "Leviatán", aquel pez maravilloso que vive abajo de las aguas del mar (Isaías 27: 1; Job 41: 1; Salmos 74: 14, 104: 26).

Este es el Primer Día cuando nos sumergimos dentro de nosotros mismos; es aquel día en que todos debemos descender a los Mundos Soterrados para fabricar los Cuerpos que nos permiten el Nacimiento Segundo.

El Primer Día es aquel que tenemos que descender hasta el fondo del Tártarus, como la ley del Leviatán.

El Segundo Día es necesario regresar al fondo del Abismo para permanecer ahí y destruir esas creaciones que nosotros mismos hicimos con nuestras malas acciones.

Es indubitable que la Transformación Superlativa, sólo es posible con la Resurrección del Cristo Intimo en el corazón del hombre. Esta es la fase culminante del Tercer Día, el instante en que la tierra o la brillante Constelación de la Ballena vomita a Jonás, el Profeta, para que salga a enseñar a Nínive para poder volver al Padre. Al ser vomitado Jonás queda convertido en Maestro Resurrecto y lo enviaron a que enseñara, por tal motivo tiene derecho a la Ascensión. Toda exaltación va precedida de una humillación; La humillación es el descenso a los Mundos Infiernos.

Esto de los Tres Días nos va a responder sobre algo más profundo; el que tenga entendimiento que entienda, Es necesario comprender y meditar. El Leviatán, aquel que se mueve por las aguas, es el verdadero Maestro que ha sido Decapitado y vuelto a decapitar ¿Quién podría decapitar al Leviatán? ¿Quién podría dañar a quien ya recibió todos los daños y ya Resucitó? Convirtámonos en Maestros Resurrectos.

Una cosa es la Cruz y otra los trabajos que hay que realizar en la Novena Esfera, van correlacionados el Símbolo y el Trabajo.

Todo el avance esotérico de estos estudios se basa en la Kábala.

El Arcano No. 13 y el 14 no han sido bien entendidos, por eso es necesario profundizar en estos estudios. En el Egipto de los Faraones, Tiphón despedazando el cuerpo de Osiris tenía la forma de un Pez; Isis, la Madre Divina, la esposa-hermana de Osiris al intentar resucitarlo sólo encontró "13 Pedazos", el 14 era el Phalo que no fue hallado.

El 13 es la Muerte, es obvio que Osiris debe pasar Tres Días en el sepulcro y estos Tres Días equivalen a las Tres Etapas para la Decapitación del Ego. Isis encuentra 13 pedazos y no encuentra el 14, el Phalo, porque Había Muerto en "El" todo elemento lujurioso, llegó a una muerte total, sólo así Osiris puede presentarse victorioso en el Templo de Maat (la Verdad), sólo así puede hacer la Confesión Negativa porque ya no tiene Ego, tiene el Espíritu Puro.

Esto de Osiris en el sepulcro es muy importante, está bien muerto y sólo el tercer día es resucitado:

1. GENERACION. - 2. DEGENERACION. - 3. REGENERACION.

La forma extraordinaria y maravillosa del viejo ataúd de Osiris, llama naturalmente a la memoria por su semejanza y significado Iniciático a otro pez, representado magníficamente por el Alfabeto Semita en la letra Samek, que ocupa el quinceavo lugar kabalístico, la que indudablemente simbolizaba en un principio a la famosa Constelación de la Ballena, bajo cuya regencia debemos realizar todos los trabajos en la Novena Esfera.

Esa constelación está relacionada con el acontecimiento de Jonás y tiene que ver con las medidas del ataúd de Osiris que tiene la forma de un pez, porque para ello hubo Osiris de bajar al negro y horroroso precipicio, tuvo que pasar los tres períodos en el vientre de la ballena.

Esto está íntimamente relacionado con el Arcano No. 13; o sea tres bajadas a los Mundos Infiernos y cada bajada cubre un tiempo de tres días en el Santo Sepulcro. Jonás trabajó tres días, tres períodos con el Sexo; a los tres días la ballena lo vomitó y fue a predicar.

La Ballena corresponde al Arcano Kabalístico No. 15, esto nos invita a la reflexión, el Arcano 15 es Tiphón Bafometo, el Diablo, la Pasión Animal. Esto nos invita a comprender lo que es el trabajo en la Novena Esfera (el Sexo).

Si uno falla en el Arcano 13, 14, 15, si no es capaz de trabajar dentro de la ballena, pues es natural que vamos para abajo al precipicio, con el Arcano No.16 que es La Torre Fulminada. El Iniciado que derrama el Vaso de Hermes, será fulminado por el Arcano No. 16 de la Constelación de Aries; caerá desde la torre por el Rayo de la Justicia Cósmica, como la Pentalfa invertida, con la cabeza hacia abajo y las dos piernas hacia arriba.

El Arcano No. 17, la Estrella de la Esperanza, es para el individuo que jamás ha sido fulminado, para el que es capaz de llegar a la Encarnación Venusta. Si sumamos este Arcano nos da 1 + 7 = 8, el Número de Job: paciencia, pruebas, sufrimientos.

Si adicionamos kabalísticamente las cifras del Arcano 15 de la Constelación de la Ballena, tendremos el siguiente resultado: 1 + 5 = 6; seis en el Tarot es el Arcano del Enamorado; el hombre entre la Virtud y la Pasión. Aprender a polarizaros sabiamente con el Arcano 6 y habréis vencido al espantoso 15 de la Constelación de la Ballena.

Recordad amado lector que en el centro del pecho tenéis un punto magnético muy especial que capta las ondas de Luz y de Gloria que vienen de tu Alma Humana. Ella es Tipheret, el Arcano 6 del Tarot, Escuchadla, obedece las órdenes que de ella dimanan. Actuad de acuerdo con esos impulsos íntimos; Trabajad en la Forja de los Cíclopes cuando ella así lo quiera. Si tú aprendes a obedecer no pereceréis entre el vientre de la ballena.

¡Mira! que tú te has vuelto un pez trabajando entre las Aguas Caóticas del primer instante. Ahora comprenderéis por qué el ataúd de Osiris tiene la forma de un pez.

Es incuestionable que los Siete Días o Períodos del Génesis de Moisés se sintetiza en esos Tres Días y Tres Noches de Jonás entre el vientre de la ballena; ceremonia Iniciatica repetida por el Gran Kabir Jesús entre el Santo Sepulcro.

Jonás, el Profeta, trabajando bajo la regencia de la Constelación de la Ballena, metido en el pozo profundo del Universo, en la Novena Esfera (el Sexo), realiza su trabajo en tres días o períodos más o menos largos:

Primer Día: Desciende a los Mundos Infiernos para fabricar los Cuerpos Solares, el Traje de Bodas del Alma y establecer dentro de sí mismo un Centro Permanente de Conciencia. Descender a los Infiernos de la Naturaleza es necesario, es un período de eliminación hasta destruir a Seth, hasta lograr el Nacimiento Segundo.

Segundo Día: Desciende al Abismo para afrontar espantosos sacrificios, utiliza la Energía Creadora para la destrucción de todos los elementos subjetivos del Ego. Este trabajo se realiza en los Mundos Infiernos Lunares, en las Regiones Sub-Lunares de las que hablan los libros esotéricos; entonces se elimina radicalmente a los Tres Traidores del Cristo Intimo: Judas, Pilatos y Caifás; y los Atomos del Enemigo Secreto, hay que desintegrar al Dragón de las Tinieblas, al Dragón Rojo. Se continúa con las Bestias Secundarias sumergidas en las cuales se encuentra embotellada la Conciencia.

Tercer Día: Hay que volver al fondo del Abismo para acabar con innumerables hechos de las vidas anteriores. Se continúa muriendo en las Esferas de Mercurio, Venus, Sol, Marte, Júpiter, Saturno, etc. El tercer día se transforman las Aguas Negras en Luz resplandeciente, destrucción de átomos antiguos que culmina en la Resurrección Mística.

Estos tres períodos culminan cada uno con:

A) El primer período de tiempo concluye con el Nacimiento Segundo del cual hablaba el Gran Kabir Jesús al Rabino Nicodemus.

B) El segundo período finaliza cuando la Conciencia se libera y con las Bodas Maravillosas. Nada menos que el desposorio del Alma Humana con la Walkiria o Ginebra, la Reina de los Jinas que es el Alma Espiritual Femenina, el Buddhi dentro del cual arde la Llama del Espíritu, la Llama de Brahama. A las mujeres les diremos que entonces se casan con el Bienamado Eterno.

C) El tercer período concluye magistralmente con la Resurrección del Cristo Intimo dentro de nuestro propio corazón. Y es lógico que viene la Ascensión a los Mundos Superiores.

Por ahora sólo se recibe información. Hay que vivenciarla y experimentarla directamente. No desviarse sino permanecer firmes.

Estudien la Oración de Jonás, es preciosa, en ella se encuentran Arcanos Esotéricos magníficos.

Estudien el Libro de Jonás en el Antiguo Testamento, investiguen todas esa informaciones arcaicas sobre esos Tres Días. Se deben comprender muy a fondo, porque muchos desconocen el trabajo en el Mundo Soterrado.

En realidad este asunto está relacionado con la Carta 12 del Tarot, porque 1 + 2 = 3 (Tres Días); ahí el hombre está colgado de los pies formando una cruz con ellos, las manos las tiene en triángulo y la cabeza hacia abajo, con ello nos indica que desciende al Pozo del Abismo. Este es el Apostolado.

Son "22 Arcanos" porque es La Verdad. El Tetragrammaton, el Iod-He-Vau-He y tienen que haber 22 Arcanos que la aclaren.

"¡Mira! que tú te has vuelto un pez trabajando entre las Aguas Caóticas del primer instante. Ahora comprenderéis por qué el ataúd de Osiris tiene la forma de un pez".

El Sendero Iniciático en los Arcanos del
TAROT Y KABALA

Tercera Parte

KABALA

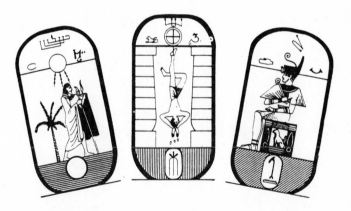

"Hay dos clases de Kabalistas: Kabalistas
Intelectuales y Kabalistas Intuitivos.
Los Kabalistas Intelectuales son Magos Negros,
los Kabalistas Intuitivos Magos Blancos".

Samael Aun Weor

CAPITULO 46
EL ABSOLUTO

> *"El contenido substancial de esta obra*
> *es para una humanidad más avanzada,*
> *porque la gente de esta época bárbara*
> *no es capaz de entender estas cosas."*

Samael Aun Weor

El Absoluto es el Ser de todos los seres. El es lo que es, lo que siempre ha sido y lo que siempre será. El se expresa como Movimiento y Reposo Abstractos Absolutos. El es la causa del Espíritu y de la Materia, pero no es ni uno ni la otra. El Absoluto está más allá de la Mente, ésta no puede comprenderlo por lo que nos toca intuir su naturaleza. El Absoluto está más allá de la vida condicionada. Más allá de lo que es relativo, es el Real Ser (El), es el No Ser porque no guarda concordancia alguna con nuestros conceptos, pero es el "Real Ser".

Todo esto porque no lo comprendemos intelectualmente, para nosotros es como un No Ser aunque es el Real Ser del Ser. Ser es mejor que existir y la razón de ser del Ser, es el mismo Ser. En el Absoluto está nuestra legítima existencia, que es un No Ser, un No Existir para la razón humana.

El Absoluto no es un Dios ni tampoco un individuo Divino o humano; sería absurdo dar forma a lo que no tiene forma; sería un despropósito intentar antropomorfizar al Espacio. Ciertamente el Absoluto es Espacio Abstracto Incondicionado y Eterno, mucho más allá de los Dioses y de los hombres. El Absoluto es Luz Increada que no hace sombra por ninguna parte durante la noche profunda del Gran Pralaya. El Absoluto está más allá del tiempo, del número, de la medida, del peso, de la casualidad, de la forma, del fuego, de la luz y de las tinieblas. Sin embargo, El es el Fuego y la Luz Increada.

El Absoluto tiene tres aspectos:

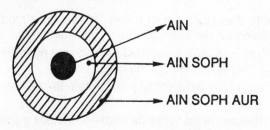

→ AIN

→ AIN SOPH

→ AIN SOPH AUR

Ain que es el mismo Sat en Sánscrito, o sea el inmanifestado Absoluto.

Ain Soph que es el segundo aspecto, es donde ya existe cierta manifestación, ahí se quedan todas las criaturas cuando llega el Gran Pralaya (Noche Cósmica), porque no tienen derecho a penetrar al Ain o sea al Inmanifestado Absoluto, más allá del pensamiento, del Verbo, del átomo, del sonido, más allá de todo lo que tenga forma, número, peso, etc.

El tercer aspecto es el Ain Soph Aur según la Kábala Hebraica, ahí se encuentra el Primer Cosmos, el Protocosmos puramente Espiritual, el Absoluto Solar formado por múltiples Soles Espirituales.

Práctica:

Meditar en el Absoluto y en el Pralaya, poniendo la Mente quieta y en silencio.

EL AIN

El Espacio Abstracto es la Causa Causorum de todo lo que es, ha sido y será.

El Espacio Profundo y Dichoso es ciertamente la Incomprensible "Seidad", la mística raíz inefable de los Siete Cosmos, el origen misterioso de todo eso que conocemos como, Espíritu, Materia, Universos, Soles, Mundos, etc.

Eso, lo Divinal, el Espacio de la Felicidad, es una tremenda realidad más allá del Universo y de los Dioses, "Aquello" no tiene dimensión alguna, y en verdad es lo que siempre será y ha sido; es la Vida que palpita intensamente en cada átomo y en cada Sol.

Hablemos ahora sobre el Gran Océano del Espíritu. ¿Cómo poder definirlo?.

Ciertamente él es Brahama, la primera diferencia o modificación de "Aquéllo" Ante lo cual tiemblan los Dioses y los hombres.

"Aquello" ¿es Espíritu? En verdad os digo que no lo es. "Eso" ¿es Materia? ciertamente os digo que no lo es.

"Aquello" es la Raíz del Espíritu y de la Materia, mas no es ni lo uno ni lo otro.

"Aquello" trasciende las leyes de número, medida y peso, lado por lado, cantidad, cualidad, ante, atrás, arriba, abajo, etc.

"Aquello" es lo inmutable en profunda abstracción Divinal, Luz que jamás ha sido creada por ningún Dios ni por ningún hombre, eso que no tiene nombre.

Brahama es espíritu pero "Aquello" no es espíritu. Ain, el Inmanifestado, es Luz Increada.

El Absoluto es la Vida Libre en su movimiento, es la Suprema Realidad, Espacio Abstracto que sólo se expresa como Movimiento Abstracto Absoluto, Felicidad sin límites, Omnisciencia total. El Absoluto es Luz Increada y Plenitud Perfecta, Felicidad Absoluta, Vida Libre en su movimiento, Vida sin condiciones, sin límites.

En el Absoluto pasamos más allá del Karma y de los Dioses; más allá de la Ley. La Mente y la Conciencia Individual sólo sirven para mortificarnos la vida. En el Absoluto no tenemos Mente ni Conciencia Individual. Allí somos el Ser Incondicionado, libre y absolutamente feliz.

El Absoluto es Vida Libre en su movimiento, sin condiciones, sin limitaciones, sin el mortificante temor de la Ley, vida más allá del Espíritu y de la Materia. Más allá del Karma y del dolor.

El Absoluto es Espacio Abstracto Absoluto, Movimiento Abstracto Absoluto, Libertad Absoluta sin condiciones, sin reservas, Omnisciencia Absoluta y Felicidad Absoluta.

Tenemos que acabar con el proceso del Yo para entrar en el Absoluto. El Yo humano debe entrar a la casa de los muertos. Debe ir a la fosa común de los despojos astrales. Debe desintegrarse en el Abismo para que nazca el Ser lleno de majestad y poder.

Sólo la vida impersonal y el Ser nos pueden dar la Legítima Felicidad de la Gran Vida Libre en su movimiento.

Batallar, luchar, sufrir, liberarse al fin, perderse como gota diamantina entre el Océano de la Luz Increada, es ciertamente el mejor anhelo.

Antes de entrar al Absoluto se tiene uno que preparar en la Región de Atala, ahí los seres son incoloros, ahí vive un hombre que no pudo entrar al Absoluto porque inventó dos palabras: Bien y Mal en lugar de usar Evolutivo o Involutivo, y creó Karma. La humanidad se ha perjudicado con esas dos palabras, de todo se dice eso es Malo o eso es Bueno, y ahí se está estancando todo lo que invite al estudio de los Valores Internos, por ese motivo ese Santo Varón está esperando.

Tenemos que ayudar a que la gente cambie esas dos palabras por Evolutivo e Involutivo.

En el seno del Absoluto existe una gran exaltación, los Paramarthasatyas se van exaltando poco a poco y pasan más allá de toda posible comprensión.

EL AIN SOPH

De Ain Soph emana toda la Creación, pero la Creación no es igual ni en su esencia ni en potencia al Ain Soph, quien por medio de su Divina Luz Increada irradia de sí mismo una inteligencia, un poder, que si originalmente participa de la perfección e infinitud de su creador, por derivarse de El tiene un aspecto finito. La Kábala llama a esta primera emanación espiritual del Ain Soph, el inefable Anciano de los Días, que es el Ser de nuestro Ser, el Padre y Madre en nosotros.

No pudiendo expresarse Ain Soph en el Mundo Físico limitado, se expresa por medio de sus "Diez Sephirotes".

En Ain Soph existe una extraña evolución que ni los Dioses ni los hombres conocen. Más allá del Intimo está el Logos o Cristo. Más allá del inefable Anciano de los Días está Ain Soph o el Absoluto. A su exhalación se llama Día Cósmico (Mahamvantara), a su inhalación Noche Cósmica (Gran Pralaya).

Durante la Noche Cósmica el Universo se desintegra en Ain Soph y sólo existe en su mente y en la de sus Dioses, pero lo que en la mente de El y en la mente de Ellos existe, es objetivo en el Espacio Abstracto Absoluto.

Antes de que el flamígero corazón del Sistema Solar de Ors en el cual vivimos, nos movemos y tenemos nuestro Ser, comenzara a palpitar intensamente después del Gran Pralaya, el Tiempo no existía, pues yacía dormido entre el seno profundo del Espacio Abstracto Absoluto.

Si al final del Mahamvantara, las Siete Dimensiones básicas del Universo quedan reducidas a un simple punto matemático que se pierde como una gota entre el Gran Océano, es evidente que entonces el Tiempo deja de existir.

Los mundos como los hombres, los animales y las plantas, nacen, crecen, envejecen, y mueren. Todo lo que alienta bajo el Sol tiene un tiempo definido.

La Sabiduría Antigua dice que Brahama, el Padre, el Océano del Espíritu Universal de Vida, al llegar la Gran Noche (eso que los Indostanes llaman Pralaya o disolución del Universo), se sumerge entre el Espacio Abstracto Absoluto durante 7 Eternidades.

Las 7 Eternidades significan "Evos" o períodos de tiempo totalmente definidos, claros y precisos.

Se nos ha dicho que un Mahakalpa, Gran Edad, Día Cósmico, tiene un total de 311.040,000.000,000, de años. Es obvio que un Mahapralaya, Noche Cósmica, equivale a la misma cantidad de tiempo.

Cuando llegue la Noche Profunda de los Creadores de este Sistema Solar, éstos se absorberán en el seno del Absoluto, quedará un grupo de lunas. Los Planetas, el Sol, la Tierra y la vida habrán desaparecido con todas las Chispas Virginales; a nosotros nos corresponde una Chispa Virginal, a cada criatura viviente le corresponde una Chispa Virginal y éstas se absorberán en el Absoluto por 7 Eternidades.

Si observamos a Selene (nuestra Luna) veremos que es un cadáver, tuvo rica vida, mares, volcanes; hay otras lunas que giran alrededor de Marte, Saturno, etc., que un día tuvieron vida.

En el pasado Mahamvantara que fue un Padma o Loto de Oro hubo en la Luna una humanidad, 7 razas y murió.

Antes del amanecer del Mahamvantara el Universo dormía en la terrible Obscuridad.

Al comienzo o aurora de cada Universo, la Eterna Luz Negra u Obscuridad Absoluta se convierte en Caos.

Las Tinieblas son en sí mismas Padre-Madre; la Luz su Hijo, dice la Sabiduría Antigua.

Es evidente que la Luz Increada tiene un origen ignoto, absolutamente desconocido para nosotros.

De ninguna manera exageramos si enfatizamos la idea de que tal origen son las Tinieblas.

Hablemos ahora sobre la Luz Prestada, Cósmica, Secundaria; es obvio que cualquiera que sea su origen y por bella que sea, tiene en el fondo un carácter pasajero, Mayávico.

Las inefables Tinieblas Profundas, constituyen pues, la Matriz Eterna, en la cual los orígenes de la Luz aparecen y desaparecen.

Se dice que el Absoluto son Tinieblas, de las Tinieblas sale la Luz, la Luz Increada del Absoluto sale de las Tinieblas Profundas de la Gran Noche, de esas Tinieblas que no tienen la Luz, brota la Luz Increada. Si a nosotros nos colocarán ahí no veríamos mas que un abismo y tinieblas profundas, pero para los habitantes del Absoluto (Paramarthasatyas), esas Tinieblas es Luz Increada ni por un hombre ni por un Dios, donde reina una Felicidad inagotable, una Dicha inconcebible.

Hay tremendos genios del mal como Belial, Bael, Moloch, etc., terribles Maestros; sabiendo que la Luz sale de las Tinieblas se precipitaron en el Abismo aun cuando saben que van a involucionar.

Del Abismo sale la Luz, por eso nos toca descender a las Tinieblas para destruir al "Yo", al Satán para arrancarle la Luz a las Tinieblas.

Los Dioses mediante el Fuego surgen del Abismo y se pierden en el Absoluto.

Luz y Tinieblas son fenómenos del mismo Noumeno ignoto, profundo, inconcebible para la razón.

El que percibamos más o menos la Luz que resplandece de las Tinieblas es cosa que depende de nuestro Poder de Visión Espiritual. El Absoluto es Tinieblas profundas para los ojos humanos, y Luz Increada y terrible para la Jerarquía Inefable de los Paramarthasatyas.

"Lo que es la luz para nosotros, es tinieblas para ciertos insectos, y el Ojo Espiritual ve Iluminación allí donde el ojo normal tan sólo percibe obscuridad"

El Universo sumido en Pralaya después del Mahamvantara, disuelto en su elemento primordial, reposa necesariamente entre las Tinieblas Profundas del Espacio Infinito.

Es urgente comprender a fondo el misterio profundo de las Tinieblas Caóticas. Del Caos sale el Cosmos y de las Tinieblas brota la Luz; oremos profundamente...

Escrito está y con palabras de fuego en todos los libros sagrados del mundo, que el Caos es el semillero del Cosmos.

La Nada, el Caos, es ciertamente y sin la menor duda el Alfa y Omega, el Principio y el Fin de todos los Mundos que viven y palpitan en el inalterable Infinito.

En el Aitareya Brahmana, preciosa lección magistral del Rig Veda queda en verdad demostrado hasta la saciedad la tremenda identidad entre esas luminosas ideas de Brahmanes y Pitagóricos, pues unos y otros se apoyan en las matemáticas.

En el citado volumen indostánico se alude con frecuencia al Fuego Negro, a la Obscura Sabiduría Abstracta, Luz Absoluta incondicionada y sin nombre.

Esa Seidad Abstracta, el Cero-Aster primitivo de los Parsis, la Nada saturada de vida, Aquello... Aquello... Aquello.

Dios en sí mismo, es decir el Ejército de la Voz, el Verbo, la Gran Palabra, muere, cuando llega el Gran Pralaya, la Noche Cósmica, y renace terriblemente divino en la aurora del Mahamvantara Divino.

El Cero Absoluto Radical en Aritmética Trascendente, el Espacio Abstracto en Geometría, la Incognoscible Seidad (no se confunda con Deidad que es diferente) no nace, ni muere, ni se reencarna. De ese Todo Incognoscible o Cero Radical, emana al comenzar cualquier Universo Sideral, la Mónada Pitagórica, el Padre-Madre Gnóstico, el Purusha-Prakriti Indú, el Osiris-Isis Egipcio, el Protocosmos Dual o Adam-Kadmon Kabalista, el Teos-Chaos, de la Teogonía de Hesíodo, el Ur-Anas o Fuego y Agua Caldeo, el Iod-Heve Semita, el Zeru-Ama Parsi, el Uno-Unico, el Aunadad-Ad Buddhista, el Ruach Elohim o Divino Espíritu del Señor flotando sobre las Aguas Genésicas del primer instante.

En la Noche Profunda sólo Tinieblas llenaban el Todo sin límites; pues, Padre, Madre e Hijo eran una vez más Uno, y el Hijo no había aún despertado para la Rueda y su peregrinación en ella.

Escrito está y con caracteres de fuego inconfundible en el Libro de la Gran Vida que al final del Mahamvantara, Osiris (el Padre), Isis (la Madre), y Horus (el Espíritu Divino), se integran, mezclan y fusionan como 3 Fuegos para formar una sola Llama.

Busquemos a Osiris, Isis y Horus dentro de nosotros mismos en las ignotas profundidades de nuestro propio Ser.

Es obvio que Osiris, Isis y Horus constituyen en sí mismos la Mónada, la Duada y la Tríada de nuestro Ser Interno.

¿Habéis oído hablar de Brahama? El es en sí mismo Padre-Madre-Hijo.

En cada nueva Aurora Cósmica, el Universo resucita como el Ave Fénix de entre sus propias cenizas.

En el amanecer de cada Mahamvantara, la Mónada se desdobla nuevamente en la Duada y en la Triada.

Al rayar el alba del nuevo Día Cósmico después de la Noche Profunda, el Hijo, la Triada, Horus (el Espíritu Divino de cada cual), emana de sí mismo su Esencia, sus Principios Místicos, la Rueda del Samsara, con el sano propósito de adquirir Alma-Diamante.

¡Ah! ¡cuán grande es la dicha de Horus al adquirir Alma-Diamante! entonces se absorbe en su Divina Madre y ésta, fusionándose con el Padre, forman una sola Llama diamantina, un Dios de esplendente belleza interior.

El Espacio está lleno de Universos, mientras algunos sistemas de mundos salen de la Noche Profunda, otros llegan a su ocaso, aquí cunas, más allá sepulcros.

Al inicio de la Aurora del Mahamvantara la Heterogeneidad se desenvuelve de la Homogeneidad, renace el Ejército de la Voz (Dios), para volver nuevamente a Crear.

Cuando se anunció la Aurora del Día Cósmico, el Universo se estremeció de terror. En la Conciencia de los Dioses y de los Hombres surgió un extraño y aterrador crepúsculo y la Luz Increada comenzó a alejarse de la Conciencia de ellos.

Entonces los Dioses y los hombres lloraron como niños ante la Aurora del Gran Día Cósmico. El Logos Causal del primer instante recordó a los Dioses y a los hombres sus deudas kármicas y comenzó el peregrinar del hombre de un mundo a otro, hasta la Tierra, donde actualmente vive sujeto a la "Rueda de Nacimiento y Muerte", hasta que aprenda a vivir gobernado por la Ley del Amor.

El Universo surgió de las entrañas del Absoluto y la Luz Increada se hundió en un nostálgico poniente. Así descendieron los Dioses y los hombres entre las sombras del Universo.

El Sacrificio quedó consumado y la Kábala lo registra en su Arcano Mayor No. 12. Si sumamos el número 12 entre sí nos da 3. Uno es el Principio Masculino, el Fuego. Dos el Principio Femenino, el Agua, el Semen. Tres el Universo, el Hijo.

El Día Cósmico actual, está simbolizado por un pelícano azul, abriéndose el pecho con el pico para beber sus propias entrañas de las cuales emanó todo lo creado.

EL AIN SOPH AUR

Cada Universo del Espacio Infinito posee su propio Sol Central y la suma de tales Soles Espirituales, constituye el Ain Soph Aur, el Protocosmos, el Absoluto Solar.

El Absoluto Solar está formado por múltiples Soles Espirituales, Trascendentales, Divinales.

La emanación de nuestro "Omnimisericordioso y Sagrado Absoluto Solar" es aquello que Helena P. Blavatsky denomina "El Gran Aliento" para sí mismo profundamente ignoto...

Mucho se ha hablado sobre el Sagrado Sol Absoluto y es obvio que todo Sistema Solar, está gobernado por uno de esos Espirituales Soles. Realmente son Soles Espirituales extraordinarios, centelleantes con infinitos esplendores en el espacio. Radiantes Esferas que jamás podrían percibir los astrónomos a través de su telescopio.

Esto quiere decir, que nuestro juego de mundos posee su Sagrado Sol Absoluto propio, al igual que todos los otros Sistemas Solares del inalterable Infinito.

El PROTOCOSMOS o Primer Cosmos, es infinitamente Divinal, inefable, no existe en él ningún principio mecánico, está gobernado por la Unica Ley.

Si reflexionáis vosotros profundamente sobre el Absoluto Solar, veréis que más allá existe la más plena Libertad, la más absoluta felicidad porque todo está gobernado por la Unica Ley.

Incuestionablemente en el Sagrado Absoluto Solar, en el Sol Central

Espiritual de este Sistema en el cual vivimos, nos movemos y tenemos nuestro Ser, no existe mecanicidad de ninguna especie y por lo tanto, es obvio, que allí reine la más plena Bienaventuranza.

Es indubitable que en el Sol Central Espiritual, gobernado por la Unica Ley, existe la felicidad inalterable del Eterno Dios Viviente; desafortunadamente, conforme nosotros nos alejamos más y más del Sagrado Sol Absoluto, penetramos en mundos cada vez más y más complicados, donde se introduce el automatismo, la mecanicidad y el dolor

Obviamente en el 2º Cosmos de Tres Leyes, el AYOCOSMOS (Planetas, Soles, Firmamento), la dicha es incomparable, porque la Materialidad es menor. En esa región cualquier átomo posee dentro de su Naturaleza Interior, tan sólo Tres Atomos del Absoluto.

Que distinto es el 3er Cosmos, el MACROCOSMOS (nuestra Galaxia, La Vía Láctea), gobernado por Seis Leyes, ahí la materialidad aumenta porque cualquiera de sus átomos posee en su interior Seis Atomos del Absoluto.

Penetramos en el 4º Cosmos, el DEUTEROCOSMOS (nuestro Sistema Solar), gobernado por Doce Leyes. Allí encontramos más densa la Materia, debido al hecho concreto que cualquiera de sus átomos posee en sí Doce Atomos del Absoluto.

Si examinamos cuidadosamente el 5º Cosmos, el MESOCOSMOS (el Planeta Tierra) gobernado por Veinticuatro Leyes, veremos que cualquiera de sus átomos, posee en su Naturaleza Intima 24 Atomos del Absoluto.

Estudiemos en detalle el 6º Cosmos, el MICROCOSMOS (el Hombre), gobernado por 48 Leyes. Encontraremos que en cualquier átomo del organismo humano percibimos dentro de él mediante la Divina Clarividencia, 48 Atomos del Absoluto.

Bajemos un poco más y entremos en el reino de la más cruda materialidad, el 7º Cosmos, el TRITOCOSMOS (los Mundos Infiernos), bajo la corteza del Planeta en que vivimos, gobernado por 96 Leyes, descubriremos que en la 1ª Zona Infradimensional, la densidad ha aumentado espantosamente porque dentro de su Naturaleza Intima hay 96 Atomos del Absoluto.

En la 2ª Zona Infernal, todo átomo posee 192 Atomos del Absoluto, en la 3ª todo átomo posee en su interior 384 Atomos del Absoluto, etc., etc., etc., aumentando así la materialidad en forma espantosa y aterradora. Al sumergirnos dentro de Leyes cada vez más complejas, obviamente nos independizamos en forma progresiva de la Voluntad del Absoluto y caemos en la complicación mecánica de toda esta Gran Naturaleza.

Si queremos reconquistar la Libertad, debemos liberarnos de tanta mecánica y tantas leyes y volver al Padre.

Ostensiblemente debemos luchar en forma incansable por Liberarnos de las 48, 24, 12, 6 y 3 Leyes para regresar realmente al Sagrado Sol Absoluto de nuestro Sistema.

EL AIN SOPH PARANISHPANNA

Dentro del hombre existe un Rayo Divino. Ese Rayo quiere volver a su Estrella que siempre le ha sonreído.

La Estrella que guía nuestro Interior es un Atomo Superdivino del Espacio Abstracto Absoluto. El nombre Kabalístico de ese átomo es el Sagrado Ain Soph.

El Ain Soph es nuestra Estrella Atómica. Esa Estrella resplandece llena de gloria en el Espacio Abstracto Absoluto.

De esa manera, de esa Estrella emanan Keter (el Padre), Chokmah (el Hijo) y Binah (el Espíritu Santo) de todo hombre.

El Ain Soph, la Estrella que guía nuestro Interior envió su Rayo al mundo para hacer Conciencia de su propia Felicidad.

La Felicidad sin Conciencia de su propia Felicidad, no es Felicidad.

El Rayo (el Espíritu) tuvo Conciencia Mineral, Vegetal y Animal. Cuando el Rayo encarnó por primera vez en el cuerpo humano salvaje y primitivo, despertó como hombre y tuvo Auto-Conciencia de su propia Felicidad. Entonces el Rayo pudo haber regresado a la Estrella que guía su Interior.

Desgraciadamente entre el seno profundo de la vorágine de la espesa selva, el Deseo Salvaje hizo nacer el Yo.

Las Fuerzas Instintivas de la Naturaleza atraparon la Mente inocente del hombre y surgió el falso miraje del Deseo.

Entonces el Yo se siguió reencarnando para satisfacer sus Deseos. Así quedamos sometidos a la Ley de la Evolución y del Karma.

Las experiencias y el dolor complicaron al Yo; La Evolución es un proceso de complicación de la energía.

El Yo se robusteció y complicó con las experiencias. Ahora ya es tarde. Millones de personas se convirtieron en monstruosos Demonios. Sólo una Revolución tremenda puede salvarnos del Abismo.

Cuando el hombre disuelve el Yo, entonces hay Revolución total.

El hombre puede dejar de sufrir, cuando sea capaz de disolver el Yo. El dolor es el resultado de nuestras malas obras.

El dolor es de Satán (Yo Psicológico), porque él es el que hace las obras del mal.

El Espacio Abstracto Absoluto, el Espíritu Universal de la Vida, es Felicidad Absoluta, Suprema Paz y Abundancia.

Aquellos que forman del dolor una mística, son masoquistas. Satán fue y es el creador del dolor. El dolor es satánico.

Con el dolor no se puede liberar nadie. Necesitamos ser Alkimistas.

Con la Alkimia se disuelve el Yo, la raíz del Yo es el Deseo, el Deseo se transmuta con la Alkimia.

Si quieres aniquilar el Deseo hay que transmutar. El Deseo Sexual se transforma en Voluntad y la Voluntad es Fuego. El Deseo de Acumulación (Codicia) se transmuta en Altruísmo. La Ira (Deseo Frustrado), se transmuta en Dulzura. La Envidia (Deseo Frustrado) se transmuta en Alegría por el Bien Ajeno. Las Palabras del Deseo se transmutan en Verbo de Sabiduría, etc., etc., etc.

Analizad todos los Defectos humanos y veréis que tienen su asiento en el Deseo. Transmutad el Deseo con la Alkimia, y el Deseo se aniquilará. Todo aquel que aniquile el Deseo, disuelve el Yo.

Todo aquel que disuelve el Yo se salva del Abismo y regresa a su Estrella Interior que siempre le ha sonreído.

Sólo con la Santa Alkimia podemos disolver el Yo. La base fundamental de la Alkimia es el Arcano A.Z.F. Los Angeles, Arcángeles, Serafines, Potestades, Tronos, etc., son el resultado exacto de tremendas Revoluciones Interiores.

Ya pasamos por la Involución (el descenso del Espíritu a la Materia). Ya sufrimos horriblemente en la Evolución (proceso de complicación de la Energía).

Es urgente ahora una Revolución Total (la Disolución del Yo). Nadie puede ser feliz hasta que llegue a su Estrella Interior. Sólo a base de Revoluciones Internas vamos regresando al Atomo Superdivino poco a poco, pasamos por los Estados Angélicos, Arcangélicos, Serafínicos, Logoicos, etc., hasta que al fin el Rayo se fundirá en su Estrella, el Ain Soph, que resplandece de Felicidad.

El Abismo es terriblemente doloroso. La antítesis horrible del Ain Soph, es el Abismo, los Kliphos de la Kábala. Los Kliphos son atómicos, Tenebrosos del Sendero Lunar.

Analicemos el Atomo Primordial Divino del cual emanan los Diez Sephirotes de la Kábala. Si nos Auto-Observamos se encuentra:

1. CUERPO FISICO.

2. CUERPO ETERICO O VITAL.

3. CUERPO ASTRAL O DE DESEOS.

4. CUERPO MENTAL ANIMAL.

5. ESENCIA (embotellada dentro del Yo, más allá está la Divina Triada que el ser humano no la tiene encarnada).

6. CUERPO CAUSAL, ALMA HUMANA, MANAS.

7. CUERPO BUDHICO, ALMA DIVINA.

8. CUERPO ATMICO, EL INTIMO.

El 5o. y el 6o. están relacionados porque el 5o. es una fracción del 6o. Tenemos una fracción del Alma Humana encarnada, es la Esencia o Budhata. Atman en sí mismo es el Ser Inefable, el que está más allá del Tiempo, de la Eternidad sin fin de días, no muere ni se reencarna (lo que retorna es el Ego), es perfecto absolutamente. Atman se desdobla en el Alma Espiritual, ésta se desdobla en el Alma Humana que es el Manas Superior, el Alma Humana se desdobla en la Esencia Buddhata, total son Principios y esa Esencia que se encarna en sus 4 vehículos, se viste con ellos, queda embotellada en el Yo Psicológico, el Ego.

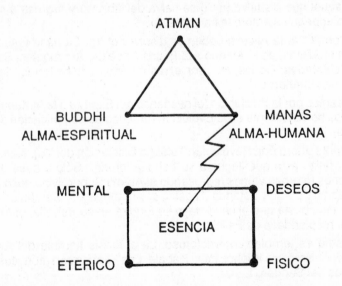

El Cuerpo Mental, de Deseo, Etérico y Físico, integran la Personalidad. La Esencia al meterse entre los vehículos queda embotellada en el Ego. Lo que retorna es una fracción del Alma Humana. Más allá de la Triada Teosófica hay un rayo que nos une al Absoluto. Ese rayo dentro de cada hombre es el Resplandeciente Dragón de Sabiduría, el Cristo Interno, la Corona Sephirótica. La Kábala la define así:

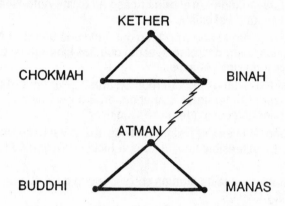

Kether: El Anciano de los Días. Chokmah: El Hijo, el Cristo Cósmico. Binah: El Espíritu Santo. La Corona Sephirótica es la Primera Triada que emana del Ain Soph.

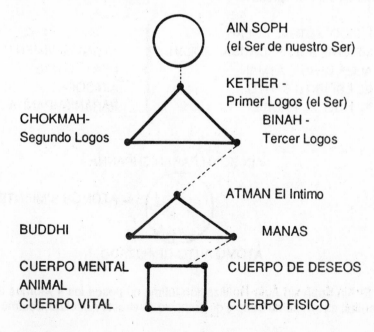

En última síntesis cada uno de nosotros no es más que un Atomo del Espacio Absoluto Abstracto, el Ain Soph, que se halla secretamente relacionado con la Glándula Pineal, Chakra Sahasrara o Iglesia de Laodicea.

Debemos hacer una diferenciación específica entre el Ain Soph y el Ain Soph Paranishpanna: en el primer caso no existe Auto-Realización Interior, en el segundo sí existe.

Cualquier Mahatma sabe muy bien que antes de entrar al Absoluto debe disolver los Cuerpos Solares, el día que nos Liberemos, dejamos, abandonamos todos los vehículos.

¿Para qué Fabricamos los Cuerpos Solares? ¿Para qué Bajamos a la Novena Esfera? Si tenemos que abandonar a los Cuerpos Solares. ¿Para qué hacer una cosa que no se va a usar?

De cada uno de tales Vehículos Crísticos al disolverse queda un Atomo Simiente. Es ostensible que en tales vehículos quedan 4 Atomos Simientes.

Es indubitable que tales átomos corresponden a los cuerpos Físico, Astral, Mental y Causal.

Es obvio que los 4 Atomos Simientes se absorben dentro del Atomo Super-Divino Ain Soph Paranishpanna junto con la Esencia, Principios Espirituales, Leyes y las Tres Fuerzas Primarias. Luego viene la Noche Profunda del Mahapralaya.

FÍSICO, ASTRAL SOLAR	ATOMOS SIMIENTES
MENTAL SOLAR, CAUSAL SOLAR	DENTRO DEL
ALMA DIVINA, ATMAN.	AIN SOPH
EL ESPÍRITU SANTO	PARANISHPANNA
EL HIJO, EL PADRE	

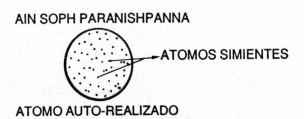

AIN SOPH PARANISHPANNA

ATOMOS SIMIENTES

ATOMO AUTO-REALIZADO

El Ain Soph sin Auto-Realización Intima no posee los 4 Atomos Simientes, es un Atomo Simple del Espacio Abstracto Absoluto, solamente con las Tres Fuerzas Primarias del Padre, Hijo y Espíritu Santo.

AIN SOPH

ATOMO SIN REALIZAR

Un Atomo de un Maestro que se ha liberado es muy distinto de un Atomo Ain Soph sin Auto-Realización.

En la Aurora de un Mahamvantara un Auto-Realizado desdobla sus cuerpos, entrando en actividad sus gérmenes.

Posee los Cuerpos Solares, los Restaura si desea en cualquier momento. El haber Fabricado esos cuerpos le da Conciencia Autónoma.

El Ain Soph que posee Los Atomos Simientes puede reencarnarse a la hora que quiera y queda vestido con sus Cuerpos Solares.

Cuando quiera manifestarse emana esos Atomos Simientes Solares y aparece en cualquier parte del espacio.

Hay una fórmula que define todo y es ésta:

C.O.N.H.

Son 4 Fuerzas, los 4 Cuerpos de un Iniciado. Cuatro Cuerpos con los cuales se viste la Seidad cuando quiere manifestarse.

1. C. Carbono: En Alkimia la letra "C" simboliza el Cuerpo de la Voluntad Consciente, el Carbono de la Química Oculta.

2. O. Oxígeno: En Alkimia la letra "O" simboliza el verdadero Cuerpo Mental Solar, fabricado en la Forja de los Cíclopes, el Oxígeno de la Química Sagrada.

3. N. Nitrógeno: En Alkimia la letra "N" simboliza al auténtico Cuerpo Astral Solar, tan diferente al Cuerpo de Deseo; es obvio que el legítimo Cuerpo Sideral es el Nitrógeno de la Química Oculta.

4. H. Hidrógeno: En Alkimia la "H" simboliza el Cuerpo Físico, el vehículo de carne y hueso tridimensional.

En el Ain Soph Paranishpanna están los 4 Cuerpos, de ahí emanan los cuerpos, con los que la Seidad se viste; y los fabrica instantáneamente, es decir en el momento que quiera trabajar en un mundo en bien de la humanidad, apareciendo como un Maestro Auto-Realizado, Auto-consciente, Dueño de la Vida y de la Muerte.

LAS TRES FUERZAS PRIMARIAS:

EL SANTO AFIRMAR EL PADRE
EL SANTO NEGAR EL HIJO
EL SANTO CONCILIAR EL ESPIRITU SANTO

Se Manifiestan mediante los Atomos C.O.N. (Carbono, Oxígeno, Nitrógeno); el H. (Hidrógeno) es una fuerza libre de las otras tres por lo tanto es el Vehículo Físico por medio del cual sirve de instrumento al Cuerpo de Voluntad, Mental y Astral.

No exageramos si enfatizamos la idea trascendental alkimista de que un Ain Soph Paranishpanna, posee dentro de sí mismo los 4 Atomos Simientes CONH.

Con estos 4 Atomos Alkímicos reconstruye el Ain Soph Paranishpanna, el Carro de Mercabah (los Cuerpos Solares), para entrar en cualquier Universo cuando es necesario.

No olvidemos que Mercabah es el Carro de los Siglos, el Hombre Celeste de la Kábala.

Como secuencia, como corolario, podemos y debemos afirmar que aquellos que no han realizado el trabajo en la Novena Esfera (el Sexo) no poseen en realidad el Carro de Mercabah.

Es incuestionable que todo cambia en el campo de acción de la Prakriti debido a las modificaciones de Traigunamayashakti y que todos los seres humanos también nos modificamos en forma positiva o negativa, pero sino fabricamos el Carro de Mercabah, Ain Soph quedará sin Auto-Realización Intima.

Aquellos que no han eliminado el Abhayan Samskara, el Miedo Innato, huirán de la Novena Esfera diciéndole a otros que el trabajo en la Forja de los Cíclopes (el Sexo) es inútil.

Esos son los hipócritas fariseos que cuelan el mosquito y tragan el camello, los fracasados que ni entran al Reino ni dejan entrar. En verdad el Sexo es *"piedra de tropiezo y roca de escándalo"*.

CAPITULO 47

EL ARBOL DE LA VIDA

Si observamos el Arbol de la Vida, tal como está escrito por los Kabalistas Hebraicos, vemos Diez Sephirotes. Comienza por el Anciano de los Días (Kether) que está en el lugar más elevado del árbol; después sigue Chokmah, el Segundo Sephirote o sea el 2º Logos que es propiamente el Cristo Cósmico o Vishnú; luego viene Binah, el 3er.Logos, el Señor Shiva. Kether, Chokmah y Binah, son el Padre, el Hijo y el Espíritu Santo, tal como está dibujado en el Arbol de la Vida de los Misterios Hebraicos, así lo enseñaron los Rabinos.

Kether, Chokmah y Binah son la Trimurti de Perfección, son el Triángulo Divinal, el Padre muy amado, el Hijo muy adorado, y el Espíritu Santo muy sabio.

Después del Triángulo Divinal hay un abismo y después de tal abismo viene un Segundo Triángulo formado por Chesed, el Cuarto Sephirote que corresponde al Intimo o Atman el Inefable (hablando en lengua Sánscrita); continúa Geburah el Rigor de la Ley, el Quinto Sephirote, el Buddhi, el Alma Divina que es femenina; luego sigue Tiphereth, el Sexto Sephirote, el Alma Humana que es masculina.

Por desdoblamiento viene un Tercer Triángulo, y está representado por Netzach La Mente, el Séptimo Sephirote; continúa Hod, el Octavo Sephirote, el CuerpoAstral; más abajo está Jesod, el Noveno Sephirote, el Principal Fundamento del Sexo, el Fondo Vital del organismo humano, el Cuerpo Vital o Vehículo Etérico, el Lingam Sarira de los Teósofos.

Por último encontramos en la parte más baja del Arbol de la Vida a Malchuth el Décimo Sephirote, el Mundo o Cuerpo Físico, el cuerpo de carne y hueso.

El Primer Triángulo es Logoico: Kether, Chokmah y Binah. El Segundo Triángulo es Etico: Chesed, Geburah y Tiphereth. El Tercer Triángulo es Mágico: Netzach, Hod y Jesod. Malchuth, el Mundo Físico es un Sephirote caído. El Primer Triángulo, o sea, el Logóico, obviamente tiene su Centro de Gravitación, eso cualquiera lo puede observar, es el Padre Divinal, el Anciano de los Días. Kether es el punto matemático en el Espacio Inmenso, Infinito, Inalterable. Este triángulo es el Triángulo del Padre.

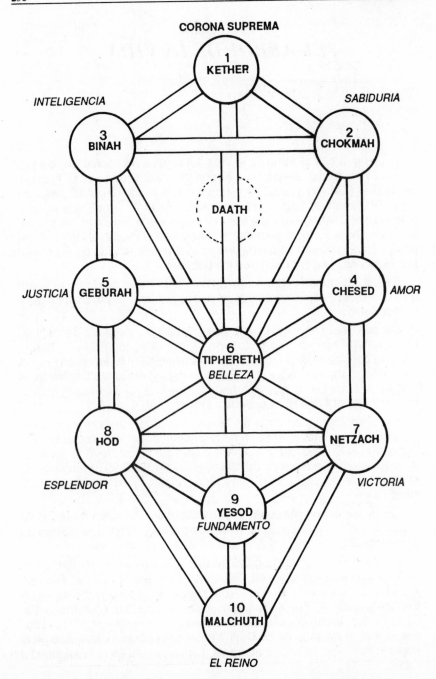

Si analizamos el Segundo Triángulo, encontramos que es Etico. ¿Por qué le decimos Etico? Porque sencillamente allí prima la Etica, la Recta Conducta, allí conocemos nosotros el rigor de la Ley; ahí venimos a saber lo bueno y lo malo, que cosa es lo bueno y lo malo, éste triángulo es el Mundo del Espíritu Puro, la Trimurti Indostánica de Atman, Buddhi, Manas. Obviamente el Centro de Gravedad de este triángulo resalta a simple vista, es el Alma Humana; esa Alma sufre y queda la parte muy humana en nosotros, o sea Tiphereth, que coincide con el Causal. A este triángulo se le denomina también Triángulo del Hijo, encontramos ahí que el Cristo Cósmico, Binah suele manifestarse a través del Alma Humana, el Tiphereth de la Kábala Hebraica.

Resulta muy interesante el 3er. Triángulo, el Triángulo Mágico, formado por la Mente, o sea, Netzach, el Cuerpo Astral o Hod y el Cuerpo Etérico, es decir, Yesod o Principio Básico Sexual de la Vida Universal. ¿Por qué se le llama Triángulo Mágico? Porque indudablemente es en los Reinos de la Mente, del Astral y hasta en los Kliphos o Mundos Infiernos, en donde uno ejerce la Alta Magia.

No hay duda de que en Netzach podemos nosotros encontrar la Magia Hermética y en Hod la Magia Natural. Otros autores piensan diferente, creen que en Netzach (el Mundo Mental), está la Magia Natural; tengo que disentir con ellos en este sentido, porque resulta que la Mente propiamente dicha, es Mercuriana, hay autores que no están de acuerdo con mis conceptos, suponen que es Venusiana, lamento disentir con esa clase de conceptos, pues cualquiera puede darse cuenta que la Mente es Mercuariana. Así pues, la Magia Hermética hay que identificarla con Mercurio, en la Mente y en cuanto a la Magia Natural, Magia Ceremonial o Ritualista, etc., podemos encontrarla en el Mundo Astral, en el Cuerpo Astral.

¿Dónde encontraremos el Centro de Gravedad del Triángulo Mágico? Obviamente, se lo encuentra en el Sexo, porque de ahí viene el Nacimiento, la Muerte y la Regeneración. Todo gira a través del Sexo, es decir, el Tercer Triángulo tiene como Centro de Gravedad el Sexo, o sea Yesod, que es la Fuerza del Tercer Logos, la Potencia Sexual.

De esta manera hemos encontrado que hay Tres Centros de Gravedad Básicos en todo este Arbol de la Vida: En el Primer Triángulo es Kether, el Viejo de los Siglos, el Centro de Gravedad del 1er. Logos. En el Segundo Triángulo Chokmah, el Cristo Cósmico, el 2º Logos tiene su centro de Gravedad en el Alma Humana, Tiphereth. En el Tercer Triángulo, se convierte Jesod en el Centro de Gravedad del Espíritu Santo, el 3er. Logos; es mediante la Fuerza Sexual que surge la vida, que surge el Cuerpo Físico y que surgen todos los organismos que tiene vida. Malchuth, ya es el Mundo Físico, que no podría existir sin la presencia del Sexo, puesto que somos hijos de un hombre y una mujer. Así pues

Jesod es el fundamento del 3er. Logos, centro donde gravita la Fuerza Sexual del 3er. Logos.

Los árboles del Eden son dos: El Arbol de la Ciencia del Bien y del Mal, y el Arbol de la Vida. El Arbol de la Ciencia del Bien y del Mal, es el Sexo y este Arbol del Conocimiento está representado por los Organos sexuales. El Arbol de la Vida es el Ser y está representado en nuestro Cuerpo Físico por la Columna Espinal.

Toda verdadera Doctrina Cultural tiene que estudiar detenidamente estos dos Arboles. Porque el estudio de un árbol con el olvido del otro, da un conocimiento incompleto, que es inútil.

¿De qué sirve estudiar al Ser si desconocemos el Sexo? Ambos árboles son del Eden y hasta comparten sus raíces. Estas son las 2 Grandes Columnas Torales de la Logia Blanca: Sabiduría y Amor. La Sabiduría es el Arbol de la Ciencia del Bien y del Mal y el Amor es el Arbol de la Vida.

En el antiguo Egipto se estudiaba a fondo la Doctrina de los Dos Arboles. La sombra fatal del Arbol de la Vida es el Yo. La sombra fatal del Arbol del Conocimiento es la Fornicación. La gente toma las sombras por la realidad.

"El que acaba con el proceso del Yo, realiza al Ser en sí mismo".

"El que acaba con la Fornicación se convierte en un Cristo".

"Y también le impuso Jehová Dios este mandato al hombre: de todo árbol del huerto puedes comer hasta quedar satisfecho. Pero en cuanto al árbol del conocimiento de lo bueno y lo malo no debes comer de él, porque el día que comas de él positivamente morirás". (Génesis 2: 16-17).

"Y vio la mujer que el árbol era bueno para comer, y que era agradable a los ojos, y el árbol codiciable para alcanzar la Sabiduría; y tomó de su fruto y comió; después dio de el a su marido cuando él estuvo con ella y él empezó a comerlo".(Gen.3: 6).

"Y pasó Jehová Dios a decir: mira que el hombre ha llegado a ser como uno de nosotros al conocer lo bueno y lo malo, y ahora para que no alargue la mano y efectivamente tome fruto también del Arbol de la Vida y coma y viva hasta tiempo indefinido".

"De modo que expulsó al hombre y situó al Oriente del huerto Querubines y la hoja llameante de una espada que daba vueltas continuamente para guardar el Camino del Arbol de la Vida". (Gen 3: 22-24).

Si el hombre hubiera podido comer de los frutos deliciosos del Arbol de la Vida, entonces tendríamos ahora "Dioses Fornicarios". Esa hubiera sido la maldición de las maldiciones. El sacrificio más terrible. Lo imposible.

La Espada Flamígera de la Justicia Cósmica, se revuelve encendida, amenazadora y terrible, guardando el Camino del Arbol de la Vida.

De la Corona Sephirótica: Padre, Hijo y Espíritu Santo nació el Intimo. El Intimo esta envuelto en 6 Vehículos Inferiores que se compenetran formando el Hombre. Todas las facultades y poderes del Intimo, son los Frutos del Arbol de la Vida. Cuando el Hombre regrese al Edem (por el mismo camino que salió), podrá comer de los Frutos del Arbol de la Vida. Entonces podrá ver a Dios cara a cara sin morir, el rayo le servirá de cetro y las tempestades de alfombras para sus pies.

Existen 10 Oleadas de Vida que se penetran y compenetran sin confundirse, esas 10 Emanaciones Eternas son los 10 Sephirothes de la Kábala, las 10 Ramas del Arbol de la Vida. Ahora comprenderemos por qué Dios puso 10 dedos en nuestras manos.

Los 12 Sentidos del Hombre (7 Chakras o Iglesias + 5 Sentidos Físicos = 12) están relacionados con nuestra Columna Espinal. La Columna Espinal es el exponente físico del Arbol de la Vida; los 12 Sentidos, son los Frutos del Arbol de la Vida.

"El Arbol de la Vida es el Ser y está representado en nuestro Cuerpo Físico por la Columna Espinal, y su sombra fatal es el Yo"

CAPITULO 48

LOS SEPHIROTES

Los 10 Sephirotes de vibración universal emanan del Ain Soph, que es la Estrella Microcósmica que guía nuestro interior. El Real Ser de nuestro Ser.

Se habla de los 10 Sephirotes, en realidad son 12; el Ain Soph Aur es el 11, el Ain Soph es el 12 y su antítesis tenebrosa el Abismo.

SEPHIROTE	NOMBRE KABALISTICO	NOMBRE CRISTIANO	ATRIBUTO	CUERPOS
1 Kether	Hajot Ha Kadosh	Serafines	Corona Suprema	Padre
2 Chokmah	Ophanim	Querubines	Sabiduría	Hijo
3 Binah	Aralim	Tronos	Inteligencia	Espíritu
4 Chesed	Hasmalim	Dominaciones	Amor	Intimo
5 Geburah	Seraphim	Potestades	Justicia	A. Divina
6 Tiphereth	Malachim	Virtudes	Belleza	A. Humana
7 Netzach	Elohim	Principados	Victoria	C. Mental
8 Hod	Beni Elohim	Arcángeles	Esplendor	C. Astral
9 Jesod	Cherubin	Angeles	Fundamento	C. Vital
10 Malchuth	Ischim	Iniciados	El Reino	C. Físico

Son 12 Esferas o Regiones que se penetran y compenetran mutuamente sin confundirse. Las 12 Esferas gravitan en el átomo central del signo del Infinito. En esas 12 Esferas se desenvuelve la Humanidad Solar. Ya habíamos dicho que el signo del Infinito se halla en el centro de la Tierra, en su corazón. Los Sephirotes son atómicos, los 10 Sephirotes pueden reducirse a tres tablas:

1.- Tabla del Quanta de la Energía Radiante que viene del Sol.

2.- Tabla de los Pesos Atómicos de los elementos de la Naturaleza.

3.- Tabla de los Pesos Moleculares de los compuestos.

Esta es la Escala de Jacob, que va de la Tierra hasta el Cielo. Todos los Mundos de Conciencia Cósmica se reducen a tres tablas.

Un Sephirote no puede ser comprendido en una sola región pues su naturaleza es cuádruple. Por eso los kabalistas se expresan claramente al decir que hay Cuatro Mundos.

Aziluth: Es el Mundo Arquetípico o Mundo de las Emanaciones, es el Mundo Divino.

Beriah: Es el Mundo de la Creación, también llamado Khorcia, o sea el Mundo de los Tramos.

Yetzirah: Es el Mundo de la Formación y de los Angeles.

Assiyai: Es el Mundo de la Acción, el Mundo de la Materia.

Tres Sephirotes de la forma se encuentran en el Pilar de la Severidad (Binah, Geburah, Hod).

Tres Sephirotes de la Energía se encuentran en el Pilar de la Misericordia (Chokmah, Chesed, Netzach).

Y entre esos dos pilares está el Pilar del Equilibrio, donde están los distintos Niveles de Conciencia (Kether, Tiphereth, Jesod, Malchuth).

Todos los 10 Sephirotes conocidos, devienen de Sephira, la Madre Divina que reside en el Templo Corazón; IO es el mantram de la Madre Divina y son 10 las Emanaciones de la Prakriti, es decir, los 10 Sephirotes

Kether es el Padre en nosotros, un Hálito del Absoluto para sí mismo profundamente ignoto. Kether es el Anciano de los Días, y cada uno de nosotros es en el fondo un bendito Anciano de los Días. Chokmah es el Hijo, El Cristo Atómico en nosotros. Binah es la Madre en nosotros, el Espíritu Santo en nosotros.

Kether, Chokmah y Binah, son nuestra Corona Sephirótica.

El Padre muy amado, el Hijo muy adorado y el Espíritu Santo muy sabio, viven entre las profundidades de nuestra Conciencia Superlativa, aguardando el instante supremo de nuestra Realización.

El Espíritu Santo es nuestra Divina Madre que viste un manto azul y una túnica blanca de exquisitos esplendores.

La Madre lleva en su mano una lámpara preciosa; esa lámpara es el Intimo que arde en el fondo de nuestros corazones. El Intimo está contenido entre un vaso de alabastro fino y transparente. Ese vaso es nuestra propia Conciencia Superlativa, es nuestro Buddhi. El Intimo es el Sephirote Chesed; el Buddhi es el Sephirote Geburah. El Intimo y el Buddhi se expresan a través del Alma Humana. El Alma Humana es Tiphereth, la Voluntad, la Belleza. Así pues, el Intimo con sus dos Almas, la Divina y la Humana oficia en su trono, que es el Sistema Nervioso Cerebro Espinal.

El Intimo está coronado con la Corona Sephirótica. El Intimo habita en su Templo. El Templo del Intimo tiene dos columnas: Jachin y Boaz.

Jachin es la Mente. Boaz es el Cuerpo Astral. La Mente es el Sephirote Netzach. El Astral es el Sephirote Hod. Estas dos columnas del Templo se sostienen en la Piedra Cúbica de Jesod. Esa Piedra Cúbica sirve también de fundamento al Reino de Malchuth. Esa Piedra Cúbica es el Cuerpo Etérico. Malchuth es el Cuerpo Físico.

Así pues, el Hombre es una década completa. Tenemos 10 dedos en las manos, 10 Sephirotes y 10 Mandamientos.

Cuando el Anciano de los Días ha realizado los 10 Sephirotes en sí mismo, se transforma en Adam-Kadmon, el Hombre Celeste.

Aquel que realice los 10 Sephirotes en sí mismo, resplandece en el Mundo de la Luz con inefables esplendores Crísticos.

Cuando el Anciano de los Días ha realizado los 10 Sephirotes en sí mismo, resplandecen en el Mundo de la Luz como gemas preciosas, como piedras resplandecientes, en el cuerpo del Anciano de los Días.

"El que tiene oídos, oiga lo que el Espíritu dice a las Iglesias. Al que venciere le daré a comer del Arbol de la Vida, el cual está en medio del Paraíso de Dios". (Apoc. 2: 7).

Los 10 Sephirotes resplandecen como piedras preciosas en el cuerpo del Anciano de los Días, Así es como nos convertimos en la Jerusalém Celestial.

"Y los fundamentos del muro de la ciudad estaban adornados de toda piedra preciosa. El primer fundamento era el Jaspe; el segundo el Zafiro; el tercero Calcedónica; el cuarto Esmeralda;"

"El quinto Sardónica; el sexto Sardio; el séptimo Crisólito; el octavo Berilo; el nono Topacio; el décimo Crisopraso; el undécimo Jacinto; el duodécimo Amatista". (Apoc. 21: 19-20).

Los 10 Sephirotes son atómicos. Los 10 Sephirotes son la Santa Ciudad, la Jerusalém que viene a resplandecer en el fondo de nuestro corazón.

"En el medio de la plaza de allá y de la una y la otra parte del río estaba el Arbol de la Vida, que lleva doce frutos, dando cada mes su fruto; y las hojas del árbol eran para la sanidad de las naciones".

"Y no habrá más maldición; sino que el trono de Dios y del Cordero estará en ella, y sus siervos le servirán. Y verán su cara; y su nombre estará en sus frentes".

"Y allí no habrá más noche; y no tiene necesidad de lumbre de antorcha, ni de la lumbre del Sol; porque el Señor Dios los alumbrará; y reinará para siempre jamás". (Apoc. 22: 2-5).

Cuando un hombre encarna en sí mismo su Corona Sephirótica, entonces el Anciano de los Días lo alumbrará y reinará para siempre jamás.

Empero, hermanos de mi Alma, en verdad os digo, que nadie llega al Padre sino por el Hijo. El Hijo es el Cristo Atómico en nosotros, es Chokmah, la Divina Sabiduría Crística. La Gnosis que resplandece en el fondo de nuestro corazón.

Tenemos que inundar todos nuestros vehículos con átomos de Naturaleza Crística; tenemos que formar a Cristo en nosotros para subir al Padre, porque nadie llega al Padre sino por el Hijo.

Aunque Cristo nazca mil veces en Belén, de nada sirve sino nace en nuestro corazón también. Hay que formar al Cristo en nosotros, para entrar por las puertas de la ciudad triunfantes y victoriosos, en Domingo de Ramos.

La Navidad es un acontecimiento Cósmico que debe realizarse en cada uno de nosotros. La Navidad es absolutamente individual. Hay necesidad de que nazca en nosotros el Cristo, es urgente la Navidad del Corazón.

Hay que transformar el Arbol de la Ciencia del Bien y del Mal, en el Cordero Inmolado de la Santa Ciudad.

"Al que venciere, le haré columna del Templo de mi Dios, y no saldrá más de allí". (Apoc. 3: 12).

"Se fiel hasta la muerte y yo te daré la Corona de la Vida". (Apoc. 2: 10).

"Yo soy el pan de vida, yo soy el pan vivo, el que coma de mi carne y beba de mi sangre tendrá la vida eterna y yo le resucitaré en el día postrero. El que coma de mi carne y beba de mi sangre, en mí mora y yo en él". (Juan 6: 48, 51, 54, 56).

Cristo realmente es una Corona Sephirótica de inconmesurable Sabiduría, cuyos átomos más puros resplandecen en Chokmah, el Mundo de Ophanim.

Esa Corona Sephirótica (de inconmesurable Sabiduría) envió a su Buddha, Jesús de Nazareth, quien a través de innumerables reencarnaciones se preparó en nuestra evolución terrestre.

Fue en el Jordán que la Corona Crística, el Logos Solar resplandeció, penetró en su Buddha Jesús de Nazareth. He aquí el Misterio de la Doble Personalidad Humana, uno de los misterios más grandes del Ocultismo.

Cuando el Hombre recibe su Corona Sephirótica, entonces el Anciano de los Días lo ilumina y conduce hacia las Aguas Puras de la Vida.

Empero, hermanos míos, nadie llega al Padre sino por el Hijo, y el Hijo está en el fondo del Arca de la Alianza aguardando el instante de la Realización.

Esa Arca de la Alianza son los Organos Sexuales. Sólo por medio de la Castidad Perfecta, podemos formar el Cristo en nosotros y subir al Padre.

Ya Hermanos míos, ya os entregué el Arca del Nuevo Testamento.

Ya os enseñé el Camino de la Magia Sexual.

"Entonces se abrió el Templo de Dios en el Cielo, y fue vista el Arca de su Testamento en su Templo, y se formaron rayos y voces y truenos, y terremotos y grande granizo". (Apoc. 11: 19).

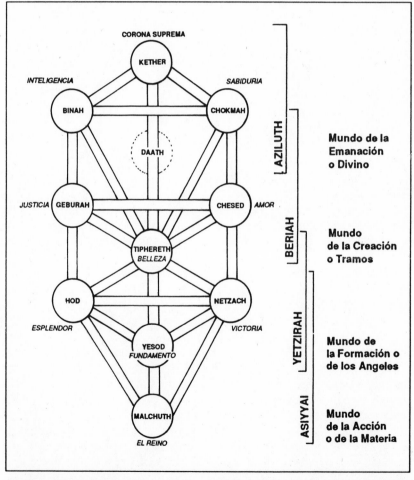

"Aziluth: Es el Mundo Arquetípico o Mundo de las Emanaciones, es el Mundo Divino. Beriah: Es el Mundo de la Creación, también llamado Khorcia, o sea el Mundo de los Tramos. Yetzirah: Es el Mundo de la Formación y de los Angeles. Assiyai: Es el Mundo de la Acción, el Mundo de la Materia".

CAPITULO 49

KETHER

Realmente, cada uno de nosotros tiene en el fondo de su Conciencia un Anciano Venerable, éste es el Primer Logos. Los kabalistas lo denominan Kether.

El Anciano de los Días es andrógino, es decir, hombre y mujer al mismo tiempo. La primera y última síntesis de nuestro Ser. El Anciano de los Días es la primera emanación terriblemente Divina del Espacio Abstracto Absoluto.

El Anciano de los Días es original en cada hombre, y es el Padre; hay tantos Padres en el Cielo como hombres en la Tierra.

El Anciano de los Días es lo Oculto de lo Oculto; la Misericordia de la Misericordia; la Bondad de las Bondades; la raíz de nuestro Ser; el "Gran Viento".

La cabellera del Anciano de los Días tiene 13 bucles. Si sumamos entre sí tendremos 1+ 3 = 4; 1 es el Principio Masculino, Fuego; 2 es el Principio Femenino, Agua; el 3 es el Hijo de la Creación más la Unidad de la Vida es igual a 4, éste es el Santo TETRAGRAMMATON. Este es el nombre del Eterno IOD-HE-VAU-HE.

La barba del Anciano de los Días tiene 13 mechones. Esa barba representa el Huracán, los 4 Vientos, el Soplo, la Palabra. Los 4 Vientos son: Iod-He-Vau-He.

El Arcano 13 es el Anciano de los Días. Sólo venciendo a la Muerte podemos encarnar al Anciano de los Días. Las pruebas funerales del Arcano 13 son más espantosas y terribles que el Abismo.

Para realizar el Anciano de los Días en nosotros mismos, tenemos que realizar totalmente dentro de nosotros mismos el Arcano No. 13.

Necesitamos una Muerte Suprema y una Suprema Resurrección para tener derecho a encarnar al Anciano de los Días: sólo aquel que lo encarna tiene derecho a vestir internamente la cabellera y la barba del Venerable Anciano.

Sólo en presencia de los Angeles de la Muerte, después de salir victorioso de las pruebas funerales podemos encarnar al Anciano de los Días. El que lo encarna es un "Viejito" más en la Eternidad.

El mamtram PANDER nos permite llegar hasta el Anciano de los Días. Esto es posible con la Meditación Profunda. En el Mundo de Aziluth hay un Templo maravilloso donde se nos enseña la majestuosa presencia del Anciano de los Días. El Anciano de los Días mora en el Mundo de Kether, el Jefe de ese Mundo es el Angel Metratón. Ese ángel fue el profeta Enoch, con su ayuda podemos entrar al mundo de Kether, el discípulo que quiera penetrar en Kether durante sus estados de Meditación Profunda, rogará al Angel Metraton y será ayudado.

La Diosa Azteca de la Muerte, tiene una corona de 9 cráneos humanos. La corona es el símbolo del Anciano de los Días. El cráneo es la correspondencia microcósmica del Anciano de los Días en el Hombre. Realmente necesitamos una Suprema Resurrección para realizar al Anciano de los Días en nosotros mismos.

En el Mundo de Kether comprendemos que la Gran Ley rige todo lo creado. Desde el Mundo del Anciano de los Días vemos las multitudes humanas como hojas arrastradas por el viento.

El Gran Aliento es la Ley terrible del Anciano de los Días. "Vox populi, vox Dei". Una revuelta social contemplada desde el Mundo del Anciano de los Días, es una Ley en acción. Cada persona, las multitudes enteras parecen hojas desprendidas de los árboles, arrazadas por el "Viento" terrible del Anciano de los Días.

Las gentes no saben de estas cosas. Las gentes sólo se preocupan por conseguir dinero y más dinero. Esa es la pobre humanidad doliente, míseras hojas arrastradas por el Gran Viento. Míseras hojas llevadas por la Gran Ley.

El Anciano de los Días es nuestro Ser Auténtico en su raíz esencial. Es el Padre en nosotros. Es nuestro verdadero Ser. Nuestros discípulos deben ahora, concentrarse y meditar muy hondo sobre el Anciano de los Días. Durante la Meditación deben provocar el sueño.

Que la Paz reine en todos los corazones. No olvidemos que la Paz es Luz; no olvidemos que la Paz es una esencia emanada de lo Absoluto. Es Luz emanada del Absoluto. Es la Luz del Anciano de los Días. Cristo dijo: *"Mi Paz os doy, mi Paz os dejo".*

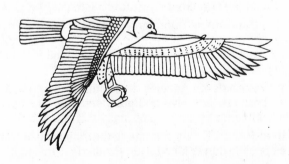

CAPITULO 50

CHOKMAH

"Ven oh Santa Palabra; ven oh nombre sagrado de la Fuerza Crestos; ven oh Energía Sublime; ven oh Misericordia Divina; ven Suprema Seidad del Altísimo". (Misa Gnóstica).

El Chokmah de la Kábala Hebraica es el Cristo Cósmico, el Christus, el Vishnú de los Indostanes.

El 2º Logos, Chokmah, es Amor, el Agnus Dei, el Cordero Inmolado, es el Fuego mismo que arde en toda la Creación desde el principio del mundo para nuestra salvación. Es Fuego y subyace en el fondo de toda materia orgánica e inorgánica.

La Energía Solar es Luz Astral. Su esencia, es el Poder Cristónico encerrado en el polen fecundante de la flor, en el corazón del fruto del árbol, en las glándulas de secreción interna del animal y el hombre. En el hombre su principal asiento está en el coxis. Los Aztecas denominaban a este Sagrado Poder: "La Serpiente Emplumada Quetzalcoatl", que sólo despierta y asciende hasta nuestra Glándula Pineal por medio de la Magia Amorosa.

Cristo es la Sabiduría misma, es el Logos Solar, cuyo Cuerpo Físico es el Sol. Cristo camina con su Sol, en la misma forma que El Alma Humana camina con su cuerpo de carne y hueso. Cristo es la Luz del Sol. La Luz del Sol es la Luz del Cristo.

La Luz del Sol es una Substancia Cristónica que hace crear la planta y brotar la semilla. Dentro de la prieta dureza del grano queda encerrada esa Substancia del Logos Solar, que le permite a la planta reproducirse incesantemente con la vida gloriosa, pujante y activa.

La Energía desprendida del Fuego Solar está fijada en el Corazón de la Tierra y ella es el núcleo vibrante de las células en todo ser viviente. Ella es la Luz Astral, el Azoe y la Magnesia de los Antiguos Alquimistas. La Luz Astral compenetra toda la atmósfera y es la causa de maravillosos poderes en el hombre y el Fuego Sagrado de toda vida.

Con Ayuda del 2º Logos este mundo tiene Conciencia, por lo que así nosotros también podremos despertar y tener Conciencia.

Cristo es aquel Rayo Purísimo, Inefable y terriblemente Divino que resplandeció como un relámpago en el rostro de Moisés, allá entre el solemne misterio del Monte Nebo...

Cristo no es la Mónada. Cristo no es el Septenario Teosófico. Cristo no es el Jivan-Atman. Cristo es el Sol Central. Cristo es el Rayo que nos une al Absoluto.

"Yo creo en el Hijo, el Crestos Cósmico, la poderosa Mediación Astral, que enlaza nuestra Personalidad Física, con la Inmanencia Suprema del Padre Solar". (Ritual Gnóstico).

Sabed que el Cristo no es un individuo. El Cristo Cósmico es impersonal, Universal y está más allá de la Individualidad, de la Personalidad y del Yo, es una Fuerza Cósmica, que se expresa a través de cualquier hombre que esté debidamente preparado.

Un día se expreso a través del gran Jeshua Ben Pandira, conocido en el Mundo Físico como el Maestro Jesús de Nazareth. También se expresó a través de muchos otros.

Cristo es una Substancia Cósmica, latente en cada átomo del Infinito. La Substancia de la Verdad. Cristo es la Verdad y la Vida.

Cuando un hombre se asimila la Substancia Cristo en lo Físico, en lo Psicológico y en lo Espiritual se Cristifica, se transforma en Cristo, se convierte en Cristo Viviente. Necesitamos formar a Cristo en nosotros, es urgente encarnar la Verdad.

Entre los Chinos, Cristo es Fu-Ji. Entre los Mexicanos, Cristo es Quetzalcoatl, que fue el Mesías y el transformador de los Toltecas. Entre los Japoneses es Amida, quien tiene el poder de abrir las puertas del Gokurak (el Paraíso). En el Culto de Zoroastros, Cristo es Ahura -Mazda. Los Eddas Germanos citan a Kristos, el Dios de su teogonía semejante a Jesús de Nazareth, nacido el día de Navidad, 25 de Diciembre a la media noche, al igual que los Cristos Nórdicos, Odin, Wotan y Beleno.

El Evangelio de Krishna en la India milenaria, es similar al Evangelio Cristiano. En el Viejo Egipto de los Faraones, Cristo es Osiris, y todo aquel que lo encarnaba era un Osirificado; Hermes Trismegisto es el Cristo Egipcio, el encarnó a Osiris. Todo Hombre que logra asimilarse a la Substancia Cristo se convierte de hecho en un Cristo Viviente.

Quiero que entendamos que el Logos Solar no es un Individuo. El Logos Solar es un Ejército. El Verbo, la Gran Palabra. EL EJERCITO DE LA VOZ es una Unidad Múltiple, eterna, incondicionada y perfecta. El es Logos Creador. El es el Primer Instante.

"En el principio era el Verbo y el Verbo era Dios y el Verbo era con Dios. Este era en el principio con Dios. Todas las cosas por él fueron hechas; y sin él nada de lo que es hecho fue hecho. Y la Luz en las tinieblas resplandece mas las tinieblas no la conocieron". (Juan 1: 1-5).

El es el Gran Aliento emanado de entre las entrañas del Eterno Espacio Abstracto Absoluto. El Eterno Espacio Abstracto Absoluto es el

Ser del Ser de todos los Seres, el Absoluto es el Innombrable, el Ilimitado Espacio. Todo el que encarne a su Cristo se Cristifica e ingresa en las filas del Ejército de la Voz.

"Y como Moisés levantó la serpiente sobre la vara en el desierto, así es necesario que el Hijo del Hombre sea levantado". (Juan 3: 14).

Tenemos que encarnar al Cristo en nosotros para subir al Padre. Nadie llega al Padre sino por el Hijo, en el Cristo todos somos Uno. En el Señor no existen diferencias entre hombre y hombre, porque en El todos somos Uno. En el Mundo del Señor no existe la Individualidad, ni la Personalidad. En El no hay diferencias jerárquicas. El que lo encarne es entonces El, El, El. *"La variedad es la Unidad"*.

Tenemos que acabar con la Personalidad y con el Yo para que nazca el Ser en nosotros, tenemos que acabar con la Individualidad.

Si un místico en Estado de Extaxis abandonara sus 7 Cuerpos para investigar la vida del Cristo, entonces se vería a sí mismo representando el Drama de la Pasión del Señor, haciendo milagros y maravillas en la Tierra Santa, se verá muerto y resucitado al tercer día. Si ocupara ese místico el puesto del Cristo en esos instantes sería El, El, El. Este fenómeno se debe a que en el Mundo del Cristo no existe la Individualidad, ni la Personalidad, en el Cristo sólo existe un solo Ser, que se expresa como muchos.

Al terminar con el Yo y con la Individualidad, sólo quedan los Valores de la Conciencia, que son los atributos del Eterno Espacio Abstracto Absoluto.

Sólo El puede decir: *"Yo soy el Camino, la Verdad y la Vida"*. *"Yo soy la Luz. Yo soy la Vida. Yo soy el Buen Pastor. Yo soy el Pan. Yo soy la Resurrección"*.

El Ser recibe al Ser de su Ser, el Yo Soy, aquel hálito del Gran Aliento en cada uno de nosotros, nuestro Rayo Particular, El, El, El.

El "Yo Soy", es el Cristo Interno de cada hombre, nuestro Divino "Augoides", el Logos. El que recibe la Corona de la Vida tiene derecho a decir: *"Yo soy El, Yo soy El, Yo soy El"*.

El Cristo está simbolizado por el falo en erección, por el cetro de poder en alto, por la torre, por la piedra aguda y por la túnica de gloria; él es de origen Divino. Cristo es Amor. La antítesis del Amor es el Odio. Sabed vosotros, pueblos muchedumbres y lenguas, que el Odio se convierte en fuego que quema. Sabed que el monstruo más terrible que existe sobre la Tierra es el Odio.

El que miente peca contra el Padre que es Verdad, y el que odia peca contra el Hijo que es Amor, el que fornica peca contra el Espíritu Santo que es la Castidad.

CAPITULO 51

BINAH

"¡Salve Cisne Sagrado! Hamsa milagroso.
¡Salve Ave Fénix del Paraíso!
¡Salve Ibis inmortal! Paloma del Grial
¡Energía Creadora del Tercer Logos!".

Ritual Gnóstico

Binah es el Espíritu Santo, es el Tercer Logos, el Señor Shiva de los Indostanes, que se manifiesta como Potencia Sexual en todo lo que es, ha sido y será.

El Espíritu Santo es la Fuerza Sexual que vemos en los pistilos de las flores, eso que se expresa en los órganos creadores de todas las especies que viven; Fuerza maravillosa sin la cual el Universo no podría existir.

Los kabalistas acomodan los distintos Sephirotes de la Kábala Hebraica a los Mundos. Así por ejemplo, que el Anciano de los Días es un punto del Espacio Infinito, es eterno como símbolo. Chokmah está gobernado por el Zodíaco y es verdad. Dicen que Binah está gobernado por Saturno; ahí llegamos a un punto en que tenemos que disentir, no quiero decir que no esté gobernado el Espíritu Santo por Saturno, que no haya una relación entre ambos, sí la hay, pero no es todo, porque no hay duda que en el Mundo de Júpiter está relacionado en cierta forma con Binah, puesto que tiene Poderes, Trono y que él lava las Aguas de la Vida.

Del Ain Soph (el Atomo Superdivino) emanan Kether, Chokmah y Binah, la Corona de la Vida, el resplandeciente Dragón de Sabiduría.

Cuando llegue la Gran Noche Cósmica, el resplandeciente Dragón de Sabiduría se absorberá dentro del Ain Soph... ¡He ahí la Trinidad absorbiéndose dentro de la Unidad! ¡He ahí al Santo Cuatro, el Tetragrammaton de los kabalistas!

La Trinidad, la Triada Perfecta, Padre, Hijo y Espíritu Santo más la Unidad de la Vida es el Santo Cuatro, los Cuatro Carpinteros Eternos, los Cuatro Cuernos del Altar, los Cuatro Vientos del Mar, el Santo y Misterioso Tetragrammaton cuya palabra mántrica es Iod-He-Vau-He, el nombre terrible del Eterno.

El Espíritu Santo se desdobla en una Mujer inefable, ésta es la Divina Madre, viste túnica blanca y manto azul. El Espíritu Santo es Shiva, el Divino Esposo de Shakti, la Divina Madre Kundalini.

La Divina Mujer es una Virgen Inefable, esta Divina Madre está simbolizada entre los Aztecas por una Virgen misteriosa (ver monografía N° 10 del libro "Magia Crística Azteca"), esta virgen tiene en su garganta una misteriosa boca; es que la garganta es el útero donde se gesta la palabra, los Dioses crean con la laringe.

"En el principio era el Verbo y el Verbo estaba con Dios y el Verbo era Dios. Este era en el Principio con Dios. Todas las cosas por el fueron hechas y sin él nada de lo que ha sido hecho, fue hecho. En él estaba la Vida y la Vida era la Luz de los hombres".

EL Verbo hizo fecundas las Aguas de la Vida y el Universo en su estado germinal surgió espléndido en la aurora.

El Espíritu Santo fecundó a la Gran Madre y nació el Cristo. El 2° Logos es siempre hijo de la Virgen Madre.

Ella es siempre virgen antes del parto, en el parto y después del parto. Ella es Isis, María, Adonía, Insoberta, Rea, Cibeles, etc.

Ella es el Caos Primitivo, la Substancia Primordial, la Materia Prima de la Gran Obra.

El Cristo Cósmico es el Ejército de la Gran Palabra y nace siempre en los Mundos y es crucificado en cada uno de ellos para que todos los seres tengan vida y la tengan en abundancia.

El Espíritu Santo es el Hacedor de Luz: *"dijo Dios, hágase la luz y la luz fue hecha".* El Sentido esotérico es: *"Porque lo dijo fue".*

La Tierra tiene 9 Estratos y en el Noveno está el Laboratorio del 3er. Logos. Realmente el 9° Estrato está en todo el centro de la masa planetaria, ahí está el Santo Ocho, el Divino Símbolo del Infinito en el cual están representados el Cerebro, Corazón y Sexo del Genio Planetario.

Una Sagrada Serpiente se enrosca en el corazón de la Tierra, precisamente en la 9a. Esfera. Ella es séptuple en su constitución y cada uno de sus 7 Aspectos Igneos se corresponde con cada una de las 7 Serpientes del Hombre.

La Energía Creadora del Tercer Logos elabora los elementos químicos de la Tierra, con toda su multifacética complejidad de formas. Cuando esta Energía Creadora se retire del centro de la Tierra, nuestro mundo se convertirá entonces en un cadáver. Así es como mueren los Mundos.

El Fuego Serpentino del Hombre dimana del Fuego Serpentino de la Tierra. La Serpiente terrible duerme profundamente entre su misterioso nido de huecas esferas raras, semejantes realmente a un verdadero rompecabezas Chino. Estas son esferas concéntricas astrales y sutiles.

Verdaderamente, así como la Tierra tiene 9 Esferas Concéntricas y en el fondo de todas está la terrible Serpiente, así las tiene también el hombre, porque éste es el Microcosmos del Macrocosmos.

El hombre es un Universo en miniatura, lo infinitamente pequeño es análogo a lo infinitamente grande.

El hidrógeno, Carbono, Nitrógeno y Oxígeno son los 4 Elementos básicos con los cuales trabaja el Tercer Logos. Los elementos químicos están dispuestos en orden de sus pesos atómicos, el más ligero es el Hidrógeno, cuyo peso atómico es 1 y termina con el Uranio cuyo peso atómico es 238,5 y resulta de hecho el más pesado de los elementos conocidos.

Los Electrones vienen a constituir un puente entre el Espíritu y la Materia. El Hidrógeno en sí mismo es el elemento más enrarecido que se conoce; la Primera Manifestación de la Serpiente. Todo elemento, todo alimento, todo organismo se sintetiza en determinado tipo de Hidrógeno. La Energía Sexual corresponde al Hidrógeno 12, y su nota musical SI.

La Materia Electrónica Solar es el Fuego Sagrado del Kundalini. Cuando liberamos esa energía, entramos en el Camino de la Iniciación Auténtica.

La Energía del Tercer Logos se expresa por medio de los Organos Sexuales, y por medio de la Laringe Creadora. Estos son los dos instrumentos a través de los cuales fluye la Poderosa Energía Creadora del Tercer Logos.

Cuando se trabaja con el Arcano A.Z.F., se despierta la Serpiente Sagrada. El Flujo ascendente de la Energía Creadora del Tercer Logos, es el Fuego Vivo. Ese Fuego Pentecostal sube a lo largo del Canal Medular abriendo centros y despertando poderes milagrosos.

En el México antiguo en el Templo de las Serpientes, llamado Quetzalcoatl, se adoraba al Espíritu Santo, con túnica y manto de colores blanco, negro y rojo, echaban entre ascuas de fuego, caracoles en polvo, para ello utilizaban caracoles marinos blancos, negros y rojos. El Blanco es el Espíritu Puro, el Negro simboliza la caída del Espíritu en la Materia, y el Rojo es el Fuego del Espíritu Santo, con el cual regresamos a la blancura del Espíritu Puro.

Ese incienso subía hasta el Cielo, el Sacerdote oraba por la vida y florecían las plantas porque el Espíritu Santo es el Fuego Sexual del Universo. El rito se verificaba en el templo de Quetzalcoatl antes de salir el Sol, porque el Espíritu Santo es el Hacedor de Luz, el Sacerdote vocalizaba los mantrams IN EN.

Jonás el profeta, también verificaba el rito del Espíritu Santo exactamente lo mismo que los Aztecas y usaba para ello las mismas vestiduras y sahumerios. También vocalizaba los mantrams IN, EN cuando echaba el sahumerio entre el fuego.

Este rito debe establecerse en todos los Santuarios Gnósticos. Los caracoles están relacionados con el agua del mar y el Agua es el habitáculo del Fuego del Espíritu Santo. Así pues, resultan los caracoles marinos el sahumerio perfecto del Espíritu Santo.

La Madre o Espíritu Santo nos da Poder y Sabiduría. Los símbolos de la Virgen son: el Yoni, el Cáliz y la Túnica de Ocultación.

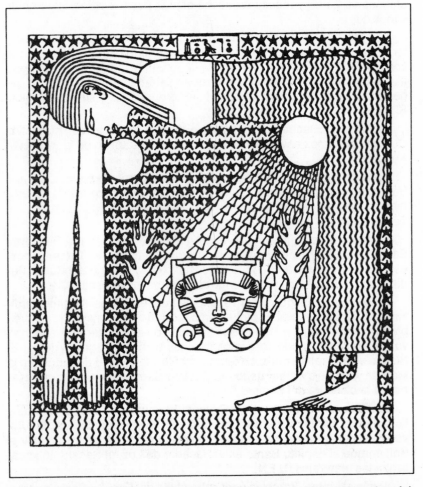

"El Espíritu Santo se desdobla en una Mujer inefable, esta es la Divina Madre, viste túnica blanca y manto azul. El Espíritu Santo es Shiva, el Divino Esposo de Shakti, la Divina Madre Kundalini".

CAPITULO 52

CHESED

Chesed en sí mismo es el Intimo; según los Indostanes Atman. Dicen que Chesed está gobernado directamente por Júpiter y nada más. Eso es falso, el Intimo es Marciano, Guerrero, Luchador, esto no lo aceptan muchos Kabalistas y pueden considerarlo hasta absurdo. Pero quien tenga experiencia directa sobre Chesed, sabe muy bien que Chesed es Guerrero; es el Intimo el que tiene que estar en lucha a muerte contra las tinieblas, que tiene que luchar duro por su propia Auto-Realización Intima, que está en batalla. Es obvio que tenga algo de Jupiteriano porque puede empuñar el Cetro de los Reyes, no lo niego, pero que sea única y exclusivamente Jupiteriano, eso es falso.

Atman, es nuestro Intimo, nuestra Seidad Divinal, ese Séptimo Principio que hay en los Seres pero que los humanos no lo tienen.

Para fusionarse con Atman se requiere de la siguiente experiencia: Salir en Cuerpo Astral abandonándose el Cuerpo Físico. Se despoja del Cuerpo Astral ordenándole: *"sal fuera de mí"*, para esto se requiere voluntad y el Cuerpo Astral sale por la columna vertebral y quedamos en el Mundo de la Mente. Después se despoja del Cuerpo Mental ordenándole *"Cuerpo de la Mente sal fuera de mí"*, esto se lo realiza con un acto de voluntad y se queda con el Cuerpo Causal a quien también se le ordena salir, esto también requiere un gran esfuerzo. El Cuerpo de la Voluntad Consciente trabaja mejor, y se le ordena salir y abandonar las 33 vértebras, quedando con el Cuerpo Buddhico o Intuicional, él es muy obediente y también se le ordena salir quedando en el Mundo de Chesed, de Atman, el Inefable.

En el Mundo de Atman se siente uno un Hombre Completo, aquí el Animal Intelectual no es Hombre. El Iniciado se siente lleno de inmensa plenitud, ahí ese mundo es "Real Hombre" en el sentido más objetivo.

Su parte negativa es el Mundo Físico, el Mundo de Atman es un estado positivo. Ahí se ve una ciudad en su forma más real, pues ahí una mesa se ve por todas partes, por arriba, por abajo, por dentro, por fuera; igual sucede con una montaña. En una cocina se ve de cuántos átomos está formado un cubierto, cuántas moléculas contiene el pan o la carne que uno se va a comer. No solamente percibimos sólidos en forma íntegra, sino además hipersólidos, incluyendo la cantidad exacta de átomos que en su conjunto constituyen la totalidad de cualquier cuerpo.

Si el estudiante no está preparado se decepciona porque se encuentra en un mundo con el más crudo realismo, éste es el Mundo de las Matemáticas. Ahí se ve el Drama de la Naturaleza, ahí uno es espectador de la Naturaleza. El Mundo de las Matemáticas es el Mundo de Atman.

Quien piensa, es la Mente, no el Intimo. La Mente Humana en su actual estado de evolución, es el animal que llevamos dentro.

El concepto de Descartes: *"Pienso luego existo"* es completamente falso, porque el Hombre Verdadero es el Intimo, y el Intimo no piensa porque sabe. Atman no necesita pensar, porque él es Omnisciente.

Nuestro Intimo es Sí, Sí, Sí. La Sabiduría de nuestro Intimo es Sí, Sí, Sí. El Amor de nuestro Intimo es Sí, Sí ,Sí.

Cuando nosotros decimos: *"Tengo hambre, tengo sed",* etc., estamos afirmando algo absurdo, porque el Intimo no tiene hambre ni sed, quien tiene hambre y sed es el Cuerpo Físico. Lo más correcto es decir: *"mi cuerpo tiene hambre, mi cuerpo tiene sed".*

Lo mismo sucede con la Mente, cuando decimos: *"Tengo una Fuerza Mental poderosa, tengo un problema, tengo tal conflicto, tengo tal sufrimiento, se me ocurren tales pensamientos",* etc., estamos afirmando entonces errores gravísimos, porque esas son cosas de la Mente, no del Intimo.

El Hombre Verdadero es el Intimo, él no tiene problemas, los problemas son de la Mente.

El Intimo debe azotar a la Mente con el terrible látigo de la Voluntad.

El hombre que se identifica con la Mente, cae en el Abismo.

La Mente es el burro en que debemos montar para entrar a la Jerusalém Celestial.

Debemos mandar a la Mente así: *"Mente retírame ese problema, Mente retírame tal deseo, etc. No te lo admito, soy tu Señor y tú eres mi esclava hasta la consumación de los siglos".*

¡Ay! del hombre que se identifica con la Mente, porque pierde el Intimo, y va a parar al Abismo.

Aquellos que dicen que todo es Mente, cometen un gravísimo error, porque la Mente es tan sólo un instrumento del Intimo.

Todas aquellas obras que tienden a identificar al hombre con la Mente, son legítima Magia Negra, porque el Verdadero Hombre no es la Mente.

No debemos olvidar que los Demonios más sutiles y peligrosos que existen en el Universo, residen en el Mundo Mental.

El Intimo le dice a la Mente así: *"No digas que tus ojos son tus ojos, porque yo a través de ellos veo. No digas que tus oídos son tus oídos, porque yo a través de ellos oigo. No digas que tu boca es tu boca, porque yo a través de ella parlo. Tus ojos son mis ojos. Tus oídos son mis oídos. Tu boca es mi boca".*

En los Mundos Internos, podemos arrojar fuera de nosotros el Cuerpo Mental para conversar con él, frente a frente, como una persona extraña.

Entonces comprendemos a fondo que la Mente es un sujeto extraño, que debemos aprender a manejar con el látigo terrible de la Voluntad.

"La guarida del Deseo está en la Mente".

El Intimo es el Verdadero Hombre que vive encarnado en todo cuerpo humano, y que todos llevamos crucificado en nuestro corazón.

Cuando el hombre despierta de su sueño de ignorancia, entonces se entrega a su Intimo. Este se une con el Cristo y el hombre se hace todo poderoso como el Absoluto de donde emanó.

El Intimo es Dios en el hombre. El hombre que ignora esta gran verdad es sólo una sombra, la sombra de su Intimo.

El Símbolo del Intimo es la Estrella de Cinco Puntas, la Pirámide, la Cruz de brazos iguales, el Cetro.

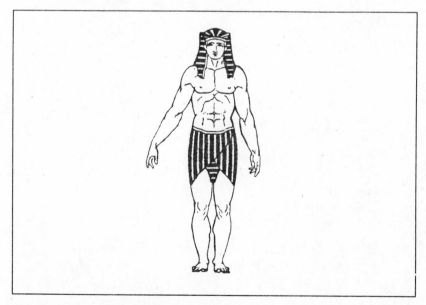

"El Iniciado se siente lleno de inmensa plenitud, ahí ese mundo es "Real Hombre" en el sentido más objetivo".

CAPITULO 53

GEBURAH

Geburah es el Rigor de la Ley, es el Buddhi, el Alma Espíritu, la Walkiria de la cual nos hablara ese insigne escritor Español Don Mario Roso de Luna, es la Bella Helena, etc.

A Geburah, el Buddhi se le ha considerado que es exclusivamente Marciano, eso es una equivocación, porque en el Mundo del Alma Espíritu, que es femenina, está el León de la Ley, que es Solar. Así en Geburah encontramos el Rigor de la Ley, pero también encontramos la Nobleza del León, entonces el Mundo Buddhico Intuicional es completamente Solar.

Geburah es la Ley de la Justicia. El Mundo de Geburah se fundamenta en la Justicia. Los Maestros del Karma se apoyan en la "Conciencia" para juzgar en el Tribunal del Karma.

Los Maestros del Karma son Jueces de Conciencia. La Justicia está más allá del Bien y del Mal. Cuando usted llegue a la Luz sabrá lo que es el Amor, y cuando sepa lo que es el Amor sabrá amar y comprenderá que Amor Consciente es Ley. No vale hacer el bien sino saberlo hacer.

El Jefe de los Arcontes de la Ley es el Maestro Anubis, quien ejerce con sus 42 Jueces. Cuando ofician usan una máscara sagrada en forma de cabeza de Chacal o Lobo Emplumado, emblema de la Verdad.

La Justicia es la Suprema Piedad y la Suprema Impiedad de la Ley. En el Tribunal del Karma el que tiene con qué pagar sale bien librado de los negocios. Tenemos que hacer constantemente buenas obras para que tengamos con que pagar nuestras deudas, de ésta y de vidas pasadas

Es imposible eludir la Justicia porque el Policía del Karma está dentro de nosotros mismos, este es el Kaom. Donde quiera que falte el Amor aparece el Kaom, el Policía, el Acusador, quien nos conduce ante los Tribunales de la Ley.

Es posible cancelar Karma con buenas obras, así se combate al León de la Ley. Cuando una Ley Inferior es trascendida por una Ley Superior, la Ley Superior lava la Inferior. El Karma no es una Ley mecánica, puede ser perdonado. Haced buenas obras para que se cancelen tus deudas. Cada uno de nosotros tiene un libro donde se anotan las faltas que uno ha cometido, el día y la hora.

Cuando seamos totalmente inofensivos, cuando uno ya no sea capaz de hacer mal a nadie, se le perdona el Karma.

El Karma es una medicina que se nos da. El Buddha dijo: *"hay tres cosas eternas en la vida: La LEY, el NIRVANA y el ESPACIO"*.

"El Jefe de los Arcontes de la Ley es el Maestro Anubis, quien ejerce con sus 42 Jueces. Cuando ofician usan una máscara sagrada en forma de cabeza de Chacal o Lobo Emplumado, emblema de la Verdad.".

CAPITULO 54

TIPHERETH

Tiphereth es el Esposo de la Esposa, el Manas Superior de la Teosofía Oriental, que no es otra cosa sino el Alma Humana, el Causal. Es esa Alma que sufre y que da la parte muy humana en nosotros. Debemos distinguir entre lo que es el Alma Humana y Tiphereth en sí mismo. Es muy fácil confundir a Tiphereth con el Causal. El Cuerpo Causal viene a ser el Vehículo de Tiphereth.

Algunos Kabalistas pretenden que el Mundo de Tiphereth, el Mundo del Alma Humana o del Hijo del Hombre propiamente dicho, está gobernado por el Sol. Realmente no es así pues está gobernado por Venus, por este motivo es que el Cristo es crucificado en Viernes Santo y eso es algo que podremos meditar.

El Matrimonio de Ginebra , la Divina Amazona, el Alma Divina, con el Caballero, el Alma Humana, es un evento maravilloso en el cual experimentamos una transformación radical, porque *"el Buddhi es como un vaso de alabastro fino y transparente, dentro del cual arde la llama de Prajna* (el Ser).

Los textos esoteristas Indostánicos mencionan constantemente a la famosa Trimurti Atman-Buddhi-Manas. Esto es el Intimo con sus dos Almas, el Alma Espiritual (femenina) y el Alma Humana (masculina).

La fuente y base de la Alta Magia se encuentra en el desposorio perfecto de Buddhi-Manas, ya en las regiones puramente Espirituales o en el Mundo Terrestre.

Los Colegios Iniciáticos Auténticos enseñan con claridad, que la Bella Helena es el Buddhi, el Alma Espiritual de la Sexta Iniciación Venusta, el Shakti Potencial Femenino del Ser Interno. La Bella Helena de Troya, es la misma Elena del Fausto de Goethe.

Elena significa claramente los desposorios de Nous (Atman-Buddhi) con Manas (el Alma Humana). La unión mediante la cual se identifican Conciencia y Voluntad, quedando por tal motivo dotadas, ambas Almas, con Divinales Poderes.

La Esencia de Atman, del Primordial, del Eterno y Universal Fuego Divino, se encuentra contenido dentro del Buddhi que en plena conjunción con Manas determinan el Masculino-Femenino.

El y Ella, Buddhi y Manas, son las Almas Gemelas dentro de nosotros mismos (aunque el Animal Intelectual todavía no las tenga encarnadas), las dos Hijas adoradas de Atman. El Esposo y la Esposa Eternamente enamorados.

La Eterna Dama, el Alma Espíritu, exige siempre de su Caballero, el Alma Humana, todo género de inauditos sacrificios y prodigios de valor.

¡Dichoso el Caballero que después de la Dura Brega celebre sus esponsales con Ginebra, la Reina de los Jinas!

El Animal Intelectual equivocadamente llamado Hombre, tiene encarnada dentro de sí mismo una fracción del Alma Humana.

A tal fracción se le denomina "Esencia", en el Zen Nipón se le llama simplemente el "Buddhata", es el Material Psíquico con el cual se puede y debe fabricar el Embrión Aureo. (Véase el libro "El Misterio del Aureo Florecer").

Lamentablemente la Esencia subyace en sueños dentro de ese abigarrado y grotesco conjunto de entidades sumergidas, tenebrosas, que constituyen el Ego, el Mí Mismo, el Sí Mismo. Empero tal Esencia es la materia prima para fabricar Alma, concepto éste, que desafortunadamente no ha sido todavía muy bien entendido por nuestros estudiantes Gnósticos.

El Tao Chino enseña claramente que la Esencia enfrascada entre todo ese conjunto de Yoes-Diablos que constituyen el Ego, tiene que pasar en la Novena Esfera por incesantes transformaciones Alquímicas antes de convertirse en la "Perla Seminal".

La Perla Seminal desarrollándose mediante la Magia Sexual y el trabajo formidable con la Lanza de Longibus (convertir en polvareda cósmica el Ego Animal), ha de convertirse en el Embrión Aureo.

El reflejo maravilloso de la Energía Sexual en forma de torbellino luminoso como cuando un rayo de luz regresa al chocar contra un muro, viene a cristalizar dentro de nosotros en la Flor Aurea, la cual como es sabido establece dentro del neófito un Centro Permanente de Conciencia.

El Embrión Aureo vestido con el Traje de Bodas del Alma experimenta en verdad un goce supremo en el instante en que se fusiona con el Alma Humana. Desde ese instante se dice de nosotros que somos Hombres con Alma, Individuos Sagrados, personas verdaderamente responsables en el sentido más completo de la palabra.

En el Embrión Aureo se encuentran resumidas todas las experiencias de la vida, y por ello es ostensible que origina transformaciones de fondo en los Principios Pneumáticos Inmortales del hombre. Así es como nos convertimos en Adeptos de la Blanca Hermandad.

El Mundo de Tiphereth es el Mundo de la Voluntad. En ese mundo sólo se hace la Voluntad del Padre, así en los Cielos como en la Tierra.

Es un Mundo que está más allá de la Mente, es de un color azul eléctrico intenso, existen muchos otros colores, pero el fundamental es el azul.

En ese Mundo de las Causas Naturales se encuentra uno a muchos Bodhisattvas que trabajan bajo la dirección de su Real Ser.

En ese mundo prima la música, el sonido. Todo el que llega a la 5ª Iniciación del Fuego se hace Adepto y tiene permitida la entrada al Mundo de la Música. Ahí se encuentra el Templo de la Música de las Esferas.

Uno de los Guardianes de dicho Templo es un Gran Maestro que cuando vivió en el Mundo Físico se llamó Beethoven. Es un Gran Iniciado; sus nueve sinfonías son maravillosas.

Todo el que llega a esa Región tiene que aprender las nociones fundamentales de la Música porque es el Verbo. En esa sublime Región se oye la Música de las Esferas que se basa en los Tres Compases del Mahavan y del Chotavan que mantienen al Universo en su ritmo, y su marcha es perfecta, no puede haber error en esa música.

En la Región de Tiphereth está el Paño de la Verónica que significa "Voluntad Cristo", que hay que hacer la voluntad del Padre.

Es imposible obtener la Voluntad Consciente sin trabajar en la Novena Esfera. Hay muchos lugares en que se someten a tremendas torturas para adquirir la Voluntad Consciente, pero solamente almacenan alguna energía.

El verdadero Fakir tiene su Gurú y no sale del Indostán. Los Fakires adquieren muchos poderes pero nada más, hay algunos que suben un brazo y no lo vuelven a bajar más, ahí se les seca. con esos actos persiguen la Voluntad, pero la Voluntad de ahí no pasa, no logran fabricar el Cuerpo de la Voluntad Consciente. Toda esa milagrería desvía a la gente, por eso los Fakires están desviados.

Una vez fabricado el Cuerpo de la Voluntad Consciente se hace uno Dos Veces Nacido.

CAPITULO 55

NETZACH

"El Cuerpo Mental es el burro en que debe-
mos montar para entrar en la Jerusalém
Celestial".

Samael Aun Weor.-

"La Mente que es esclava de los sentidos
hace al Alma tan inválida como el bote que
el viento extravía sobre las aguas".

Bhagavad-Gita.-

Netzach es el Mundo Mental, la Mente Cósmica, la Mente del ser humano.

Hay autores que suponen que la Mente es Venusina, tengo que disentir con ello, porque resulta que la Mente propiamente dicha es Mercuriana. Cualquiera puede darse cuenta que la Mente es Mercuriana, pues Mercurio da la Sabiduría, da la palabra, etc.

El Cuerpo Mental de la raza humana se encuentra ahora en la aurora de la Evolución. Observando clarividentemente la fisonomía del Cuerpo Mental de los seres humanos, corroboramos entonces, esta afirmación.

El rostro del Cuerpo Mental de casi todos los seres humanos, tiene apariencia animal. Cuando Observamos todas las costumbres y hábitos de la especie humana, entonces comprendemos por qué el Cuerpo Mental de la gente tiene fisonomía animal.

El Cuerpo Mental Lunar que poseemos es de naturaleza Bestial. El Mental Solar es la antítesis, es la Mente Cristo.

El Cuerpo Mental Lunar que poseemos es de naturaleza bestial y lo tienen hasta los animales y los vegetales. La única diferencia que hay entre las bestias y el mal llamado hombre, es que a éste se le ha dado "Intelectualidad" y las bestias sólo obran instintivamente.

El Cuerpo Mental Solar no es un cuerpo vago, abstracto, es un cuerpo de carne y hueso; pero carne imperecedera, que no viene de Adám y que puede atravesar un muro, hay que fabricarlo en la Novena Esfera. El Mental Solar es un Cuerpo de Perfección, que come, bebe, asimila, digiere; tiene sus alimentos especiales, su nutrición, su desarrollo.

En el Mundo de la Mente, hay muchos Templos que hay que conquistar con la "punta de la espada". Cuando uno trabaja en la Cuarta Iniciación de Misterios Mayores, se encuentra con muchos tenebrosos y hay que luchar.

Cuando uno adquiere este Cuerpo recibe el grado de "Buddha". La Bendita Diosa Madre del Mundo lo presenta en el Templo de la Mente diciendo: *"He aquí a mi hijo muy amado, he aquí a un nuevo Buddha".* Ella pone entonces sobre su hijo la Diadema de Shiva y el Manto Amarillo de los Buddhas.

Sanat Kumará, el ilustre fundador del Gran Colegio de Iniciados de la Logia Blanca exclama entonces: *"Os habéis libertado de los Cuatro Cuerpos de Pecado y habéis penetrado en el Mundo de los Dioses, tú eres un Buddha, cuando el hombre se libera de los Cuatro Cuerpos de pecado es un Buddha".* Y le entrega el Globo del Imperator con su cruz encima.

Nuestros discípulos deben cambiar el proceso del Razonamiento por la belleza de la Comprensión.

El proceso del Razonamiento divorcia a la Mente del Intimo. Una Mente divorciada del Intimo, cae en el abismo de la Magia Negra.

La Razón es un delito de lesa majestad contra el Intimo.

Muchas veces el Intimo da una orden y la Mente se revela con sus razonamientos. El Intimo habla en forma de corazonadas o pensamientos; la Mente se revela razonando y comparando.

El Razonamiento se basa en la opinión, en la lucha de conceptos antitéticos, en el proceso de elección conceptual, etc.

La Razón divide a la Mente entre el Batallar de las Antítesis. Los conceptos antitéticos convierten a la Mente en un campo de batalla.

Una Mente dividida por el batallar de los razonamientos, por la lucha antitética de conceptos, fracciona el entendimiento, convirtiendo la Mente en un instrumento inútil para el Ser, para el Intimo.

Cuando la Mente no puede servirle de instrumento al Intimo, entonces sirve de instrumento al Yo Animal, convirtiendo al hombre en un ser ciego y torpe, esclavo de las pasiones y de las percepciones sensoriales del mundo exterior.

Los seres más torpes y pasionarios que existen sobre la Tierra, son precisamente los grandes razonadores intelectuales.

El intelectual, por falta de un punto o una coma pierde el sentido de una oración.

El intuitivo sabe leer donde el Maestro no escribe y escuchar donde el Maestro no habla.

El razonador es totalmente esclavo de los sentidos externos, y su Alma está inválida como el bote que el viento extravía sobre las aguas.

Los Razonadores Espiritualistas son los seres más infelices que existen sobre la Tierra. Tienen la Mente totalmente atiborrada de teorías y más teorías y sufren horriblemente al no poder realizar nada de lo que han leído.

Esos pobres seres tienen un orgullo terrible; y por lo común terminan separándose del Intimo, y convirtiéndose en Personalidades Tántricas del Abismo.

Si cogemos nosotros el Cuerpo Mental de cualquier estudiante Pseudo-Espiritualista teorizante y lo examinamos detenidamente, encontramos que es una verdadera biblioteca ambulante.

Si luego examinamos detenidamente la Iglesia Coxígea de Efeso o Chakra Muladhara, encontramos que el Kundalini esta allí totalmente encerrado, sin dar muestra del más ligero despertar, y si examinamos el canal de Sushumná del estudiante, no hallamos allí ni rastro del Fuego Sagrado. Encontramos que las 33 Cámaras del estudiante están totalmente llenas de tinieblas.

Este examen interno nos llevaría a la conclusión de que dicho estudiante está perdiendo el tiempo lamentablemente.

El estudiante podrá tener un Cuerpo Mental convertido en una verdadera biblioteca ambulante, pero todas las 33 Cámaras de su columna espinal estarán totalmente apagadas y en las profundas tinieblas.

Conclusión: este estudiante es un habitante de las Tinieblas del Abismo...

Los intelectuales están llenos de orgullo, soberbia, y pasión sexual. El Intelecto se basa en la Razón y la Razón es luciférica y demoníaca; hay quienes creen que por medio de ella se puede conocer a Dios. Nosotros decimos que sólo Dios se conoce así mismo.

Es mejor practicar la Meditación Interna, que perder el tiempo razonando; con la Meditación Interna podemos hablar con Dios, el Intimo, el Ser, el Altísimo, así podemos aprender del Maestro Interno, así podemos estudiar la Sabiduría Divina a los pies del Maestro.

El proceso del razonamiento rompe las delicadas membranas del Cuerpo Mental. El pensamiento debe fluir silencioso, sereno e integralmente, sin el batallar de las antítesis, sin el proceso del razonamiento, que divide a la mente entre conceptos opuestos.

Hay que acabar con los razonamientos y despertar la Intuición, sólo así podemos aprender la Verdadera Sabiduría de Dios, sólo así queda la mente en manos del Intimo.

La verdadera función positiva de la Mente es el Arte, la Belleza, el Amor, la Música. El Arte Místico de amar la Arquitectura Divina, de la Pintura, del Canto, de la Escultura, de la Técnica puesta al servicio del hombre, pero sin egoísmos ni maldades, sin odio, etc.

El Intelecto es la función negativa de la Mente, es demoníaca. Todo el que entra en estos estudios, lo primero que quiere dominar es la Mente de los demás. Eso es pura y legítima Magia Negra. Nadie tiene por qué violar el libre albedrío de los demás.

Nadie debe ejercer coacción sobre la Mente ajena, porque eso es Magia Negra. Los culpables de este grave error son todos esos autores equivocados que andan por ahí. Todos esos libros de Hipnotismo, Magnetismo y Sugestión son libros de Magia Negra.

Quien no sabe respetar el libre albedrío de los demás es Mago Negro. Aquellos que hacen trabajos mentales para dominar violentamente la mente ajena, se convierten en Demonios perversos. Estos se separan del Intimo y ruedan al Abismo.

Debemos liberar la Mente de toda clase de preconceptos, deseos, temores, odios, escuelas, etc. Todos esos Defectos son trabas que anclan la Mente a los sentidos externos.

Hay que cambiar el proceso del razonamiento por la cualidad del Discernimiento. El Discernimiento es Percepción Directa de la Verdad, sin el proceso del razonamiento.

El Discernimiento es Comprensión sin necesidad de razonamiento. Debemos cambiar el proceso de razonamiento por la belleza de la Comprensión.

La Mente debe volverse completamente infantil, debe convertirse en un niño lleno de belleza.

Los símbolos de Netzach son : La Lámpara, el Cinto, la Rosa.

CAPITULO 56

HOD

Hod es el Mundo Astral, el Cuerpo Astral. El Astral está gobernado por la Luna, por eso es que las Salidas Astrales se hacen más fáciles con la Creciente y un poco más trabajosas con la Menguante.

El Mundo Astral es realmente el Mundo de la Magia Práctica. En algunas tribus, por ejemplo, de las selvas más profundas en el Amazonas, los Piaches o Sacerdotes Brujos dan a sus gentes un brebaje especial para entrar en el Mundo Astral a voluntad.

Ellos mezclan cenizas del árbol llamado Guarumo con hojas de Coca bien molida, esto lo administran cuando la Luna está en Creciente, entonces se produce el Desdoblamiento, saben muy bien los Piaches que Hod, el Astral, está gobernado por la Luna; pero muchos Kabalistas suponen que está gobernado por Mercurio y se equivocan.

Los mensajes que descienden del Mundo del Espíritu Puro se tornan simbólicos en el Mundo Astral. Esos símbolos se interpretan basándose en la Ley de las Analogías Filosóficas, en la Ley de las Analogías de los Contrarios, en la Ley de las Correspondencias y de la Numerología. Estudiad el Libro de Daniel y los pasajes Bíblicos del Patriarca José hijo de Jacob, para que aprendáis a interpretar vuestras Experiencias Astrales.

El legítimo y auténtico Cuerpo Astral es el Astral Solar. Se le ha llamado Cuerpo Astral al Cuerpo de Deseos que es de naturaleza Lunar.

Todas las criaturas de la Naturaleza son Lunares, poseen un Astral Lunar que es un cuerpo frío, protoplasmático, un remanente bestial del pasado.

Lo que necesitamos es fabricar el auténtico Cuerpo de Hod, el legítimo Astral, un vehículo de naturaleza solar. Hay que fabricarlo en la Novena Esfera, trabajando en la Fragua Encendida de Vulcano.

El Cuerpo Astral Solar es un cuerpo de carne y hueso que no viene de Adán. Es un cuerpo que come, digiere y asimila.

Hay diversos autores de tipo pseudo-esoterista y pseudo-ocultista que caen en el error de confundir el Ego con el Cuerpo Astral.

La moderna literatura metafísica habla mucho sobre proyecciones del Cuerpo Astral, empero debemos tener el valor de reconocer que los aficionados al Ocultismo suelen desdoblarse en el Ego para viajar en las Regiones Sub-Lunares de la Naturaleza a través del tiempo y el espacio.

Con el Astral Solar nos podemos trasladar por la Vía Láctea al Sol Central Sirio. Nos esta prohibido salir más allá de la Vía Láctea porque en las otras Galaxias existen otros tipos de Leyes Cósmicas desconocidas para los habitantes de esta Galaxia.

En Sirio hay un Gran Templo donde reciben una Iniciación los Grandes Maestros de esta Galaxia. Los discípulos del Dios Sirio, son Gnósticos-Rosacruces; la verdadera Rosacruz está en los Mundos Superiores. Dichos discípulos usan en sus capuchones el Santo Grial; también celebran el Drama del Cristo, porque este es un Drama Cósmico.

Nuestros discípulos deben adquirir el poder de Salir en Cuerpo Astral. Ese poder se adquiere vocalizando diariamente por una hora el mantram sagrado "EGIPTO". La vocal "E" hace vibrar la glándula Tiroides y le confiere al hombre el poder del Oído Oculto. La "G" despierta el Chakra del Hígado y cuando este Chakra ha llegado a su pleno desarrollo, entonces el hombre puede entrar y salir del Cuerpo cada vez que quiere. La Vocal "I" combinada con la letra "P" le desarrolla al hombre la Clarividencia y el poder para salir el hombre en Cuerpo Astral por la ventana de Brahama, que es la Glándula Pineal. La letra "T" golpea sobre la vocal "O", íntimamente relacionada con el Chakra del Corazón y así puede el hombre adquirir el poder para desprenderse de este plexo y Salir en Cuerpo Astral.

La pronunciación correcta del mantram es así:

EEEEEEEEEGGGGGGGGGGIIIIIIIIIIIIIIIIIIPTOOOOOOOOOOO.

Aquellos que todavía no hayan podido Salir en Cuerpo Astral con nuestras claves, es porque no tienen ese poder, y entonces deben adquirirlo primero vocalizando durante una hora diaria el mantram "Egipto". Ese mantram desarrolla totalmente los Chakras relacionados con el Desdoblamiento del Cuerpo Astral, y así adquiere el discípulo el poder para el Desdoblamiento Astral, el discípulo podrá entrar y salir del Cuerpo Físico a voluntad. El mantram Egipcio que se usa para Salir en Cuerpo Astral es el siguiente: "FARAON", ese mantram se vocaliza durante aquellos instantes de transición entre la Vigilia y el Sueño, teniendo la Mente puesta en la pirámides de Egipto.

La pronunciación correcta de ese mantram es así:
FAAAAAARRRRRRRRAAAAAAAAAOOOOOOOOONNNNNNNNN.

Este mantram es para Salir en Cuerpo Astral, y como ya dijimos, se pronuncia durante los estados de transición entre la Vigilia y el Sueño concentrando la Mente en las pirámides de Egipto; pero los discípulos que no tienen el poder de Salir en Cuerpo Astral deben adquirirlo primero, vocalizando durante una hora diaria como ya dijimos, el mantram "Egipto".

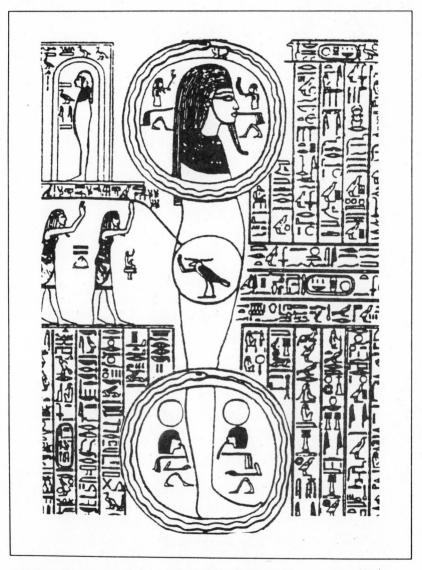

"Los mensajes que descienden del Mundo del Espíritu Puro se tornan simbólicos en el Mundo Astral. Hay que interpretarlos basándose en la Ley de las analogías filosóficas".

CAPITULO 57

JESOD

"No entrará en la congregación de Jehová el que tenga magullados los Testículos, o amputado su miembro viril".

Deuteronomio 23: 1.

"Y cuando un hombre yaciere con una mujer y tuviere emisión de semen, ambos se lavarán con agua y serán inmundos hasta la noche".

Levítico 15: 18.

"Así apartaréis de sus impurezas (fornicación) a los hijos de Israel, a fin de que no mueran por sus impurezas (derramar el Semen) por haber contaminado mi Tabernáculo (Organos Sexuales) que está entre ellos".

Levítico 15: 31.

Jesod es el Cuerpo Vital o Etérico, Jesod es el Fundamento del Tercer Logos, centro donde gravita la Fuerza Sexual del Tercer Logos. Las Fuerzas Sexuales, el fondo vivo dentro de nuestra fisiología gravita en Jesod, ahí está el Espíritu Santo.

Conviene aclarar, que si consideramos a Jesod como Fundamento, es claro que se encuentra en los Organos Sexuales. El Cuerpo Vital, o sea el asiento de las actividades biológicas, físicas, químicas, ya es otra cosa que en alguna forma está influenciado por Jesod, pero en todo caso, Jesod son los Organos Sexuales.

Los Perfumes y las Sandalias son el símbolo de Jesod.

El Secreto de todos los Secretos está en la Misteriosa Piedra Shema Hamphoraseh de los Hebreos. Esa es la Piedra Filosofal de los Alquimistas. Ese es el Sexo. Esa es la Magia Sexual, el Amor, ¡Bendito sea el Amor! La Biblia nos cuenta que cuando Jacob despertó de su sueño, consagró la "Piedra", la ungió con aceite y la bendijo. Realmente desde ese momento Jacob comenzó a practicar Magia Sexual; más tarde encarnó a su Maestro Interno, su Real ser, Jacob es el Angel Israel.

Los Sabios Antiguos adoraban al Sol bajo la simbólica forma de una Piedra Negra. Esa es la "Piedra Heliogábala". La Piedra Filosofal es el fundamento de la Ciencia, de la Filosofía y de la Religión.

La Piedra Filosofal es cuadrada como la Jerusalém Celestial de San Juan. Sobre una de sus faces está el nombre de Adam, sobre la otra el de Eva, y después los de Azoe e Inri sobre los otros dos lados.

La Piedra Filosofal es muy Sagrada. Los Maestros son Hijos de las Piedras.

Los Misterios del Sexo encierran la clave de todo poder. Todo lo que viene a la vida es hijo del Sexo. Jesús le dice a Pedro: *"Tú eres Pedro, tú eres piedra, y sobre esa piedra edificaré mi Iglesia y las puertas del Infierno no prevalecerán contra ella"*. (Mateo 16: 18).

Nadie puede encarnar al Cristo Interno sin haber edificado el Templo sobre la Piedra Viva (el Sexo).

Debemos levantar las 7 Columnas del Templo de la Sabiduría. En cada una de las 7 Columnas del Templo está escrito en caracteres de Fuego la palabra INRI (Ignes Natura Renovatur Integer).

"Y Jesús envío a Pedro (cuyo Evangelio es el Sexo) *y a Juan* (cuyo Evangelio es el Verbo) *diciendo: Id, preparadnos la Pascua para que la comamos"*. (Lucas 22: 7)

El nombre secreto de Pedro es PATAR, con sus tres consonantes que en Alto Esoterismo son radicales: P. T. R.

La "P" viene a recordarnos al Padre que está en secreto, al Anciano de los Días de la Kábala Hebraica, a los Padres de los Dioses, a nuestros Padres o Phitaras.

La "T" o TAU es la Letra-Cruz famosa en la Sexo-Yoga, es el Hermafrodita Divino, el Hombre y la Mujer unidos sexualmente durante el acto.

La "R" es la letra vital en el INRI, es el Fuego Sagrado y terriblemente Divino, el RA Egipcio.

Pedro el discípulo de Jesús el Cristo, es el Aladino, el Intérprete Maravilloso, autorizado para alzar la Piedra que cierra el Santuario de los Grandes Misterios.

Es imposible correr la Piedra, levantarla, si antes no le hemos dado forma "Cúbica" a base de "cincel y martillo".

Pedro, Patar, el Iluminador, es el Maestro de la Magia Sexual, el Maestro bondadoso que nos aguarda siempre a la entrada del terrible Camino.

Pedro muere crucificado en una cruz invertida con la cabeza hacia abajo y los pies hacia arriba como invitándonos a bajar a la 9ª Esfera para trabajar con el Agua y el Fuego, origen de Mundos, Bestias, Hombres y Dioses; toda auténtica Iniciación Blanca comienza por allí.

La Doctrina de Pedro es la Doctrina del Sexo, la Ciencia del Maithuna entre los Orientales, la Magia Sexual, la Piedra Viva, la Peña, la Roca es el Sexo sobre el cual debemos levantar el Templo Interior para el Cristo Intimo, Nuestro Señor.

Dijo Pedro: *"He aquí pongo en Sión la principal Piedra del ángulo, escogida, preciosa. Y el que creyere en ella, no será avergonzado".*

"Para vosotros, pues, los que creéis, él es precioso, para los que no creen, la Piedra que los edificadores desecharon, ha venido a ser la cabeza del ángulo; Piedra de tropiezo y roca de escándalo". (1ª Pedro 2: 6-8).

Jesús el Cristo dijo: *"A todo el que me oye y cumple lo que digo, le compararé a un hombre prudente, que edificó su casa sobre la Roca"* (el Sexo). *"Y cayó lluvia, y vinieron riadas y vientos, y la casa no cedió, porque estaba cimentada sobre Piedra".* (el Sexo).

"Y al que me oye y no me cumple, lo compararé a un hombre necio que edificó su casa sobre la arena" (teorías de todo tipo, practicas de toda especie, con exclusión total del Maithuna o Magia Sexual).

"Y vinieron lluvias y vientos, y riadas y la casa cedió, con gran ruina" (cayendo al Abismo). (Mateo 7: 24-27)

En el mundo, millones de personas edifican sobre la arena y odian la Magia Sexual, no quieren edificar sobre la Roca, sobre la Piedra, edifican sobre la arena de sus teorías, escuelas, etc., y creen que van muy bien, esas pobres gentes son equivocadas sinceras y de muy buenas intenciones pero caerán al Abismo.

Sin la Doctrina de Pedro resulta imposible el Nacimiento Segundo. Nosotros los Gnósticos estudiamos la Doctrina de Pedro.

Los infrasexuales y los degenerados, odian mortalmente la Doctrina de Pedro.

Muchos son los equivocados sinceros que creen que pueden Auto-Realizarse excluyendo al Sexo.

Muchos son los que hablan contra el sexo, los que insultan al Sexo, los que escupen su baba difamatoria en el Santuario Sagrado del Tercer Logos.

Esos que odian el Sexo, esos que dicen que el Sexo es grosero, inmundo, animal, bestial, son los insultadores, los que blasfeman contra el Espíritu Santo.

"Huíd de la Fornicación .(derramar el Semen) *Cualquier otro pecado que el Hombre cometa, está fuera del cuerpo; mas el que fornica contra su propio cuerpo peca".* (I Corintios 6: 18).

"Todo pecado y blasfemia será perdonado a los hombres; mas la blasfemia contra el Espíritu Santo no les será perdonada..., ni en este siglo ni en el venidero". (Mateo 12: 31-32; Marcos 3: 28-29).

"Porque si pecamos voluntariamente después de haber recibido la

Verdad, ya no queda más sacrificio por los pecados".(Hebreos 10: 26-31).

Quien se pronuncia contra la Magia Sexual, quien escupe su infamia en el Santuario del Tercer Logos, jamás podrá llegar al Nacimiento Segundo.

En el Mundo Occidental existen muchas gentes que odian mortalmente la Magia Sexual, esas personas justifican su odio absurdo con muchos pretextos. Dicen *"que el Maithuna "dizque" es sólo para los Orientales y que nosotros los Occidentales no estamos preparados".* Afirman tales gentes que con esta enseñanza de Sexo Yoga lo único que puede resultar es una cosecha de Magos Negros.

Lo interesante de todo esto es que tales personas de tipo reaccionario, conservador, regresivo y retardatario, no dicen una sola palabra contra la Fornicación, contra el Adulterio, contra la Prostitución, contra el Homosexualismo, Masturbación, etc., etc. Todo esto les parece de lo más normal y no tienen inconveniente alguno en malgastar miserablemente la Energía Sexual.

El Sexo en sí mismo debiera ser la Función Creadora más elevada, desgraciadamente reina soberana la ignorancia y la Humanidad dista mucho de comprender los Grandes Misterios del Sexo.

Si estudiamos el Libro de los Cielos, el Zodíaco Maravilloso, podemos comprender que la Nueva Era Acuaria está gobernada por el Signo Zodiacal de Acuarius, el Aguador.

El símbolo de Acuarius es una mujer con dos cántaros llenos de agua, tratando de mezclar inteligentemente las Aguas de los dos cántaros. (Ver Arcano 14).

Este símbolo viene a recordarnos la Alquimia Sexual. Si en Piscis el hombre sólo fue esclavo del Instinto Sexual simbolizado por los dos peces entre las Aguas de la Vida, en Acuarius, el hombre debe aprender a Transmutar Fuerzas Sexuales.

Acuarius está gobernado por Urano (UR = Fuego; ANAS = Agua), el planeta que gobierna las Funciones Sexuales. Resulta incongruente y absurdo que algunos individuos aislados y ciertas escuelas de tipo pseudo-esotérico rechacen el Maithuna y sin embargo, tengan la pretención de estar dizque iniciando la Nueva Era.

Urano es Sexual ciento por ciento y en la Nueva Era, gobernada por este planeta, el ser humano debe conocer a fondo los Misterios del Sexo.

Existen multitud de Escuelas de Magia Negra, muchas de ellas con muy venerables tradiciones que enseñan "Magia Sexual con derrame del Semen". Tienen bellísimas teorías que atraen y cautivan y si el estudiante cae en ese seductor y delicioso engaño se convierte en Mago

Negro. Esas Escuelas Negras afirman a los cuatro vientos que son "Blancas" y por eso es que los ingenuos caen. Además esas Escuelas hablan bellezas del Amor, Caridad, Sabiduría, etc., etc. Naturalmente en semejantes circunstancias el discípulo ingenuo llega a creer con firmeza que dichas instituciones nada tienen de malo y perverso. Recordad buen discípulo que el Abismo está lleno de equivocados sinceros y de gente de muy buenas intenciones.

Rechazar el Maithuna, significa de hecho pronunciarse contra el Signo de Acuarius gobernado por Urano Rey del Sexo.

Los ignorantes fornicarios del Pseudo-Ocultismo Reaccionario desconocen totalmente la Doctrina Secreta del Salvador del Mundo, el Esoterismo Cristiano.

La reacción pseudo-esotérica y pseudo-ocultista ignora que los primitivos Grupos Gnósticos Cristianos practicaban el Maithuna. La Magia Sexual se enseñó siempre en todas las Antiguas Escuelas de Misterios Occidentales; El Maithuna se conoció entre los Misterios de los Templarios, entre los Misterios de los Aztecas, Mayas, Incas, Chibchas, Zapotecas, Araucanos, Toltecas, Misterios de Eleusis, Misterios de Roma, Mitra, Cartago, Tiro, Misterios Celtas, Fenicios, Egipcios, Druidas y en todos los Grupos Cristianos Primitivos tales como el Grupo de los Esenios que tenían su convento a orillas del Mar Muerto y uno de cuyos miembros más exaltados fue Jesús, el Divino Rabí de Galilea.

El Maithuna, la Magia Sexual es Universal, se conoce en los Misterios del Norte y del Sur, del Este y del Oeste del mundo, pero la rechazan violentamente los pseudo-ocultistas reaccionarios, fornicarios y regresivos.

La Piedra Fundamental de las auténticas y legítimas Escuelas de Misterio, es el Maithuna, el Arcano A. Z. F. o Magia Sexual.

CAPITULO 58

MALCHUTH

Malchuth es el Cuerpo Físico, el Mundo Físico. Es muy importante recordar que el Cuerpo Vital, no es más que la sección superior del Cuerpo Físico. Quienes no aceptan este concepto piensan que el Físico es un cuerpo aparte y el Vital otro muy distinto, y traza un orden un poco equivocado.

Malchuth es el reino, el Regente es CHAM-GAM, el Genio de la Tierra.

Todo planeta da 7 Razas, nuestra Tierra ya dio 5, faltan 2. Después de las 7 Razas, nuestra Tierra transformada por grandes cataclismos se convertirá a través de millones de años en una nueva Luna. Toda la vida involucionante y evolucionante de la Tierra vino de la Luna. Cuando la Gran Vida abandonó a la Luna, ésta murió, se convirtió en un desierto.

En la Luna existieron 7 Grandes Razas. El Alma Lunar, la Vida Lunar, está ahora involucionando y evolucionando en nuestra Tierra actual. Así es como se reencarnan los Mundos.

Los Dioses de la Naturaleza han trabajado muchísimo para crear seres auto-conscientes. Los Dioses han tenido que hacer difíciles experimentos en el laboratorio de la Naturaleza. De esos tubos de ensayo del Gran Laboratorio salieron diversas formas de animales, algunas con el propósito de elaborar material para la creación del Hombre, otras como desecho de seres semi-humanos, y otros como verdaderos fracasos humanos.

Realmente todas las especies vivientes con excepción de algunas pocas, son desechos vivientes del Reino Humano. Todos los Animales de este Reino de Malchuth caracterizan algún aspecto del Hombre. Todos los animales son verdaderas caricaturas del ser humano.

Empero, es bueno saber que la lucha de los Dioses por crear al hombre, no ha terminado. Todavía el ser humano o llamado humano, tiene que desechar mucho que estará en los jardines zoológicos del futuro.

Debemos saber que lo Real es el Ser, el Intimo, el Espíritu. Empero, además existe en nosotros un factor de discordia; este es el Yo, el Ego, el Mí Mismo.

Resulta interesante comprender que el Yo es Pluralizado. El Yo está constituido por muchos Yoes que riñen entre sí, y que se pelean por el control de la Personalidad Humana. Estos Yoes son "3", son "7", y "Legión".

Los "3" básicos son: El Demonio del Deseo, el Demonio de la Mente y el Demonio de la Mala Voluntad.

Los "7" son los 7 Pecados Capitales: Ira, Codicia, Lujuria, Gula, Envidia, Orgullo y Pereza.

La "Legión" esta constituida por todos los millares de: Pecados Secundarios.

Los "3" y los "7" y la "Legión" son pequeños Yoes, Elementarios Animales creados por la Mente. Estos Elementarios Animales son los enemigos que viven dentro de nuestra propia casa. Estos Elementarios Animales viven dentro del reino de nuestra Alma, se nutren con las substancias inferiores de nuestros Bajos Fondos Animales.

Lo más grave es que estos Elementarios Animales, se han robado parte de nuestra Conciencia. esto lo demuestran las siguientes afirmaciones: Yo tengo Ira, Yo Codicio, Yo Deseo, Yo siento Envidia, etc.

El Ser Verdadero es el Espíritu y este todavía no ha entrado en el hombre porque el Yo tiene invadido el Reino del Alma. Realmente ni el Alma, ni el Espíritu se han encarnado en el hombre. El hombre, el llamado "Hombre", todavía es una posibilidad.

Todavía el Hombre Verdadero está en proceso de creación. Muchos ejemplares de las actuales razas humanas estarán en los jardines zoológicos del futuro. Mucho que tenemos de animal dentro de nosotros debe ser descartado a fin de alcanzar propiamente el Estado Humano.

Cuando acabamos con todos nuestros pecados, el Yo se disuelve. Cuando el Yo se disuelve, encarna el Alma y el Espíritu en el hombre, entonces realmente somos Hombres en el sentido más completo de la palabra.

Cuando llega la muerte, lo único que continúa es el Yo, la Legión del Yo. El Ego o Yo retorna para satisfacer deseos. La muerte es el regreso a la concepción, está es la Rueda del Arcano 10.

El Hombre Verdadero, aquel que tiene encarnada su Alma y su Espíritu, después de la Muerte, en su Cuerpo Astral vive completamente despierto, goza en los Mundos Internos de la Conciencia y de la Percepción Objetiva.

El Fantasma de aquellos que todavía no han disuelto el Yo, ni han encarnado el Alma y el Espíritu, vive en los Mundos Internos con la Conciencia Dormida, Tiene Conciencia y Percepción únicamente Subjetiva.

El Mundo Físico es el Valle de Amarguras, el reino de Malchuth, el reino del Samsara. La Rueda del Samsara gira incesantemente y el Ego va y viene, desencarna y retorna siempre sufriendo, siempre buscando sin hallar. El Arcano 10, la Rueda de la Retribución es terrible, y todo el mundo es esclavo de esta Rueda Fatal de los Siglos.

Quien quiera liberarse de la Rueda Fatal del Samsara, tiene que disolver el Yo y encarnar su Alma.

Esta labor es dificilísima y son muy raros aquellos que lo logran. Realmente el Reino de Malchuth es un filtro terrible. El desecho del filtro es lo común y corriente y ésto se lo traga el Abismo. El Oro, lo selecto, el Hombre Verdadero, el Angel es la concepción, y la lucha es realmente terrible.

La Naturaleza es implacable y el nacimiento de un Angel-Hombre cuesta millares o mejor dijéramos, millones de víctimas: *"Muchos son los llamados y pocos los escogidos"*.

Cristo dijo: *"De mil que me buscan, uno me encuentra; de mil que me encuentran, uno me sigue; de mil que me siguen, uno es mío"*.

Krishna dijo: *"Entre miles de hombres quizá uno se esfuerce por alcanzar la Perfección y entre miles que se esfuercen quizá uno me conoce de verdad"*.

Esta es la tragedia del Arcano 10 de la Kábala.

Símbolos del Sephirote Malchuth son : Los Dos Altares, La Cruz de brazos iguales, el Círculo Mágico, el Triángulo del Arte Mágico. Malchuth se relaciona con los pies y el ano.

CAPITULO 59

LOS KLIPHOS

"Antes de haber sido Angel se ha sido Demonio; para subir hay que bajar, esa es la Ley".

Samael Aun Weor

Ya se había dicho que los Sephirotes realmente son 12: El Ain Soph Aur es el 11avo., el Ain Soph es el 12 avo., y su antítesis su sombra fatal es el Abismo, los Kliphos de la Kábala. El Ain Soph es el Sephirote 12. Más abajo de Malchuth, el Mundo Físico, están los Kliphos que son los Mundos Infiernos.

La palabra"Infierno" deviene del latín "infernus" que significa Región Inferior. Dentro de todo planeta existe el Reino Mineral Sumergido con sus propios Infiernos Atómicos. Estos últimos siempre se hallan ubicados dentro del interior de cualquier masa planetaria y en las Infradimensiones de la Naturaleza, bajo la Zona Tridimensional de Euclides.

Realmente el Abismo es el Avitchi de los Indostanes, el Infierno de hielo de los Nórdicos, el Infierno Chino con todos sus suplicios amarillos, el Infierno Buddhista, el Infierno Mahometano, el Amenti Egipcio, el tenebroso Tártarus, el Averno, etc. Estos variados infiernos tradicionales alegorizan en forma enfática al Reino Mineral Sumergido.

Todos hemos oído hablar del Espiritismo, de los aquelarres de los zánganos y las brujas. Algunos miran eso como algo extraño, otro como cuentos de reír un poco, pero la cruda realidad es que los aquelarres medievales y las famosas brujas de la media noche tienen más realismo del que nosotros pensamos. Obviamente esas "calchonas" como se les dice en lenguaje rigurosamente académico e hispánico, pertenecen al Mundo de los Kliphos.

María de la Antilla, tan nombrada en antiguos conventos medievales fue exactamente su gobernadora, tales brujos de antiguos aquelarres la denominaban "Santa María". Cuando investigaba en el Mundo de los Kliphos sobre esa extraña criatura, cómo compartía su vida con tantos Magos Negros, cómo podría meterse entre tantos aquelarres, sin embargo, jamás le vi eso que podríamos llamar perversidad. Los Tenebrosos de la Mano Izquierda, las Criaturas Sub-Lunares, le rendían culto y consideraban a esa Maga no como algo tenebroso, sino como una Santa. Yo quise saber qué había de verdad en eso, la presunta santidad de una criatura que se mezclaba con las Tinieblas, que figuraba en tantos aquelarres y monasterios de la Edad Media. ¿Quién de los que se hayan ocupado de estudiar los viejos sucesos de la Alta y Baja Magia del Medioevo no han oído hablar alguna vez de María de la Antilla?... ¡hay tantos secretos escondidos entre el polvo de muchas bibliotecas!...

Yo tenía que aclarar, ¡claro que lo supe! Y aclaré cuando precisamente en el Mundo de Tiphereth, invoqué pues, a esa entidad. Fui oído y para mi asombro me encontré con un Maestro Auto-Realizado. Entonces comprendí que había emanado de sí mismo a su Bodhisattva y éste se educaba en el ejercicio de la Magia, en el Triángulo Mágico o Tercer Triángulo. Pasando por entrenamientos rigurosos, iniciando con los Kliphos, pero sin hacer mal a nadie.

Después de eso me puse en contacto con su Bodhisattva, con María de la Antilla y cuando la invite a visitar el Mundo del Nirvana, con agrado aceptó mi invitación. Al fusionarse con su Real Ser, el Maestro Secreto, entonces vi que se trataba de una criatura que ha logrado la Perfección de la Alta Magia y que si bien vivía en el Mundo de los Kliphos era para educarse o entrenarse psicológicamente, ejerciendo tremendos poderes sin hacer mal.

Cuando uno observa esa criatura le agrada su Real Ser, se de cuenta de que es un Mago Blanco extraordinario porque conoce a fondo los Reinos de la Luz, el Mundo de Malchuth, y el Mundo de los Kliphos.

El Tercer Triángulo es el de la Magia Práctica y este es un trabajo que deben entender porque hay que dejar atrás los prejuicios para poder trabajar en el Mundo de los Kliphos.

Los Sephirotes adversos, son los Kliphos, ahí están los Demonios, las Almas en pena, los que sufren, aquellos que ya agotaron su ciclo de existencias y que involucionan en el tiempo, los Angeles caídos, los Tenebrosos del Sendero Lunar, la Logia Negra y todos los Adeptos de la Mano Izquierda, los secuaces de Lucifer y Arimán, los seguidores de los Dugpas, los enemigos del Cuarto Sendero, los Nicolaitas y los Tántricos Anagaricas.

En el Reino de los Kliphos viven indudablemente también aquellos que se desarrollan en la Alta Magia. Los Kliphos son los Sephirotes a la inversa, los Sephirotes en su aspecto negativo, las Virtudes a la inversa. Por ejemplo las cualidades de Geburah son el Rigor, la Ley, a la inversa es la tiranía, la dictadura.

Una prostituta, muchas veces se entrega a los machos por caridad, allí hay el Principio del Sephirote a la inversa. La Caridad de un Chesed, a la inversa, puede ser la complacencia con el delito.

En el Organo Kundartiguador están los Kliphos de la Kábala, dentro de Malchuth el Mundo Físico, dentro del interior de la Tierra.

CAPITULO 60

DAATH, CONOCIMIENTO TANTRICO

Algunos kabalistas enfatizan la idea de que Binah, el Espíritu Santo, es femenino, tal afirmación resulta equivocada. Con entera claridad se ha dicho en la Divina Comedia que el Espíritu Santo es el esposo de la Madre Divina. Así pues el Espíritu Santo se desdobla a su vez en su esposa, en la Shakti de los Indostanes.

Esto hay que saberlo entender. Muchos al ver que el Tercer Logos se desdobla en la Madre Divina Kundalini o Shakti, la cual tiene muchos nombres, han creído que el Espíritu Santo es femenino y se han equivocado. El es masculino, pero al desdoblarse en Ella, se forma la Primera Pareja Divinal, inefable, el Elohim Creador, el Kabir o Gran Sacerdote, el Ruach Elohim que según Moisés lavaba las Aguas en el Principio del Mundo.

Los Kabalistas Hebreos nos hablan del Misterioso Daath que aparece en el Arbol de la Vida, al cual nunca se le asigna ni nombre Divino ni Hueste Angélica de ninguna especie y que tampoco tiene signo mundano, planeta o elemento.

Daath, el Sephirote del Misterio Hebreo se produce por la conjunción esotérica de Shiva-Shakti, Osiris-Isis, que están perpetuamente unidos en Jesod, el Fundamento (el Noveno Sephirote, la Novena Esfera, el Sexo), pero ocultos por el Misterio de Daath que tiene el Conocimiento Tántrico, el cual se procesa con el Sahaja Maithuna o Magia Sexual, que debidamente utilizado permite la Auto-Realización Intima del Ser.

Es necesario que todos reflexionemos profundamente, que comprendamos todo esto a fondo. El y Ella están unidos en la Piedra Cúbica de Jesod que es el Sexo. De la unión de El y Ella resulta el Conocimiento Tántrico Perfecto, con el cual podemos nosotros Auto-Realizarnos internamente en todos los Niveles del Ser.

Algunos autores kabalistas suponen que Daath, el Sephirote que da Conocimiento o Sapiencia, deviene de la fusión de Chokmah el Cristo Cósmico (masculino) con Binah, suponiendo a éste exclusivamente femenino. Tal aseveración es absolutamente falsa, porque realmente el Espíritu Santo es masculino, sólo que al desdoblarse en la Madre Divina se forma la Pareja Perfecta.

En la Piedra Cúbica de Jesod, en la Novena Esfera deviene el Conocimiento Tántrico, la Iniciación Tantra. Mediante los Tantras es posible el desarrollo de la Serpiente por la Espina Dorsal.

En estos estudios de Kábala necesitamos ser prácticos, existen autores que escriben maravillas, pero cuando uno los ve se da cuenta que no han vivido lo que escriben, no lo han experimentado en sí mismos y por eso se equivocan. Yo conceptúo que uno debe escribir lo que directamente ha experimentado por sí mismo, así he procedido por mi parte.

La Piedra Cúbica de Jesod situada en los Organos Creadores es ciertamente aquella Alma Metálica que resulta de las transmutaciones sexuales, podríamos denominarla el Mercurio de la Filosofia Secreta o hablando en lenguaje más sencillo, Energía Creadora.Ella en sí misma está alegorizada o simbolizada en el Diablo; cuando decimos que hay que trabajar con el Diablo es para transformarlo en Lucifer, el Hacedor de Luz.

Nos estamos refiriendo claramente al trabajo en la Gran Obra; resulta interesante que sea allí, precisamente en la Piedra Cúbica de Jesod donde Shiva-Shakti, Osiris e Isis se unen sexualmente y es precisamente allí donde está el Conocimiento Tántrico, sin el cual no es posible llegar a la Auto-Realización Intima del Ser.

En el Tíbet Oriental los monjes son radicales, motivo por el cual H.P. Blavatsky pensaba que eran Magos Negros. Todos nosotros hemos repetido aquella equivocación y nos vemos en la necesidad de rectificar.

No digo que los Dugpas sean unos santos, unas mansas ovejas, ellos son Magos Negros porque enseñan Tantrismo Negro; pero los Bons aunque usen capacete rojo no son Negros, como equivocadamente suposo Blavatsky. Claro está que si alguien, en los Bons, no quiere la Auto-Realización sino liberarse por un tiempo para volver por ejemplo en la Sexta Raza Raíz, o bien no desea jamás Auto-Realizarse, sino emanciparse sin Auto-Realización, pues lo consigue.

Primero que todo se lleva al Neófito a un lugar apartado y se invocaban a todos aquellos Elementos Inhumanos que posee.Esto se lo hace por procedimientos de Alta Magia, y en lo apartado de la montaña, aquellos se hacen visibles y tangibles, intentan devorar al Neófito, mas si éste permanece sereno, no hay más que hacer, ha salido triunfante. Tiene entonces que eliminar el Ego, reducirlo a cenizas y trabajar para sí.

La prueba y el máximo de todos sus esfuerzos en el Mundo Físico, consiste en unos mantrams de desencarnación, que son dos palabras. Resulta espeluznante ver el Sacerdote Bons vestido con su delantal blanco lleno de cráneos, de huesos de muerto y en la cabeza el turbante rojo, llevando en su diestra un puñal.

En el momento en que el Neófito pronuncia sus dos mantrams de la fatalidad, su cuerpo cae muerto instantáneamente y es sometido a grandes Ordalías en los Mundos Internos. Tiene que enfrentarse a los temores de la Muerte, tiene que soportar el Huracán del Karma, tiene que salir victorioso en lo que el Padre-Madre le pone. El fin es poder entrar o mejor dijéramos, renacer en forma sobrehumana en cualquiera de los Reinos de los Devas, ya en los de Gran Concentración o en el de los Cabellos Largos, en el de Maitreya o en el de la Suprema Felicidad, etc. Y es en esa región donde va acabar de prepararse para la Liberación.

La Madre Divina le asíste eliminando sus Elementos Inhumanos y al fin consigue sumergirse en el seno de la Gran Realidad, no como un Maestro Auto-Realizado, sino como un Buddha Elemental. Se sumerge en ese estado hasta la Sexta Raza Raíz con el propósito de ahí Auto-Realizarse; o puede quedar para siempre convertido en Elemental Búddhico y nada más, pero feliz.

Los que intentan liberarse, los que realmente quieren Auto-Realizarse, los que de verdad quieren convertirse en Mahatmas o Hierofantes tendrán que someterse a la Disciplina Tántrica y trabajar en la Novena Esfera. Se les enseñará todo el Tantrismo, cómo despertar la Serpiente y como levantarla por la Espina Dorsal, cómo abrir los Chakras, etc.

Así pues, lo que sucede es que los Bons son radicales, o se van por el Ser, o no se van por el Ser. Se van en aras de la Auto-Realización o pretenden quedarse sin Auto-Realización, tienen que definirse o no. Allí todo es violento, motivo por el cual H.P. Blavatsky los juzgó considerándolos Magos Negros. Pero cuando uno estudia el Tantrismo de los Bons, se da cuenta que es Blanco, no Negro sino Blanco. Transmutan el Esperma en Energía para conseguir la Auto-Realización a fondo.

Jesod es Lunar y esto no lo podemos negar. En el Esoterismo Gnóstico aparece una mujer, una Virgen Inefable, Divina, vestida con túnica azul y parada sobre una luna. Esto hay que saber entenderlo, esa Luna representa al Sephirote Jesod, ello significa la Fuerza Sexual y en cuanto a la túnica de color azul representa a la Noche, en que se desarrollan los grandes Misterios de la Vida y de la Muerte. Solamente en la noche se trabaja con la Energía Creadora del Tercer Logos. El Trabajo en el Laboratorium del Espíritu Santo debe hacerse en horas nocturnas.

El Sahaja Maithuna sólo debe practicarse en las tinieblas de la noche, por que el día, el Sol es opuesto a la generación.

Si uno hecha una gallina con sus huevos a la luz del Sol para que los empolle, pues aquellos no logran ser empollados y si sale algún poluelo, morirá, porque el Sol es enemigo de la generación.

Quien busca la Luz debe pedirsela al Logos que está detrás del Sol que nos ilumina, en la Noche Profunda.

La Cruda realidad es que por disposición de los Organos Sexuales la procreación se verifica en las tinieblas. Porque cuando el zoospermo sale de la Glándulas Sexuales no sale iluminado por la luz del Sol sino en tinieblas; y en tinieblas se abre paso por la trompa de falopio para encontrase con el óvulo que desciende de los ovarios y dentro de las tinieblas de la matriz es la gestación.

Pero si ese zoospermo en vez de salir protegido desde las Glándulas Sexuales por las tinieblas, saliera a la luz del Sol, y el feto no estuviera en tinieblas y se encontrara destapado en el vientre de la mujer para que el Sol le diera directamente, es obvio que el fracaso sería un hecho.

De manera que por disposición de los mismos órganos de nuestra naturaleza, la fecundación se realiza siempre en tinieblas. Así también se debe trabajar entre la Oscuridad del Silencio y el Secreto Augusto de los Sabios, para poder un día llegar a la Auto-Realización Intima del Ser. Eso es lo que nos indica aquella Virgen de la Inmaculada Concepción. parada sobre la Luna y vestida con túnica azul: El·trabajo del Maithuna en las tinieblas de la noche.

Debemos de advertir que nunca se debe practicar dos veces seguidas en una misma noche. Sólo está permitido una vez diaria. Existe "violencia contra natura", cuando se practica Magia Sexual dos veces seguidas, violando las leyes de la Pausa Magnética Creadora.

Es también urgente saber, que jamás se debe obligar a la cónyuge a practicar el Maithuna cuando está enferma o cuando tiene la menstruación, o en estado de embarazo porque es un delito de violencia contra natura.

La mujer que ha dado a luz una criatura sólo puede practicar el Maithuna después de 40 días del parto.

Existe también el delito de violencia contra natura cuando el hombre o la mujer obligan a su pareja a efectuar la cópula no encontrándose el organismo del esposo o la esposa en condiciones aptas para ello.

Existe tal delito cuando con el pretexto de practicar Magia Sexual, o aun con las mejores intenciones de Auto-Realizarse, se auto-obligan el hombre o la mujer a realizar la cópula, no hallándose los Organos Creadores en el momento amoroso preciso y en condiciones armoniosas favorables, indispensables para la cópula.

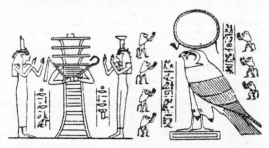

CAPITULO 61

LA INICIACION DE TIPHERETH

"Porque así como Jonás estuvo en el
vientre del gran pez tres días y tres
noches, así el Hijo del Hombre estará
en el Corazón de la Tierra tres días y
tres noches".

(Mateo 12: 40).

Con Tiphereth suceden acontecimientos extraordinarios, cualquier Iniciado puede recibir la Iniciación de Malchuth, la de Jesod, la de Hod, la de Netzach y por último la quinta para convertirse en Maestro, que es la de Tiphereth. Pero alguien puede recibir la Quinta Iniciación del Alma Humana y convertirse por tal razón en un Maestro, y sin embargo no alcanzar la Iniciación de Tiphereth.

La Iniciación de Tiphereth viene propiamente después de la Quinta Iniciación de Fuego. No siempre el que recibe la Quinta Iniciación, tiene la dicha de alcanzar la Iniciación de Tiphereth, esa es una Iniciación muy secreta. La recibe el que agarra la Vía Directa.

En el Segundo Triángulo del Arbol de la Vida, el Cristo Cósmico tiene como centro de gravedad a Tiphereth, ahí viene a manifestarse.

Hay cosas que merecen ser reflexionadas, analizadas, comprendidas. Para que el Segundo Logos, Vishnú o Cristo Cósmico pueda salvar a un hombre, tiene que convertirse en el Jesús-Cristo Particular Intimo.

El Cristo en sí mismo es una Fuerza Cósmica; sólo que de alguna forma se humanice esa Fuerza puede salvar a un hombre.

La Ley del Logos Solar, el Cristo Cósmico, es Sacrificio por la Humanidad. El se sacrifica desde el amanecer de la vida crucificándose en todos los mundos en todo nuevo planeta que surge a la existencia, para que todos los seres tengan vida y la tengan en abundancia.

Sólo después de haber pasado por las Cinco Iniciaciones de Misterios Mayores y como una gracia muy especial, previo Sacrificio por la Humanidad, puede reencarnarse el Cristo en nosotros. Para comprender cómo esa Fuerza Cósmica se humaniza en nosotros, hay que aprender a manejar las Trimurtis.

Hay hermanos que les cuesta mucho trabajo entender esto de las Trimurtis; están acostumbrados a pensar por ejemplo en el Primer Logos, Segundo Logos y Tercer Logos, o sea, Padre, Hijo y Espíritu Santo. Pero luego viene una Segunda Trimurti en donde hablamos nosotros de Osiris, Isis y Horus; entonces ahí se confunden. Esto es porque realmente la conversión de una Trimurti en otra Trimurti, no se puede hacer a base de puro racionalismo, hay un factor en esta conversión de Trimurtis, que es completamente Espiritual, porque sólo intuitivamente se puede aprehender, capturar, asir.

Kether-Padre, Chokmah-Hijo y Binah-Espíritu Santo son tres personas distintas y un solo Dios verdadero, así lo enseña la Teología. Esas Tres Personas, aunque triunos, en el fondo son sólo Uno Individual, que es el Padre.

Dentro del Padre está el Hijo y está el Espíritu Santo. Así como dentro del Hombre Verdadero está el Cuerpo , está el Alma y está el Espíritu Santo, así dentro del Viejo de los Siglos, está pues también, el Hijo y el Espíritu Santo que forman Uno solo, Integro, Unitotal. En el Antiguo Egipto a ese Unico, Unitotal se le llamaba Osiris. (Ver Capítulo 7).

Osiris puede desdoblarse y se desdobla en Isis. Eva siempre sale de la costilla de Adán, tanto abajo como arriba, no tiene nada de raro pues que de Osiris el Adám-Solar, salga la Eva-Solar, la Urania-Venus, la Esposa de El. Del Uno siempre sale el Dos, así es como el Padre que está en secreto tiene su esposa que es la Divina Madre Kundalini. Osiris siempre tiene por esposa a Isis.

De la perfecta unión de ellos dos (Osiris e Isis) nace el niño Horus (Aurus). Ella y El se aman y como resultado de su amor ella concibe por obra y gracia del Espíritu Santo, es decir, por obra y gracia de su esposo, el Tercer Logos, desciende el Cristo o Segundo Logos a su vientre virginal e imaculado.

Pero téngase en cuenta que aunque ella sea la esposa del Tercer Logos, dentro del Tercer Logos está el Segundo Logos y está el Primer Logos también, porque al fin y al cabo el Logos es Triuno e Indivisible, Unitotal, e Integro; se necesita mucha sutileza para entender esto, mucho refinamiento, mucho sintetismo e Intuición.

La conversión de las Trimurtis de una en otra, es algo que al estudiantado le da mucho que hacer, pero si ustedes agudizan un poquito su Intuición pueden entender. De la Cópula Santa, Divinal, queda concebida Isis por la Sagrada Concepción, ella es Virgen antes del parto, en el parto y después del parto. Isis es nuestra Divina Madre Kundalini Particular, Ram-Io.

Así es como deviene el Niño que en el Egipto se llama Horus y que en los tiempos hebraicos se le llamaba Jeshua, nuestro adorable Salvador. El Jesús de los Evangelios es profundamente significativo, porque Jesús viene de la palabra Jeshua que en Hebreo significa Salvador.

Jesús, Jeshua y Horus es lo mismo, es el Niño que siempre va en brazos de su Madre Isis o María. Es el mismo Cristo que ha descendido del Segundo Logos, el Cristo Cósmico ya humanizado, convertido en Hijo de un Hombre Divino y de una Mujer Divina. Se ha convertido en un Rey-Niño-Salvador, pero es un Rey-Niño-Particular, puesto que es el Ser mismo de uno. Es el Niño de Oro de la Alquimia que está coronado.

Es Jesucristo porque Cristo es el Segundo Logos y Jesús porque se ha convertido en Salvador. Para convertirse en Salvador, ha tenido que descender de su misma Esfera, penetrar en un vientre purísimo virginal, nacer por obra y gracia del Espíritu Santo, se ha hecho Hijo de la Madre Divina, Hijo de hecho de sus Padres.

Indubitablemente, tenemos que distinguir entre lo que es el Jesucristo como Gran Kabir (el hombre que predicaba la Doctrina del Cristo Intimo de cada uno de nosotros), y lo que es el Jesucristo Intimo Particular de cada cual.

El Cristo Cósmico es Impersonal, Universal, y está más allá de la Individualidad, la Personalidad y del Yo; es una Fuerza Cósmica que se expresa a través de cualquier hombre que está debidamente preparado. Un día se expreso a través de un Jesús de Nazareth, de un Hermes Trismegisto, del Buddha Gautama Sakiamuni, de un Quetzalcoatl, etc., y puede expresarse a través de cualquier Avatara.

Para expresarse tiene que descender de Esferas Superiores y penetrar en el Vientre de una Virgen llamada Isis, María, Tonantzin, Isoberta, Maya, Cibeles, etc., que es la misma Madre Cósmica Particular, ya que cada cual tiene la suya.

Cuando uno lee las Epístolas de Pablo el Apóstol, con sorpresa puede uno verificar por sí mismo que rara vez menciona él a Jesús el Gran Kabir o el Cristo Histórico. Siempre alude a un Cristo Intimo.

Pero para que nazca el Cristo Intimo en nosotros, el Jeshua Humanizado, se tiene que haber trabajado en la Forja de los Cíclopes, tienen que haberse formado los Cuerpos Existenciales del Ser.

Para que nazca el Salvador tiene que repetirse el acontecimiento de Belém; dicho acontecimiento es muy profundo y simbólico a la vez. Aquella aldea de Belém de que nos hablan los Evangelios es muy alegórica, se dice que esa pequeña aldea no existía en esa época de Jesús de Nazareth. Si analizamos la palabra Belém tenemos a Bel- Em, y vemos que Bel en la terminología Caldea significa Torre del Fuego. ¿Cuándo se llega a la Torre de Fuego? Cuando se han creado los Cuerpos Existenciales Superiores del Ser, cuando el Fuego Sagrado ha llegado a la parte superior del cerebro, ahí es cuando adviene el acontecimiento de Belém.

Sin embargo a pesar de tener los Cuerpos Solares se puede dar el caso que el Iniciado no encarne al Niño. Quiero decir con esto algo muy sutil que pasa desapercibido para cualquier Kabalista, pues tenemos a Tiphereth unido con el Cuerpo Causal.

Analizando la Epístola de Pablo a los Corintios (I Corintios 15: 47-49) podríamos aclarar esta cuestión. Pablo dice que existe el Hombre Terrenal y el Hombre Celestial; incuestionablemente, el Terrenal está constituido por el Cuerpo Físico, el Etérico, el Astral, el Mental y el de la Voluntad Consciente.

Para que venga el Hijo del Hombre se necesita formar el Hombre Terrenal, porque el hombre común y corriente todavía no es Hombre. Se es Hombre cuando uno se ha dado el lujo de crearse los Cuerpos Existenciales del Ser, ahí puede ser llamado Hombre aunque sea Terrenal. El Segundo Hombre del cual habla Pablo es el Hombre Celestial y dice: *"Así como atraemos la imagen del Terrenal debemos atraer a nosotros la imagen del Hombre Celestial".*

El Hijo del Hombre viene cuando tiene que cumplir alguna misión específica sobre la Tierra, cuando el Iniciado ha agarrado el Camino Directo para la Liberación Final.

Después de la Quinta Iniciación del Fuego, hube de ser llamado por mi divina Madre Kundalini, tenía ella el Niño en sus brazos, hice cierta petición de tipo esotérico, ella me respondió: *"Pídele al Niño";* y pedí al Niño lo que tenía que pedir.

Posteriormente, pude recibir la Iniciación de Tiphereth, es decir, de la Quinta Iniciación del Fuego, entonces aquel Niño que había visto en brazos de su Madre, mi Madre Divina, puesto que cada uno tiene la suya propia, penetró dentro de mi organismo por la puerta maravillosa de la Glándula Pineal, de la cual dijera Descartes que es el asiento del Alma. Mi cuerpo en este caso vino a ser el "establo" donde nace el Niño, donde viene al mundo.

En un principio puedo decirles que no se nota mucho la presencia del Niño dentro de uno mismo, El nace entre los animales del establo y no son otra cosa sino los Animales del Deseo, las Pasiones, los Vicios y Defectos que mantienen embotellada la Conciencia, es decir los elementos que componen el Yo Pluralizado. El Yo se halla constituido por Elementarios Animales, estos se nutren con las substancias inferiores de los bajos fondos animales del hombre, allí viven y se multiplican. Cada Elementario Animal, representa un determinado defecto, éstos constituyen eso que se llama Ego, los animales del establo donde el Niño Dios nace para salvar al Hombre.

Ese Niño tiene que sufrir mucho, el no nace en un gran palacio, el nace en un establo, nace completamente débil, muy pequeño, entre mares gigantescos de esos Yoes que circundan el establo.

El Niño Dios va creciendo poco a poco, a través del tiempo va desarrollándose. ¿Cómo va creciendo, de qué manera? Eliminando los Yoes, desintegrándolos, reduciéndolos a cenizas, a polvareda cósmica; así va creciendo nuestro Jeshua Intimo Particular.

La labor que tiene que hacer ese Niño es muy dura; es el Cristo y nace en el establo para salvarnos, de manera que a todos esos animales del establo El tiene que matarlos en sí mismo, tiene que combatir los Príncipes del Mal en sí mismo, a los Hijos de la Infidelidad en sí mismo y las tentaciones por las que uno pasa como ser humano, como persona de carne y hueso, son las tentaciones por las que El tiene que pasar, son sus tentaciones, y el mismo cuerpo de carne y hueso de uno, viene a convertirse en su cuerpo de carne y hueso. Ahí está el mérito de sus sacrificios, de sus esfuerzos.

Así es como el Hijo del Hombre viene al mundo y se convierte en un hombre de carne y hueso, se hace Hombre entre los hombres y está expuesto a los sufrimientos de los hombres, tiene que pasar por las mismas torturas que cualquier hombre. Nuestro proceso Psicológico se convierte en un proceso que el debe ordenar y transformar, nuestras preocupaciones son sus preocupaciones. Por algo se le ha llamado el Santo Firme, porque no puede ser vencido y al fin triunfa, entonces se cubre de gloria, es digno de toda alabanza, señorío y majestad.

Los Reyes de la Inteligencia, los Tres Reyes Magos, los Verdaderos genios reconocerán siempre al Señor y le venerarán y vendrán a adorarle.

A medida que van creciendo los sufrimientos, para él van siendo más y más grandes. Siendo él tan perfecto, tiene que vencer a las Potencias de las Tinieblas en sí mismo; siendo El tan puro tiene que vencer a la impureza en sí mismo; habiendo pasado más allá de toda posibilidad de tentación tiene que vencer a las tentaciones en sí mismo.

El Niño se verá siempre en grandes peligros: Herodes, el Mundo, los Tenebrosos, querrán siempre degollarlo.

El Bautismo en el Jordán de la Existencia será siempre indispensable, las Aguas de la Vida limpian, transforman y bautizan. La Transfiguración interpreta con suma inteligencia la Ley de Moisés, enseñando a las gentes y desplegando en su trabajo todo el celo maravilloso de un Elías.

El Cristo Intimo vendrá siempre a nosotros caminando sobre las embravecidas olas del Mar de la Vida. El Cristo Intimo siempre establecerá orden en nuestra Mente y devolverá a nuestros ojos la Luz perdida, multiplicará siempre el Pan de la Eucaristía para alimento y fortaleza de nuestras Almas.

El Cristo Intimo encarnado en el Iniciado predicará en las calzadas de esta gran Jerusalém del mundo, entregando a la humanidad el Mensaje de la Nueva Era.

Pero los Escribas que son los hombres intelectuales de la época, aquellos que forman parte de la cultura le dirán: *"Ese hombre está loco"*. Sucede que los intelectuales, todo lo quieren arreglar a base de raciocinio, pues cualquier humano puede elaborar dentro de su encéfalo cerebral, mediante los procesos lógicos más severos, una teoría Materialista, como una teoría Espiritualista, y tanto la una como la otra, tanto en la tesis como en la antítesis, la lógica de fondo es realmente admirable.

Sus enseñanzas son también rechazadas por los Sacerdotes, las gentes de todas las Religiones, de todas las organizaciones de tipo pseudo-esotéricas, pseudo-ocultistas, aquellas personas sabihondas que se consideran muy serias, siempre dicen: *"Esto que dice este hombre es una locura, éste es un malvado"*. Así es como el Hijo del Hombre es rechazado en este Mundo.

Todo iniciado tiene que vivir el Drama Cósmico de la Crucifixión en sí mismo. Los Tres Traidores lo crucifican, lo entregan; Judas, el Demonio del Deseo, lo vende por 30 monedas de plata, lo entrega por mujeres, placeres, juegos; Pilatos, el Demonio de la Mente, siempre se lava las manos, encuentra justificación para todos los errores; Caifás, el Demonio de la Mala Voluntad, siempre quiere hacer su propia voluntad, odia la Voluntad del Padre. El Drama Cósmico tiene el Iniciado que vivirlo en forma completa, integra, total.

Encontramos que es maldecido y colgado y tendrá que ser muerto, es decir, el Hombre Terrenal debe morir, se somete a la Voluntad del Padre y va a la muerte, su obra póstuma.

En la Conciencia del Iniciado habrán siempre eventos cósmicos formidables y entre rayos, truenos y grandes terremotos del Alma, el Señor siempre entregará su Espíritu al Padre exclamando: *"Padre mío, en tus manos encomiendo mi Espíritu"*; luego viene su muerte.

Con su muerte desintegra sus Agregados Psíquicos y después de bajar el cuerpo al sepulcro, resucita a los tres días. Estos Tres Días son también alegóricos, al cabo de esos Tres Días, el Hijo del Hombre pasa por Tres Grandes Purificaciones, muere hasta el último Elemento Inhumano que había en su interior. Por eso se dice que el Hijo del Hombre ha muerto en sí, ha matado a la Muerte, porque la Muerte solo se puede Matar con la Muerte, luego el Hijo del Hombre tiene que resucitar con el Cuerpo Físico, es un Maestro Resurrecto, tiene el Elixir de Larga Vida, es un verdadero Rey de la Naturaleza, según la Orden de Melquisedec. Entonces podemos exclamar como el Apóstol San Pablo: *"Sorbida es la Muerte con victoria, ¿Dónde está, oh muerte, tu aguijón? ¿Dónde, oh sepulcro, tu victoria?"*. (I Corintios 15: 53-55).

De manera que lo importante es que El logre redimirse; al resucitar El, el Alma en El resucita. Todos nuestros Principios Anímicos y Espirituales en El resucitan y uno en El.

Es necesario comprender que El es nuestro Salvador Auténtico Interior, nuestro Jesús-Cristo Particular Intimo.

Así resucita El en el Padre y el Padre resucita en El. Cuando Felipe, aquel Maestro experto en los Estados Jinas le dijo a Jesús: *"Muéstranos al Padre"*, el Gran Kabir respondió: *"El que ha visto al Hijo, ha visto al Padre"*.

Las Tres Grandes Purificaciones se encuentran simbolizadas por los Tres Clavos de la Cruz. Encima de la Cruz está la palabra INRI (Ignes Natura Renovatur Integer). El Fuego renueva incesantemente la Naturaleza.

Los Tres Clavos significan las Tres Purificaciones por el Fuego y por el Hierro. Después de las Tres Purificaciones a base de Fuego y de Hierro se consigue la Resurrección de entre los muertos.

Los Tres Días son tres períodos de trabajos en los cuales el Hijo del Hombre debe realizar la Gran Obra.

Téngase en cuenta que con la Cruz es con la cual ha desintegrado los Elementos Indeseables. La Fidelidad al Padre se ve con la Cruz; hay muchas gentes que dicen: *"Yo soy fiel al Padre, a la Madre, al Hijo del Hombre"*, pero cuando llega la hora de probar, a la hora de la hora fallan con la Cruz. ¿Dónde está la Cruz? Está en el cruce del Lingam-Yoni; ahí fornican, adulteran, cometen sus maldades. Entonces hay que desintegrar los Elementos Indeseables para buscar la muerte del Hombre Terrenal.

Es necesario saber que Jesús el Gran Kabir que vino al mundo hace 1977 años y que predicó esta Doctrina, sabía muy bien que cada cual lleva su Jesús-Cristo Intimo Particular, por esto decía que lo que él quiere es que cada cual siga a su propio Cristo Intimo, que es El quien cuenta, porque es nuestro Salvador, el que viene a reconciliarnos con nuestro propio Padre que está en Secreto, con el Viejo de los Siglos, El es el Gran Reconciliador.

Una vez El ha logrado el triunfo se glorifica y es digno de toda alabanza y gloria, puesto que ha vencido al mal en sí mismo. No lo ha vencido desde afuera, sino en sí mismo, se ha inmolado como cordero, por eso se le dice el Cordero Inmolado.

Se ha inmolado para salvarnos con su sangre, es decir con el Fuego. Porque en Alquimia la Sangre representa el Fuego Sagrado del Kundalini.

Es bueno entender todo esto; yo les estoy explicando a ustedes de lo que yo mismo he vivido, lo que estoy experimentando en mí mismo;

no cometería el crimen de decirles que yo soy el Cristo, eso sería una blasfemia, una falta de respeto al Salvador pero si les digo a ustedes que El a mí me está salvando, como ha salvado a tantos, yo puedo ser uno más de los salvados y como estoy trabajando, lo he experimentado y lo que estoy diciendo es lo que me consta, lo que he vivido.

"Jesús, Jeshua y Horus es lo mismo, es el Niño que siempre va en brazos de su Madre Isis o María. Es el mismo Cristo que ha descendido del Segundo Logos".

El Sendero Iniciático en los Arcanos del
TAROT Y KABALA

Cuarta Parte

Numerología y Matemáticas Esotéricas

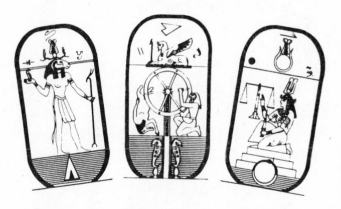

"Descorred el velo que cubre a los Espíritus Celestes, ved que cada hombre y cada mujer son una estrella, igual que lámparas misteriosas colgadas del firmamento. Dios es la Flama que bulle en todo. La vivificante geometría de todo. Por eso el Número es Santo, es Infinito, es Eterno. Allí donde el reside, no hay diferencia. La diversidad es la Unidad".

Ritual Gnóstico.

CAPITULO 62

TABLA NUMEROLOGICA

Este es un tablero o plancha, muy importante para comprender a fondo los Misterios Esotéricos.

1	2	3
4	5	6
7	8	9

Es un cuadrilátero dividido en 9 números. Hay una triple división tanto vertical como horizontal. Ahí se expresan los principios de la Aritmética y la Geometría. En esa tabla encontramos: La Arquitectura Individual, el Universo Interior que es el que cada quien debe fabricar adentro, es la construcción de nuestro Universo Intimo Interior. La Arquitectura Cósmica se relaciona con los Siete Cosmos del Infinito. La Arquitectura Social está relacionada con la construcción de nuestros templos, casas, edificios.

Es necesario comprender que esta plancha se relaciona con los tres principios de la Arquitectura antes mencionados, la Geometría y la Matemática. Hay que relacionarse con los números, porque la Kábala en eso se basa. El Cuadro dividido en 9 partes representa una triple extensión o la triplicidad del Ternario, o sea, la Novena Esfera.

Mucho hemos explicado sobre la Novena Esfera, pero ésta se puede demostrar matemáticamente. Todo lo relacionado con la Novena Esfera o Auto-Realización del hombre, se puede comprobar con los números o Matemáticas Esotéricas que vienen de épocas remotas. Analicemos el primer ternario vertical.

1 MONADA
4 CRUZ
7 SEPTENARIO

El "1" es la Mónada, la Unidad, el Iod-Heve, Jehová, el Padre que está en secreto, es la Divina Triada y no está encarnada en un Maestro que no ha matado el Ego. Es el Osiris, Dios mismo, el Verbo. Tiene su expresión en el 4, porque el 4 es el Carro de Merkabah de la Kábala, que son los 4 cuerpos.

1.-CUERPO FISICO.

2.-CUERPO AUTENTICO ASTRAL SOLAR.

3.-CUERPO AUTENTICO MENTAL SOLAR.

4.-CUERPO AUTENTICO CAUSAL SOLAR.

Es el Carro de los Siglos que asume la figura del Hombre Celestial. La Mónada se expresa por medio del Carro, en él viaja.

El 4 también representa las cuatro puntas de la Cruz, que encierra los Misterios del Lingam-Yoni, y en el cruce de ambos se encuentra la clave por medio de la cual se consigue la Auto-Realización, la Mónada se auto-realiza por medio de la Cruz. Sin el 4 no hay Auto-Realización, o se violaría la Ley de los Ternarios que pertenece a las Matemáticas Esotéricas.

$$4 = + (CRUZ)$$

En el 4 están contenidos los Misterios del sexo.

$$MASCULINO \ MAS \ FEMENINO = + (CRUZ)$$

La Auto-Realización de la Mónada se verifica en el Septenario, en el Hombre Auténtico. El Septenario es completo cuando ya se tiene los 7 Principios o Cuerpos Cristificados, los 7 Chakras desarrollados y levantadas las 7 Serpientes de Fuego.

Analicemos el segundo ternario vertical:

2 MADRE DIVINA

5 INTELIGENCIA

8 CADUCEO DE MERCURIO

El 2 es Heve, la Divina Madre; es el Padre que se desdobla, luego ella también es Brahama porque es el Aspecto Femenino del Padre.

IOD:MONADA HEVE:MADRE DIVINA IOD-HEVE:JEHOVA

Jehová, el auténtico, es nuestro Padre que está en secreto y nuestra Madre Divina. El Cruel Jehová de los Judíos, es una antropomorfización del Jehová verdadero que está dentro de cada uno de nosotros.

Heve, la Madre Divina se expresa por medio de la inteligencia que es el número 5, es por medio de ella que se logra la eliminación del Ego, porque la verdadera inteligencia está en ella.

Si se quiere disolver el Ego hay que apelar a la Madre Divina, comprendiendo nuestros propios errores a fondo y pidiéndole a ella nos los elimine. La Madre Divina se manifiesta a través del Santo Ocho o Caduceo de Mercurio que representan la Espina Dorsal, la Energía Kundalini ascendiendo por el Canal Shushumná.

El Santo Ocho tiene su raíz en el Sexo. El Santo Ocho es el Signo del Infinito. La relación del 2, 5 y el 8 es extraordinaria, el Caduceo de Mercurio o Signo del Infinito se encuentra en la Novena Esfera.

Toda esta Sabiduría se conoció en los Misterios Pitagóricos. En la Masonería se conocen pero no han profundizado en los estudios.

Analicemos el tercer ternario vertical:

3 TRINIDAD

6 EL AMOR, EL HOMBRE Y LA MUJER

9 LA NOVENA ESFERA

El número 3 corresponde al Tercer Logos, el Espíritu Santo. El Tercer Logos es en sí mismo la Fuerza Sexual Creadora que se expresa en todo el Universo.

Se trabaja por medio del Número 6 que se relaciona con el Sexo. Ahí se encuentra el hombre y la mujer, en el Tarot aparece un hombre ante el vicio y la virtud, ante la virgen y la ramera. La Fuerza Sexual hay que trabajarla mediante el 6 o sea con el Amor, esto tiene una expresión en el 9 que equivale a la Novena Esfera. El número 9 es el número del Maestro.

Las tres triadas o lineas horizontales representan los Tres Mundos.

ESPIRITUAL:ESPIRITU - ANIMICO:ALMA - FISICO:CUERPO

En esta plancha están contenidos los principios para la Auto-Realizacion del hombre.

EL NUMERO 1

El Número 1 es el Sol, el Astro Rey, el que nos da la vida, corresponde a la constelación de Aries que gobierna la cabeza. Le corresponde la nota musical DO y el color Blanco, el metal es el Oro y como piedra preciosa el Diamante.

Entre los plexos donde están los Chakras se le atribuye al Número 1 el Cardias, porque si el corazón deja de funcionar hay muerte, por eso es el Número Uno.

El Número 1 es la Sabiduría del Padre, es la Corona, porque el Anciano de los Días es el Rey, el que lleva el poder sobre la Naturaleza. Es el 1 porque tiene el poder, porque es el que manda.

La Sabiduría es del Padre; uno no puede enseñar a la Mónada, la Sabiduría del Padre todo lo prevee.

Por no faltar a la Piedad, puede uno volverse despiadado pues muchas veces no entendemos al Padre, él es el Número 1 del Arbol Kabalístico.

Las ideas originales corresponden al Uno. Es obvio que pertenecen al Número 1: la Voluntad, la Iniciativa Personal, el Animo Emprendedor.

La Unidad del Pensamiento y Acción deben formar 1 con la voluntad original y tesón, como un impulso formidable en lo que se va a hacer.

EL NUMERO DOS

Al Número 2 le corresponde la Constelación de Taurus que gobierna el cuello de la Laringe Creadora, ese útero maravilloso donde se gesta la Palabra, el Verbo. La nota musical es RE, el color es el Violeta, el metal la Plata, y entre las piedras preciosas la Esmeralda.

El Plexo que le corresponde es el Laríngeo, la Tiroides, el Chakra del Oído Mágico, de la Clariaudiencia.

Para despertar ese Chakra hay un mantram laríngeo que es la E, debe dar una nota musical que es RE, hay que vocalizar diariamente, se debe inhalar con la nota RE y exhalar con ella vocalizando EEEEEEEE... Así se consigue el desarrollo del Chakra Laríngeo que nos da el poder de oír las voces del Ultra, de los Seres Superiores. Hay necesidad de desarrollar ese Chakra Laríngeo porque de otro modo es imposible oír esos sonidos.

La linfa y el estómago corresponden al Número 2, también la Luna.

El Número Uno se desdobla en la Duada. El Número 2, es en la Primera Trimurti, su segundo aspecto: el Cristo. No confundir con la Segunda Trimurti, en la cual el Padre se desdobla en la Madre, y está, en el Niño.

El Número 2 del Arbol Kabalístico es el Hijo, Cristo y es el Instructor del Mundo. Por eso decía Hermes Trismegisto: *"Te doy Amor en el cual está contenido todo el súmmum de la Sabiduría"*.

El Número 2 tiene 32 Sendas y 50 Puertas. La explicación es la siguiente:

32 SENDAS=3+2=5 (LA PENTALFA, EL HOMBRE)

50 PUERTAS=5+0=5 (LA PENTALFA, EL HOMBRE)

SUMEMOS LOS RESULTADOS 5+5= 10

$$10 = 1 + 0 = 1 \quad \mathbin{\text{◐}} = \mathbin{\text{☉}}$$

En el 0 están los Principios Masculino y Femenino, el fundamento del Amor a través del Sexo.

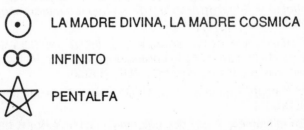

☉   LA MADRE DIVINA, LA MADRE COSMICA

∞   INFINITO

⛤   PENTALFA

5+5=10 Queda Reducido Así= ☉ = ∞ = ⛤ (EL HOMBRE)

Esto de las 50 puertas es muy interesante, en uno de los Rituales Gnósticos dice que existe un palacio: " *El piso de aquel palacio es de plata y oro, lapizlázuli y jaspe; y allí se aspira una variedad de aromas de rosas y jazmines. Pero en mitad de todo sopla un hálito de muerte. Dejad a los oficiantes penetrar o abrir las puertas de una en una o todas juntas a la vez. Déjalos de pie en el piso del palacio. No se hundirá. ¡Ay de ti!, ¡Oh Guerrero!, ¡Oh Luchador! si tu servidor se hunde. pero hay remedios y remedios"*.

Ciertamente en los Mundos Superiores hay un Templo con 50 Puertas rodeado de los cuatro elementos: Fuego, Tierra, Aire y Agua. Y está custodiado por dos Esfinges de Oro. El estudiante recibe instrucción en ese templo, cada uno de los salones del mismo se corresponde en Kábala con las 50 Puertas y 32 Sendas (ve sus vidas pasadas).

Dentro de uno mismo tiene las 50 Puertas, todo esta dentro del hombre.

Hace muchos años al desdoblarme en un año nuevo, tuve que vivir cierto drama en el teatro del mundo, siendo perseguido llegué al Templo de las 50 Puertas con sus dos Esfinges de Oro que custodiaban las puertas, ya hemos estudiado el simbolismo de la Esfinge, la cara, las patas del león, etc.

Entré al palacio, estaba rodeado de agua, y atravesé un jardín muy hermoso, pero había un hálito de muerte; entré en la Primera de las 50 Puertas y allí fuí recibido por un grupo de hermanos que me aplaudían, después salí y penetré en otro hermoso jardín que también tenía un hálito de muerte, luego entré en la Segunda Puerta y aquellos que me habían felicitado estaban convertidos en unos traidores que vociferaban y calumniaban, guardé silencio y atravesé el otro jardín a la Tercera Puerta, encontrando allí a otras personas que me felicitaban, atravesé otro salón y otras gentes. Así atravesé esas 50 Puertas y siguiendo las 32 sendas, es decir, caminando la Senda Interior. Encontré a unos Maestros vestidos de verdugos (son verdugos del Ego) quienes me dijeron: *"Estudiad el Ritual de la Vida y de la Muerte mientras llega el oficiante";* el Oficiante era mi Real Ser.

Con esto que les he explicado lo de las 32 Sendas y las 50 Puertas, esto es el Número 2. Todo corresponde al Cristo Intimo que tiene que nacer en cada uno de nosotros, él es el Amor.

El Número 2 es el Amor, el Cristo Sufriente, el que tiene que vivir todo el Drama.

En el Número 2 hay dos columnas Jachin Y Boaz, hay asociación. Hay que aprender a asociar ideas, pensamientos, con personas, cosas familiares; hay que saber escuchar las opiniones contrarias sin enojarse, disolver el Yo de la Ira, cultivar la Armonía, que las asociaciones sean armoniosas.

En el 2 están las relaciones: madre con hijo, la mujer con el hombre, el hombre con la mujer, con cosas, con antítesis, con opiniones.

Hay que aprender a manejar las ideas, los negocios, en Paz y Serenidad, ese es el Número 2. Hay que aprender a manejar el Dos.

EL NUMERO 3

Al Número 3 le corresponde la Constelación Zodiacal de Géminis y el planeta Júpiter. La nota musical del Número 3 es MI, entre los colores el Purpura, entre los metales el Estaño, entre los plexos el Esplénico (bazo) y el Hepático (hígado).

La Transmutación de la Energía Creadora corresponde al número 3. El Chakra Esplénico es el centro del Cuerpo Etérico, por ahí entra la vida del Sol a nuestro organismo. El Chacra Esplénico recoge durante la noche las energías que el Sol ha dejado durante el día, con esas energías el Chacra Esplénico transmuta los glóbulos blancos en glóbulos rojos.

Durante el día los desechos orgánicos obstruyen los canales nerviosos del Gran Simpático, durante el sueño la Energía Vital hace girar ese chakra y este a su vez usa la energía del Sol, que pasa al bazo transmutando los glóbulos blancos en rojos, pasa la energía al Plexo Solar y se distribuye por todo el sistema nervioso. Coopera la Glándula Tiroides desinfectando todo el organismo, cuando regresa el Ego (Astral Lunar) al organismo es claro que éste ya estará reparado y nos sentimos mejor de salud. Cuando uno se levanta muy cansado eso significa que está enfermo el organismo.

El Chakra Hepático sirve para las Salidas en Astral. El Cuerpo Astral está conectado con el hígado. Despertando el Chakra del hígado, todo el mundo puede entrar y salir del Cuerpo Físico a voluntad.

El Esplénico, el Hepático, y el Plexo Solar se desarrollan con el Mantram Egipcio:

FE - UIN - DAGJ

Se canta con la nota MI, desarrollándose los 3 Chakras y los pulmones. El Número 3 es el Poder, tiene 50 Puertas y 50 Luces.

Ya sabemos lo que significa las 50 Puertas, hay que buscarlas dentro de uno mismo.

50 PUERTAS=5+0=5 (LA PENTALFA, EL HOMBRE)
50 LUCES =5+0=5 SUMANDO RESULTADOS: 5+5=10

El "10" son los 10 sephirotes de la Kábala, 10= 10= ⊕ . Símbolo de la Madre Divina, la linea no es más que un punto extendido.

Hemos encontrado que 10= ✩ .   En el 10 ya sabemos que está el ∞. La Energía Creadora, el Espíritu Santo nos da el Poder, el Poder del Sexo, allí es donde está la fuerza del Espíritu Santo, las 50 Luces es el Poder del Espíritu Santo, sin esa fuerza *"No tenemos Espada, y sin la Espada estamos desarmados"*.

Se dice que en el Número Tres está contenida la Ley de Moisés, pues en el Tres está el Espíritu Santo. El Espíritu Santo es el que nos Ilumina, el que nos enseña la Ley.

SABIDURIA	PADRE
AMOR	HIJO
PODER	ESPIRITU SANTO

Ese es el orden. Mirando el aspecto práctico de la vida encontramos que el Número 3 es la producción tanto Material como Espiritual. La realización de nuestros propios anhelos, aspiraciones, ideas.

Pero si queremos fructificar, lograr el éxito, tenemos que manejar el Tres con inteligencia, porque en el Tres existe Armonía, Arte, Belleza.

Expresar todo en forma bella. Hay que saber usar el 3 ya con la palabra o en el vestir, si se quiere lograr el triunfo.

El 3 permite la realización de nuestros caros anhelos. Poner las bases crea condiciones favorables, para que dé el triunfo.

Si un día nos cae Tónica 3 (se verá posteriormente), hay que hacer las cosas bien hechas, con precaución, con belleza, con armonía, perfección; y saber crear para tener lo que anhelamos ese día, ya sea en negocios, en nuestro trabajo o en cualquier cosa.

EL NUMERO 4

El Número 4 es la Tetrada, el planeta que le corresponde es Urano, y es claro que la Constelación de Cancer pues es la cuarta constelación. En lo que se refiere a color el Rojo Oscuro y el Platino es el metal.

La nota musical es FA, corresponden al Número 4 los fluídos, las hormonas.

El Número 4 es la Magnificencia. Tiene 72 Puertas para administrar Justicia, y ésta se administra por medio de los 35 Principios de la Misericordia. Somos magnificentes en la medida como procedamos de acuerdo con cada uno de esos principios.

La Justicia se administra de acuerdo con los 35 Principios de Misericordia. La Justicia sin misericordia sería Tiranía.

La Justicia y la Misericordia van perfectamente equilibradas.

72 PUERTAS=7+2=9 (NOVENA ESFERA).

No se podría ser justo, realmente justo, si no se ha llegado al Nacimiento Segundo. Cuando se ha pasado la Novena Esfera se recibe la Espada Flamígera, entonces se dice que es Justo. Quien no ha trabajado en la Novena Esfera no tiene derecho a la Espada de La Justicia.

35 Principios de Misericordia=3+5=8 (La Justicia). En el Arcano Nº 8 la mujer tiene la Espada de la Justicia y una Balanza para pesar las buenas y las malas obras.

Debemos triunfar sobre el Sexo, los Grandes Arcontes de la Ley triunfaron sobre el Sexo, en ellos se hallan la Justicia y la Misericordia equilibradas.

En el Número 4 encontramos la Pericia en cualquier rama, Orden, Autoridad.

El Número 4 es el Emperador de la Kábala. Significa Estabilidad, es la base para lo que queremos, ya sea formar un hogar, negocio, viaje, empleo, etc. Lo que se requiere tener, tiene que ser sólido perfecto, tiene que ser la Piedra Cúbica, sólida, de concreto, no poner una base falsa, si no todo se nos viene abajo.

Si nos toca un día con Tónica "4", tenemos que poner una base firme para tener éxito. Hay que hacer las cosas correctas, precisas, sólidas para no ir al fracaso. Ese día tenemos que hacer las cosas reflexionando en forma precisa, sólida, nada a priori porque va al fracaso.

En el Número 4 está el aspecto económico y este debemos desarrollarlo en forma correcta, éste tiene ascensos y descensos en su economía. Cada vez que se necesite un ascenso debe tener bases sólidas.

El Número 4 debe ser reflexivo para todas las cosas, pensemos que el 4 es Base, y que esta base debe ser sólida. Hay que poner base para relaciones de familia.

EL NUMERO 5

El Número 5 es la Pentalfa, la Estrella de 5 puntas. Le corresponde el planeta Mercurio y la quinta constelación que es la de Leo.

El Plexo Solar corresponde al Número 5 y entre los metales el Azogue (Mercurio). La nota musical es Sol. Esta relacionado con la Bilis. esotéricamente le corresponde el planeta Marte.

El Número 5 en Kábala es el Hierofante, el Rigor, la Ley. Se dice que tiene 72 Puertas de acceso y que cada puerta tiene 35 Principios: somos fuertes en la medida que acatemos esos Principios.

El 5 es el Fuego Viviente que se infunde dentro de nosotros y se difunde dentro de nosotros por todas partes, es la Fortaleza, el Fuego.

Analicemos las 72 Puertas

72 PUERTAS=7+2=9 (NOVENA ESFERA)
LOS 35 PRINCIPIOS =3+5=8 (INFINITO)

El 9 es el Ermitaño, la Novena Esfera, el Sexo. En cuanto al 8 es la Justicia que a su vez está representado por el signo del Infinito, el Fuego del Flegetonte y el Agua del Aqueronte. El Fuego y el Agua origen de Hombres, Bestias y Dioses.

Toda auténtica iniciación empieza por ahí: El Hijo del Hombre sale del Fuego y el Agua, que es lo que nos da la Fortaleza.

El 5 en sí mismo es la Estrella de Cinco Puntas, la Pentalfa, el Hombre.

El Auténtico Hombre tiene que nacer en la Novena Esfera; comprender esto es muy importante, de allí las 72 Puertas porque nace de la Novena Esfera, que es la que da la Potencia al Hijo del Hombre.

Los 35 Principios es la Justicia, la Ley, el número 5 es la Comprobación.

El Agua y el Fuego se entrecruzan en la Novena Esfera, formando el signo del Infinito, un ocho horizontal.

CONCLUSION: ∞ ≈ ⛤

Ariano Montes, el gran esoterista morador de un Monasterio en España, nos da esta fórmula de Infinito igual a Pentalfa. También se la encuentra en libros antiguos. El Hijo del Hombre nace del Agua y el Fuego en la Novena Esfera, el Sexo.

Desde el punto de vista psicológico el Número 5 es: Persuasión, Investigación, Selección, Comprensión.

En el Número 5 vemos el estudio. Este número hay que saberlo manejar profundamente, en forma reflexiva, analítica, buscando, indagando nuevos aspectos, Analizar e Investigar. No debe hacerse nada en forma irreflexiva, porque si no se llenan esas condiciones, resultan las cosas mal hechas.

No se trata de proyectar porque se fracasa, quienes se pasan su vida haciendo proyectos fracasan. Hay que ver el pro y el contra de las cosas para que no resulten las cosas mal hechas, aprender a pensar por nosotros mismos; todos aquellos que viven haciendo proyectos fracasan, se pasan haciendo proyectos y fracasan.

Hay que marchar sobre los hechos y hacerlo con Inteligencia para no meter la pata.

Del abismo que existe entre pensamiento y hechos a veces se forma algún proyecto pero no resulta.

No hay que marchar sobre los proyectos sino sobre los hechos, hay que marchar sobre los hechos con Inteligencia, con Sabiduría, con Comprensión, si no podemos tener grandes fracasos. Hay que estar alertas.

El Número 5 también es un símbolo de Poder, debemos hacer las cosas con Inteligencia, vigilantes para no errar.

EL NUMERO 6

Al Número 6 le corresponde la 6ª Constelación, Virgo. El planeta es Venus y la nota musical es LA.

Se relaciona con los Islotes de Lagerhans ubicados en el Páncreas, son los que segregan la Insulina tan importante para la digestión de los azúcares.

El color es el Azul, su plexo el Sacro, o Coxis, el Chakra Muladhara. El 6 está relacionado con todas las glándulas.

El Número 6 tiene 72 Puertas a cada lado y 72 Intermedias. El Iniciado que atraviese esas 72 Puertas puede entrar en el Mundo de la Cruda Realidad de la Vida y en el Sidere.

El Mundo de la Cruda Realidad es la Novena Esfera porque 72 Puertas=7+2=9. Si comprendemos lo que son las 72 Puertas, si conocemos lo que es el Gran Arcano, podremos entrar en el Mundo de la Cruda Realidad de la Vida y en el Mundo Sidere que es el Mundo Astral.

Es muy interesante que el Número 6 tenga 72 Puertas de cada lado y 72 Intermedias, la explicación la encontramos en la Estrella del Rey Salomón.

6 PUNTAS MASCULINAS

6 ENTRANTES FEMENINAS

En resumen esta estrella tiene 12 Rayos, 6 Masculinos, 6 Femeninos, los cuales se descomponen en las 12 Constelaciones del Zodíaco, en ella están resumidos y sintetizados, los Misterios del Arcano A.Z.F., los Misterios de la Alquimia, los Misterios del Sexo, éste es el símbolo del Logos.

Una vez explicado el 6 en forma kabalística trascendental ustedes ahora ya se explicarán por qué se entra en el Mundo de la Cruda Realidad mientras vamos comprendiendo este Arcano.

Por eso al entregar el Arcano A.Z.F. en forma lapidaria y pública, la gente se horroriza. Las enseñanzas de la Novena Esfera se deben mostrar a través de la Kábala, para que conozcan la Verdad.

Las 72 Puertas colocadas de lado y lado están en Jachin y Boaz y en el centro de ambas columnas donde están las 72 Intermedias, está el Misterio de las Dos Columnas, la Piedra Bruta.

Hay que cincelar la Piedra Bruta hasta dejarla perfecta. Si a ese Santo 6 lo sumanos tres veces nos da 666 que es el número de la Bestia. Pero si lo sumamos 6+6+6=18. El 18 es bastante tenebroso, es el Crepúsculo, los Enemigos Ocultos, los Enemigos Secretos.

Los Tenebrosos atacan terriblemente cuando se está trabajando en la Gran Obra. A los tenebrosos no les gusta y buscan cómo sacar al discípulo del Camino, lo atacan terriblemente.

En el Número 6 encontramos las Voliciones Eróticas, las ideas de Ornato, la Reciprocidad, la Fertilidad, la Amorosidad.

EL NUMERO 7

El Número 7 es un número muy fuerte. Su planeta es Neptuno y le corresponde la Constelación de Libra. Su nota musical es SI, entre los metales el Bronce, entre las piedras el Opalo. Su color es el Magenta (un color azul casi violáceo, casi acerado). Todos los Nadis o Canales Nerviosos son de este número.

El Número 7 está guardado por 248 Preceptos, en la medida que vamos comprendiendo esos 248 Preceptos iremos progresando. El Arcano 7 es el Triunfo y el que triunfa ve la Luz Astral y prácticamente queda Auto-Realizado.

Si sumamos 248 entre sí nos da: $2 + 4 + 8 = 14$; $1 + 4 = 5$.

Los 248 Preceptos se reducen al Arcano 14 de la Kábala que es la Templanza, una mujer con dos cántaros que mezcla las Dos Aguas, es decir, el Elixir Blanco con el Elixir Rojo de la vida, de la alquimia. Es decir, el trabajo con el Sol y con la Luna, el trabajo de la Transmutación.

El Número 5 viene a ser la Estrella Flamígera Auto-Realizada, perfecta. El 7 es el Número de la Victoria, tiene 248 preceptos de tipo afirmativo. Hay que comprender los 248 Preceptos para lograr la victoria sobre sí mismo y lograr ver la Luz Astral. Allí encontramos el esfuerzo del Alma, de la acción y la imagen, respuesta o resultado.

El Número 7 es el Arcano de la Victoria, los 248 Preceptos quedan reducidos al Arcano "5" que no es otra cosa sino la Estrella Flamígera, resplandeciente, la Estrella de Divinidad. El Número 7 es Eficiencia, Integridad, Concentración, Clemencia, ansias de Vida Ascendente.

EL NUMERO 8

El Número 8 es la Octada. Su planeta es Saturno, su Constelación la 8ª que corresponde a Escorpio. Su metal es el Plomo y entre las piedras el Onix Negro. La nota musical es el DO en la Segunda Octava.

En el Número 8 están contenidas las leyes de Evolución e Involución. Los que están sujetos a la Evolución violan las Leyes del Santo Ocho, violan las Leyes de las Matemáticas; pues cada Evolución va seguida de Involución. Estas dos Leyes forman el Santo Ocho.

EVOLUCION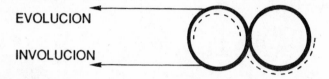

INVOLUCION

Estas dos leyes de Evolución e Involución, no pueden conducirnos a la Auto-Realización, se necesita la Senda de la Conciencia.

En la Naturaleza, en el Universo todo es Matemáticas.

El Santo Ocho representa: Cerebro, Corazón y Sexo del Genio Planetario. Ya sabemos que la lucha es terrible, cerebro contra sexo, sexo contra cerebro, corazón contra corazón. El Santo Ocho tiene 365 Preceptos, no hay que violar esos preceptos.

$$3 + 6 + 5 = 14; \; 1 + 4 = 5$$

El 14 significa la Templanza, es la mezcla de las Aguas, es el trabajo con el Elíxir Rojo y el Elíxir Blanco.

Cuando se establece la lucha de corazón contra corazón, la Estrella de Cinco Puntas cae y queda con los ángulos inferiores hacia arriba.

El Número 8 es el Agua Primordial pues está colocado en la 9ª Esfera, en el Cerebro Planetario.

Las Aguas se transmutan en Energía y suben por Ida y Pingala formando el Caduceo de Mercurio, el Santo Ocho, llegando al cerebro.

Hay que aprender a distinguir entre lo que es una Caída y lo que es una Bajada. Nadie puede subir sin primero bajar, es la Ley.

A la suprema desobediencia de Adan, se sobrepuso la suprema obediencia del Cristo; pero Cristo tuvo que Bajar.

Siempre que queremos Subir, hay que Bajar; porque de otra manera quedamos estancados y de estos estancamientos sólo se puede salir bajando, mas distíngase lo que es una Caída y lo que es una Bajada.

Es el Número 8, la Moderación, el Caduceo, la Repartición con Justicia.

EL NUMERO 9

El Número 9 es el Eneágono, es la Novena Esfera. Está relacionado con Marte por la 9ª Esfera. Allí se emprende una lucha entre sí mismo, contra todo, contra la Naturaleza, porque ahí se fabrican Demonios y Dioses, y hay que bajar al fondo del Infierno a fabricar los Cuerpos Solares.

Le corresponde la 9ª Constelación Sagitario. El metal es el Hierro, su piedra el Carbunclo, el Color es el Rojo y la nota musical es RE, en su 2ª Octava.

Corresponde al número 9 el Plexo Coronario, los Organos Creadores, las Gónadas.

El Trabajo con la 9ª Esfera tiene un objetivo, crear los Cuerpos Solares. Pero hay que comprender que aunque un individuo haya fabricado esos cuerpos, no por ello ha logrado la Inmortalidad.

Para ganar la Inmortalidad se necesita haber trabajado en la Disolución del Ego, porque de otra manera se convierte en un Hanasmussiano con Doble Centro de Gravedad, esos son los abortos de la Madre Cósmica que entran a los Mundos Infiernos hasta llegar a la Muerte Segunda.

Se necesita lograr la Eliminación del Ego y de los Tres Traidores. Cuando uno llega al ciento por ciento de Conciencia, se da uno cuenta de lo que es el Ego y los Tres Traidores.

Los Demonios Rojos de Seth deben ser reducidos a polvareda cósmica.

Es necesario vivenciar la Muerte Absoluta, porque si queda algún Elemento Subjetivo vivo, el Difunto es llamado al orden.

Aquellos que han muerto en sí mismos son recibidos en el Mundo de los Difuntos.

Pertenece al Número 9 la Emoción, la Sabiduría, la Generosidad, la Genialidad.

Por último tenemos el Cero, éste es la Eternidad, el Espíritu Universal de Vida.

En la Kábala hay que operar con todos los Números. El Número es Santo, es Infinito, es Eterno.

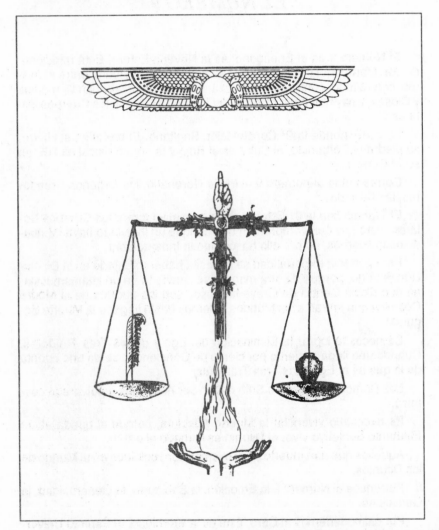

"Aquellos que han muerto en sí mismos son recibidos en el Mundo de los Difuntos".

CAPITULO 63

LAS SIETE IGLESIAS
del Apocalipsis de San Juan y su relación con el Arbol Kabalístico

"El que tiene oído, oiga lo que el Espíritu dice a las Iglesias. El que venciere, le daré de comer del Arbol de la Vida, el cual está en medio del paraíso de Dios".

(Apocalipsis 2:7).

La **1ª Iglesia de Efeso** o Chakra Muladhara, tiene 4 pétalos maravillosos que están situados en el hueso coxígeo. El Coxis es el hueso base de la Espina Dorsal (todo lo relacionado con las 7 Iglesias o Chakras se encuentran en mis libros: "Mensaje de Acuario" y "Los Misterios del Fuego").

La **2ª Iglesia de Smirma**, la Prostática (Uterina en la Mujer) o Chakra Swadistana, está ubicada a la altura de la próstata. Los Magos Antiguos, los Persas, los Egipcios, le dieron mucha importancia a la próstata. La Letra que le hace vibrar es la M y se pronuncia con los labios cerrados, y subiendo y bajando el tono es de un poder singular, la usan los Magos.

La **Tercera Iglesia de Pérgamo**, la Umbilical o Chakra Manipura, está situado en el Plexo Solar, tiene 10 pétalos, 5 activos en el Cuerpo Etérico y 5 latentes en el Centro Telepático. Ahí está el Cerebro de Emociones y cuando se desarrolla se consigue la Telepatía.

La **4ª Iglesia de Tiatira** es el Cardias o Chakra Anahata, está situado en el Corazón, es una Flor de Loto que tiene 12 pétalos que resplandecen abrazadoramente en la Luz Astral, es bueno desarrollarlo para aprender a entrar y salir del cuerpo a voluntad, además se facilitan los viajes con el cuerpo de carne y hueso por entre la 4ª Dimensión, en Jinas.

La **5ª Iglesia de Sardis** está en la Glándula Tiroides, es el Chakra Vishudda, es el Chacra Laríngeo que nos confiere la Clarividencia y tiene 16 pétalos.

La **6ª Iglesia de Filadelfia**, es el Chakra Frontal o Ajna, tiene dos pétalos, está entre las dos cejas, en el Centro de la Clarividencia, con ella se puede ver el Aura de las gentes y ver los Mundos Superiores.

La 7ª Iglesia de Laodicea, es el Rey de los Chakras, el Sahasrara, tiene 1.000 pétalos, es el Centro de la Polividencia, el Centro de la Intuición, es el Ojo de Diamante.

Conforme el Kundalini va ascendiendo por la Médula Espinal, por el Brahama-Nadi, va despertando cada uno de los Chakras del Nadi Chitra. La Serpiente Ignea está relacionada en Kábala con todo el Arbol Kabalístico.

¿Qué es lo que se necesita para abrir los Chakras?

En la Primera Iglesia de Efeso el eje está principalmente en la virtud de la Paciencia. Para manejar la Energía Creadora se requiere la Paciencia del Santo Job. Lucifer es la escalera para bajar y Lucifer es la escalera para subir.

En la Segunda Iglesia de Smirna su virtud es la Castidad.

El Tercer Chakra es el Umbilical o sea el Centro de Emociones. La virtud especial es entonces el Control de las Emociones, es matar los Deseos, las Pasiones, como la Glotonería, la Borrachera, etc. Hay que ser Templados no dejarse llevar por las Emociones.

El Cuarto Chakra es el del Corazón, es el Centro del Amor. Hay que saber amar, no odiar. Su fundamento es el Amor.

La Quinta Iglesia de Sardis, está relacionada con el Intelecto, la Mente. Hay que saber cuidar la Palabra, el Verbo. Pensamiento y Palabra Justa, Justa Acción, Recto Pensar, Recto Sentir, Recto Actuar. Cuidar la Mente y la Palabra, *"tan malo es hablar cuando se debe callar, como callar cuando se debe hablar"*. Hay veces que hablar es un delito así como hay veces que callar es un delito. Hay silencios delictuosos...

En la Sexta Iglesia, para tener Clarividencia, se necesita tener Serenidad. Para ver en los Mundos Internos, no hay que dejarse llevar por la Ira porque destruye el Chakra Frontal, por lo tanto la condición es la Serenidad.

Para el desarrollo de la Séptima Iglesia se necesita Elevada Devoción, Santidad Total, la Voluntad.

Las Virtudes y cualidades se relacionan con el Arbol Kabalístico, con sus 10 Números y correlacionados con las 7 Iglesias.

CAPITULO 64

LA KABALA Y EL AÑO DE NACIMIENTO

Continuamos ahora con las Matemáticas, toda nuestra vida se desarrolla con las Matemáticas. La Ley del Karma se desarrolla con los Números.

1.-Ejemplo: EDUARDO DEL PORTILLO: Fecha de nacimiento 1.932. Al año de nacimiento se le suma el mismo año.

```
1932
   1
   9
   3
   2
_____
```

1947= 1+ 9 + 4 + 7 = 21 (Ver Arcano número 21)

21 = 2 + 1 = 3   (Ver Arcano número 3)

```
1947
   1
   9
   4
   7
_____
```

1968 = 1 + 9 + 6 + 8 = 24 (Ver Arcano 24)

24 = 2 + 4 = 6 (El Enamorado, conoció a su novia en 1.968)

```
1968
   1
   9
   6
   8
_____
```

1992 =1 + 9 + 9 + 2 = 21 (Ver Arcano 21)

21= 2 + 1 = 3   Marca un triunfo espiritual y económico, ese año
no lo olvide.

2.-Ejemplo: ARTURO AGUIRRE: Fecha de nacimiento, año
1937

1937
   1
   9
   3
   7
_____

1957 = 1 + 9 + 5 + 7 = 22 = 2 + 2= 4: Exito en el plano material.

1957
   1
   9
   5
   7
_____

1979 = 1 + 9 + 7 + 9 = 26 = 2 + 6 = 8
8: Pruebas y dolores, tener la paciencia de Job.

3.-Ejemplo: LUIS PEREZ, año 1.920.

1920
   1
   9
   2
   0
_____

1932 = 1 + 9 + 3 + 2 = 15 = 1 + 5 = 6

6: Afecto corazón, sentimiento; el 6 se relaciona con la parte
moral. Ese año falleció su padre y eso fue muy grave.

1932
1
9
3
2

1947 = 1 + 9 + 4 + 7 = 21 = 2 + 1 = 3
3: Producción material y espiritual.

1947
1
9
4
7

1968 = 1 + 9 + 6 + 8 = 24: La Tejedora, se enredó en su propio telar, sufrimientos de los que no ha salido.
24 = 2 + 4 = 6: El Enamorado.

4.-Ejemplo: NICOLAS NARANJO, año 1946

1946
1
9
4
6

1966 = 1 + 9 + 6 + 6 = 22 = 2 + 2 = 4
4: Exito porque conoció la Gnosis.

1966
1
9
6
6

1988 = 1 + 9 + 8 + 8 = 26 = 2 + 6 = 8
8: Continuará trabajando con éxito.

LA URGENCIA INTERIOR

La Urgencia Interior se calcula haciendo la suma kabalística de la fecha del nacimiento, el día, el mes y el año.

1.-Ejemplo: VICTOR MANUEL CHAVEZ: 17 de Noviembre de 1.921.

Día 17 = 1 + 7 = 8
Mes 11 = 1+1= 2
Año 1921 = 1 + 9 + 2 + 1 = 1 + 3 = 4

Día 8
Mes 2   14 = 1 + 4 = 5
Año 4   5: El Arcano 5 del Tarot, es el rigor, el estudio, la
─────   Ciencia, el análisis, la investigación, el intelecto, esa
  14   Urgencia Interior lo hace razonativo.

2.-Ejemplo: Sr. Rodriguez: 5 de Junio de 1.905.

Día 5
Mes 6
Año 1905 = 1 + 9 + 0+ 5 = 15 = 1 + 5 = 6

Día 5   17 = 1 + 7 = 8
Mes 6   8:El 8 nos hace pacientes, pasivos, enérgicos,
Año 6   justos, rectos, ha habido sufrimientos, luchas,
─────   estudio, ha tenido que pasar por muchas
  17   pruebas.

3.-Ejemplo: EDUARDO DEL PORTILLO: 5 de Julio de 1.932.

Día 5
Mes 7
Año 1932 = 1 + 9 + 3 + 2 = 15 = 1 + 5 = 6

Día 5

Mes 7

Año 6
——————

18

18 = 1 + 8 = 9:

9: Esfera, El Ermitaño en medio de todos buscando la luz, llegará a producir grandes obras geniales.Desarrollar una tremenda energía lo ha hecho Ermitaño en el camino de la existencia.

LA TONICA FUNDAMENTAL

LA TONICA FUNDAMENTAL, ES LA URGENCIA INTERIOR más la suma kabalística del número de letras del nombre completo.

1.-Ejemplo: VICTOR MANUEL CHAVEZ CABALLERO: 5 Urgencia Interior.

V I C T O R   M A N U E L   C H A V E Z   C A B A L L E R O
1 2 3 4 5 6   1 2 3 4 5 6   1 2 3 4 5 6   1 2 3 4 5 6 7 8 9
6   6   6   9

6 + 6 + 6 + 9 = 27 = 2 + 7 = 9   9
9 + 5 = 14   +5 Urgencia Interior
14 = 1 + 4 = 5   14

5: TONICA FUNDAMENTAL

2.- Ejemplo: FEDERICO LAURO ARCE HEREDIA: 8 Urgencia Interior

F E D E R I C O   L A U R O   A R C E   H E R E D I A
1 2 3 4 5 6 7 8   1 2 3 4 5   1 2 3 4   1 2 3 4 5 6 7
8   5   4   7

8 + 5 + 4 + 7 = 24 = 2 + 4 = 6   6
                                       + 8 Urgencia Interior
                                       14 = 1+4= 5

5 TONICA FUNDAMENTAL

5: Siempre vive pensando, razonando, analizando.

3.-Ejemplo: MARGARITA GARCIA SANCHO FERNANDEZ: 5 Urgencia Interior.

M A R G A R I T A   G A R C I A   S A N C H O   F E R N A N D E Z
      9   6   6   9

$$9 + 6 + 6 + 9 = 30 = 3 + 0 = 3$$

3
__5__ Urgencia Interior
8 TONICA FUNDAMENTAL

8: Pruebas y dolor, número de reflexión, consejo, comprensión, análisis, paciencia, pruebas.

LA TONICA DEL DIA

La Tónica del Dia, se calcula sumando la Tónica Fundamental, más la suma kabalística de la fecha que hemos escogido.

Por medio de este sistema sabe uno cómo le va a ir para saber como actuar ese día.

1.-Ejemplo: VICTOR MANUEL CHAVEZ: Dia 30 de Abril de 1.969.

Tónica Fundamental: 5

Día 30 = 3 + 0 = 3
Mes 4
Año 1969=1 + 9 + 6 + 9 = 25 = 2 + 5 = 7
Día 3
Mes 4   14 = 1+ 4 = 5   5
__Año 7__   __5__ Tónica Fundamental
  14   10 TONICA DEL DIA

10 = 1+ 0 = 1 TONICA DEL DIA 30 de Abril/ 69

El 10 es la Rueda de la Fortuna, Cambio. El 1 es Iniciativa, lo que empieza, lo que comienza, la originalidad, el Esfuerzo.

2.-Ejemplo: Sr. GUILLERMO HICKIE: Tónica del 1/5/1969

Tónica Fundamental: 8

Día 1
Mes 5
Año 1969 = 1+ 9 + 6 + 9 = 25 = 2 + 5 = 7

Día 1   4
Mes 5   + 8 Tónica Fundamental
Año 7   12 TONICA DEL DIA
     13 MUERTE   1 + 3= 4

        1 + 2 = 3 TONICA DEL DIA 1/5/69

El 3 es lo artístico, las tres fuerzas primarias, producción tanto material como espiritual. La producción, la multiplicación, lo bello, lo creador, armonía, arte, belleza.

3.- Ejemplo: Sr. GIL. Tónica del 27-Julio-1969

Día 27 = 2 + 7 = 9
Mes 7
Año 1969 = 1 + 9 + 6 + 9 = 25 = 2 + 5 = 7
Día 9   5
Mes 7   +3 Tónica Fundamental
Año 7   8 TONICA DEL DIA
     23 = 2 + 3 = 5

El 8 es pruebas, dolores, hay que multiplicar la paciencia, la cooperatividad, saber esperar, reflexionar, seriedad del pensamiento, distinguir entre lo más útil y lo menos útil, entre lo que es y lo que no es. No hacer las cosas a lo loco, escudriñar pro y contra con paciencia. Cada uno de los números de la Kábala, hay que estudiarlos a fondo.

ACONTECIMIENTO DEL DIA

Hay que saber escoger con exactitud del día o de la noche la hora para realizar con éxito cualquier actividad de la realidad.

Uno puede escoger una hora, un día, un mes, un año, para sus cosas particulares. Aquí no entran los convencionalismos, por ejemplo no debe uno usar las veintiún horas, sino las nueve horas.

1.-Ejemplo: VICTOR MANUEL CHAVEZ:

Fecha de Nacimiento: 17/11/1921
Urgencia Interior 5
Tónica Fundamental 5
Fecha a investigar 14 Mayo 1969
Hora de Acontecimiento 9 A.M.

Dia 14 = 1 + 4 = 5
Mes 5
Año 1969 = 1 + 9 + 6 + 9 = 25 = 2 + 5 = 7

Dia 5
Mes 5   8
Año 7   +5 Tónica Fundamental
     17 = 1 + 7 = 8   13 = 1 + 3 = 4 Tónica del día 14/5/69

Con el 4 hay que saber cuadrar los negocios, los detalles de cualquier actividad. La Hora más interesante de ese día fue a las 9 de la mañana.

4 Tónica del día
+9 Horas
13 = 1+ 3 = 4 ACONTECIMIENTO DEL DIA

El a esa hora tuvo que tratar un asunto de su trabajo, y le salió bien.
El 4 es la base, es saber cuadrar los asuntos.

2.-Ejemplo: Sra. MARGARITA SANCHO FERNANDEZ

Fecha de Nacimiento 4 Noviembre 1943
Urgencia Interior 5
Tónica Fundamental 8
Fecha a Investigar 13 Junio 1969

Día 13 = 1 + 3 = 4
Mes 6
Año 1969 = 1 + 9 + 6 + 9 = 25 = 2 + 5 = 7

Dia 4	
Mes 6	8
Año 7	+8 Tónica Fundamental
17 = 1 + 7= 8	16=1+6=7 Tónica del día 13/6/69

Hay que combatir para no caer, la energía debe ser inteligentemente dirigida, luchar para levantarse. El 16 es la Torre Fulminada.
El ACONTECIMIENTO DEL DIA es a las once horas de la noche.

11 = 1 + 1 = 2

7 Tónica del día
+2 Hora
9 ACONTECIMIENTO DEL DIA

Su acontecimiento del día es trabajar con la 9ª Esfera.

En relación con las horas tengo que disentir con muchos kabalistas,
porque ellos creen que la Urgencia Interior está gobernada por los planetas tales, a tales horas, pero téngase en cuenta que el orden del calendario está alterado, porque así era conveniente para los curas.

El calendario actual está adulterado. Los curas de la Edad Media lo
alteraron con el fin de colocar el Domingo como 7º dia. el Real Calendario es:

ACTUAL	REAL	ASTROLOGICO
Domingo	Lunes	Luna
Lunes	Miércoles	Mercurio
Martes	Viernes	Venus
Miércoles	Domingo	Sol
Jueves	Martes	Marte
Viernes	Jueves	Júpiter
Sábado	Sábado	Saturno

Este es el Orden antiquísimo, porque es el orden de los Mundos en el Sistema Solar.

Los Kabalistas se *"hacen bolas"* solos, si a eso se añade un calendario adulterado, al escoger una hora y determinado día para actuar, no sale, no da resultado porque está adulterado.

Las Matemáticas sí son exactas.

Debemos aprender a utilizar las horas. Con este sistema se prueba la exactitud de los hechos. Es muy importante esto de las Matamáticas en Kábala.

Aplicar los 22 Arcanos a las horas es el verdadero Reloj Astral.

El Sendero Iniciático en los Arcanos del
TAROT Y KABALA

Quinta Parte

Kábala de Predicción

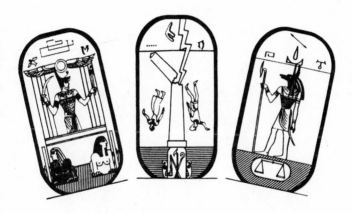

"Oid porque hablaré cosas excelentes, y abriré mis labios para cosas rectas. Porque mi boca hablará verdad, y mis labios abominan la impiedad ".
"Justas son todas las razones de mi boda, no hay en ella cosa perversa ni torcida. Todas ellas son rectas al que entiende, y razonables a los que han hallado sabiduría".

(PROVERBIOS 8: 6-9).

CAPITULO 65

PREPARACION

El género de Clarividencia más elevado que existe en el Universo es la Conciencia. Todos los Avataras o Mensajeros de los Mundos Superiores han sido Clarividentes Supra-Conscientes. Hermes Trismegisto, Rama, Krishna, Buddha, Jesucristo, etc. Fueron seres Supra-Conscientes, Mensajeros de los Mundos Superiores, iniciadores de nuevas eras de evolución histórica.

Imaginación, Inspiración, Intuición son los tres caminos obligatorios de la Iniciación. Vamos a examinar por separado cada uno de estos tres escalones.

Empecemos por la **Imaginación:** Para el sabio imaginar es ver. La Imaginación es el Traslúcido del Alma.

Lo importante es aprender a concentrar el pensamiento en una sola cosa. Aquel que aprende a pensar una sola cosa hace maravillas y prodigios.

El discípulo que quiera alcanzar el Conocimiento Imaginativo debe aprender a concentrarse y saber meditar profundamente.

El mejor ejercicio para alcanzar el Conocimiento Imaginativo es el siguiente:

"Sentados frente a una planta nos concentramos en ella hasta olvidar todo lo que no sea ella. Luego cerrando los ojos nos adormecemos conservando en nuestra imaginación, la forma y figura de la planta, su estructura, su perfume y su color".

"El discípulo imaginará las células vivientes de la planta. El discípulo debe provocar el sueño durante estas prácticas. El discípulo dormitando meditará profundamente en la constitución interna del vegetal que posee protoplasma, membrana y núcleo. El protoplasma es una substancia viscosa, elástica y transparente muy parecida a la clara del huevo (Materia Albuminoidea). El discípulo dormitando debe reflexionar sobre los cuatro elementos fundamentales del protoplasma de la célula vegetal. Estos cuatro elementos son: el Carbono, el Oxígeno, el Hidrógeno y el Nitrógeno".

"La menbrana es una substancia maravillosa sin color, que en el agua resulta totalmente insoluble. Esa substancia es la famosa celulosa. El discípulo bien concentrado imaginará el núcleo de la célula como

un pequeño corpúsculo donde palpita la Gran Vida Universal. Dentro del núcleo está el filamento nuclear, el jugo nuclear, y los nucleolos, envueltos todos por la membrana nuclear. Los nucleolos son corpúsculos infinitamente llenos de brillo y belleza, productos residuales de las reacciones incesantes del organismo vegetal".

"El discípulo, bien concentrado, debe imaginar con toda precisión lógica, todas esas substancias minerales y combinaciones orgánicas que se desenvuelven armoniosamente en el protoplasma celular de la planta. Pensad en los granos de almidón y en la portentosa clorofila sin la cual sería imposible llegar a síntesis orgánicas perfectas. La clorofila se presenta en forma granulada (cloro-leucitos) de color amarillo muy hermoso (xantófila). Esta última bajo los rayos solares se pinta con ese verde tan precioso de vegetal. Toda planta es una perfecta comunidad celular de perfecciones incalculables. Debe el estudiante meditar en la perfección de la planta y en todos sus procesos científicos, lleno de una beatitud mística y encantado de tanta belleza".

"El místico ser se extasía recordando todos los fenómenos de nutrición, relación y reproducción de cada célula vegetal".

"Miremos el cáliz de la flor, allí están sus órganos sexuales, allí está el pólen, elemento reproductor masculino. Allí está el Pistilo o Gineceo, órgano femenino preciosísimo con su Ovario, Estilo y Estigma".

"El Ovario es un saco lleno de óvulos maravillosos. Con relación al Pistilo, los estambres pueden ocupar distintas posiciones: Inserción por debajo del Ovario, alrededor del ovario o por encima del mismo".

"La fecundación se verifica con la función de los gérmenes femeninos y gametos masculinos. El polen, gameto masculino, después de salir de la antera llega entonces al Ovario de la planta donde ansioso le espera el Ovulo, gameto femenino".

"La semilla es Ovulo precioso y encantador que después de haber sido fecundado se transforma y crece. Recuerde ahora el estudiante aquella época en la cual, ahora está meditando, brotaba como un tallito delicado. Imagínesela creciendo lentamente hasta verla con la Imaginación echando ramas, hojas y flores. Recuerde que todo lo que nace tiene que morir. Imagine ahora el proceso de morir de la planta. Sus flores se marchitan, sus hojas se secan y el viento se las lleva y por último sólo quedan algunos leños secos".

Este proceso del nacer y del morir es maravilloso. Meditando en todo esto ese proceso del nacer y del morir de una planta, meditando en toda esa maravillosa vida del vegetal, si la concentración es perfecta, y si el sueño logra hacerse profundo, entonces giran los chakras del Cuerpo Astral, se desarrollan, se desenvuelven.

La Meditación debe ser correcta. La Mente debe ser exacta. Se necesita el pensamiento lógico y el concepto exacto a fin de que los Sentidos Internos se desarrollen absolutamente perfectos.

Toda incoherencia, toda falta de lógica y de equilibrio moral, obstruye y daña la evolución y el progreso de los Chakras, Discos, o Flores de Loto del Cuerpo Astral. El estudiante necesita mucha Paciencia, Voluntad, Tenacidad y Fe Absolutamente Consciente. Un día cualquiera, entre sueños, surge durante la meditación un cuadro lejano, un paisaje de la naturaleza, un rostro, etc. Esta es la señal de que se está progresando. El estudiante se eleva poco a poco al Conocimiento Imaginativo. El estudiante va rasgando el Velo de Isis poco a poco. Un día cualquiera desaparece la planta en la cual está meditando y entonces ve un hermoso niño reemplazando al vegetal. Ese niño es el Elemental de la planta. El Alma Vegetal.

Más tarde, durante el sueño, despierta su Conciencia y entonces puede decir: *"Estoy en Cuerpo Astral"*. La Conciencia despierta poco a poco. Por este camino llega el instante en que el discípulo ha adquirido la Conciencia Continua.

Cuando el estudiante goza de Conciencia Continua, ya no sueña, ya no puede soñar porque su Conciencia está despierta. Entonces aun cuando su cuerpo esté dormido, el se mueve consciente en los Mundos Superiores.

La Meditación Exacta despierta los Sentidos Internos y produce una transformación total de los Cuerpos Internos. El que despierta la Conciencia ha llegado al Conocimiento Imaginativo. Se mueve en el mundo de imágenes simbólicas.

Aquellos símbolos que antes veía cuando soñaba, ahora los ve sin soñar, antes los veía con la Conciencia Dormida, ahora se mueve entre ellos con Conciencia de Vigilia, aún cuando su Cuerpo Físico esté profundamente dormido. Al llegar al Conocimiento Imaginativo el estudiante ve los símbolos pero no los entiende. Comprende que toda la naturaleza es una escritura viviente que él no conoce. Necesita elevarse al Conocimiento Inspirado para interpretar los símbolos sagrados de la Gran Naturaleza.

Inspiración: Vamos ahora a estudiar la Inspiración.

El Conocimiento Inspirado nos confiere el poder de Interpretar los Símbolos de la Gran Naturaleza. La interpretación de símbolos es muy delicada. Muchos clarividentes se volvieron homicidas o cayeron en el delito de la calumnia pública por no saber interpretar los símbolos.

Los símbolos deben ser analizados fríamente sin superstición, malicia, desconfianza, orgullo, vanidad, fanatismo, prejuicio, preconceptos, odios, envidia, codicia, celos, etc. Todos los defectos son el Yo, del Mí Mismo, del Ego Reencarnante.

Cuando el Yo interviene traduciendo, interpretando símbolos, entonces altera el significado de la Escritura Secreta, y el Clarividente cae en el delito que puede llevarlo a la cárcel.

La interpretación debe ser tremendamente analítica, altamente científica y esencialmente mística. Hay que aprender a ver y a interpretar en ausencia del Yo, del Mi mismo.

A muchos místicos les parece extraño que nosotros los hermanos del Movimiento Gnóstico Universal, hablemos de la Divina Clarividencia con el Código Penal en la mano. Esos que así piensan, consideran la Espiritualidad allá , como una cosa que no tiene relación con la vida diaria. Esas personas van mal, están equivocadas, ignoran que lo que es cada Alma en los Mundos Superiores es el resultado exacto de la vida diaria que todos llevamos en este Valle de Lágrimas.

Si nuestras palabras, pensamientos y actos no son justos, entonces el resultado aparece en los Mundos Internos y la Ley cae sobre nosotros.

Ley es Ley, *"la ignorancia de la Ley no excluye su cumplimiento"*. El peor pecado es la Ignorancia. Enseñar al que no sabe es obra de Misericordia. Sobre los hombres Clarividentes pesa toda la tremenda responsabilidad de la Ley.

Hay que saber interpretar los símbolos de la Gran Naturaleza en ausencia absoluta del Yo. Empero se debe multiplicar la autocrítica, porque cuando el Yo del clarividente cree que sabe mucho, entonces se siente a sí mismo infalible, omnisciente, sabio y hasta supone que ve y que interpreta en ausencia del Yo. Esta clase de Clarividencia fortifica tanto el Yo, que termina por convertirse en Demonios terribles perversos. Cuando un clarividente de esta clase ve a su propio Dios Interno, entonces traduce la visión de acuerdo con su criterio tenebroso, y exclama diciendo: *"Voy muy bien"*.

Hay que saber interpretar basándose en la Ley de las Analogías Filosóficas, en la Ley de las Correspondencias y de la Kábala Numérica. Nosotros recomendamos "La Kábala Mística" de Dion Fortune. Este libro es maravilloso. Estudiadlo.

Aquel que tiene odios, resentimientos, celos, envidias, orgullos, etc. no logra elevarse hasta el segundo escalón llamado Conocimiento Inspirado.

Cuando nos elevamos al Conocimiento Inspirado entendemos y comprendemos que la acumulación accidental de objetos no existe. Realmente todos los fenómenos de la Naturaleza y todos los objetos, se hallan íntimamente ligados orgánicamente entre sí, dependiendo internamente unos a otros y condicionándose entre sí mutuamente. Realmente ningún fenómeno de la Naturaleza puede ser comprendido integralmente si lo consideramos aisladamente.

Todo está en incesante movimiento, todo cambia, nada está quieto. En todo objeto existe la lucha interna. El objeto es positivo y negativo a la vez. Lo cuantitativo se trasnforma en cualitativo. La Evolución es un proceso de complicación de la energía.

El Conocimiento Inspirado nos permite conocer la interrelación entre todo lo que es, lo que ha sido y será.

La Materia no es sino Energía Condensada. Las infinitas modificaciones de la Energía son absolutamente desconocidas tanto para el Materialismo Histórico como para el Materialismo Dialéctico.

"Energía es igual a masa por velocidad de la luz al cuadrado". Nosotros los Gnósticos nos apartamos de la lucha antitética que existe entre la Metafísica y el Materialismo Dialéctico. Esos son los dos polos de la Ignorancia, las dos antítesis del error.

Nosotros vamos por otro camino. Somos Gnósticos. consideramos la vida como un todo integral.

El objeto es un punto en el espacio que sirve de vehículo a determinadas sumas de valores.

El Conocimiento Inspirado nos permite estudiar la íntima relación existente entre todas las formas y valores de la Gran Naturaleza.

El Materialismo Dialéctico no conoce los valores, sólo estudia el objeto. La Metafísica no conoce los valores, tampoco conoce el objeto.

Nosotros los Gnósticos nos apartamos de las dos antítesis de la Ignorancia y estudiamos al hombre y a la Naturaleza integralmente.

La vida es toda Energía determinada y determinadora. La vida es Sujeto y Objeto a la vez.

"El Discípulo que quiere llegar al Conocimiento Inspirado debe concentrarse profundamente en la música. La Flauta Encantada de Mozart nos recuerda una Iniciación Egipcia. Las Nueve Sinfonías de Beethoven, y muchas otras grandes composiciones clásicas nos elevan a los Mundos Superiores".

El discípulo concentrado profundamente en la música deberá observarse en ella como la abeja en la miel, producto de todo su trabajo.

Cuando ya el discípulo ha llegado al Conocimiento Inspirado, debe entonces prepararse para el Conocimiento Intuitivo.

Intuición: El Mundo de las Intuiciones es el Mundo de las Matemáticas. El estudiante que quiera elevarse al Mundo de la Intuición debe ser Matemático o por lo menos tener nociones de Aritmética.

Las fórmulas matemáticas confieren el Conocimiento Intuitivo.

"El estudiante se debe concentrar en una fórmula matemática, y me-

ditar profundamente en ella. Después vaciar la mente y ponerla totalmente en blanco, luego aguardar que el Ser Interno nos enseñe el concepto de contenido encerrado en la fórmula matemática". Por ejemplo, antes que Kepler enunciase públicamente su famoso principio de que *"Los cuadrados de los tiempos de las revoluciones de los planetas alrededor del sol, son entre sí, como los cubos de sus distancias",* ya la fórmula existía, estaba contenida en el Sistema Solar, aun cuando los sabios no la conocían.

El estudiante puede concentrarse mentalmente en esta fórmula, vaciar su mente, adormecerse con mente en blanco y aguardar que su propio Ser Interno le revele todos los secretos maravillosos contenidos en la fórmula de Kepler.

La fórmula de Newton acerca de la Gravitación Universal, también puede servir para ejercitarnos en la Iniciación. Esta fórmula es la siguiente: *"Los cuerpos se atraen entre sí en razón directa de sus masas y en razón inversa al cuadrado de sus distancias".*

Si el estudiante practica con Tenacidad y Suprema Paciencia, su propio Ser Interno le enseñará o instruirá en la obra. Entonces estudiará a los pies del Maestro; se elevará al Conocimiento Intuitivo. Imaginación, Inspiración, Intuición, son los tres caminos obligatorios de la Iniciación. Aquel que ha subido las tres escalas del Conocimiento Directo, ha logrado la Supra-Conciencia.

En el Mundo de la Intuición sólo hallamos la Omnisciencia. El Mundo de la Intuición es el Mundo del Ser, es el Mundo del Intimo.

En ese mundo no puede entrar el Yo, el Mí Mismo, el Ego.

El Mundo de la Intuición es Espíritu Universal de Vida.

El Mundo del Conocimiento Imaginativo, es un mundo de imágenes simbólicas.

La Inspiración nos confiere el poder de interpretar símbolos.

En el Mundo de la Intuición vemos el Gran Teatro Cósmico, y nostros somos los espectadores. Nosotros asistimos al Gran Drama de la Vida.

En ese mundo todo el Drama que se representa en la Escena Cósmica, se reduce a terribles operaciones aritméticas. Ese es el Anfiteatro de la Ciencia Cósmica.

Desde esa Región de las Matemáticas vemos que existen masas físicas que están por encima y por debajo de los límites de percepción sensorial externa. Esas masas son invisibles; sólo con la Clarividencia se perciben.

La Materia es Energía Condensada. Cuando la vibración es muy lenta la masa está por debajo de los límites de percepción sensorial externa. Cuando el movimiento vibratorio es muy rápido, la masa está por encima de los límites de percepción sensorial externa. Con el telescopio sólo podemos ver mundos cuyo grado de vibración está activo dentro de los límites de percepción sensorial externa.

Por encima y por debajo de los límites de percepción sensorial externa, existen Mundos, Sistemas Solares, y Constelaciones, poblados de toda clase de seres vivientes.

La llamada Materia es Energía que condensa en masas infinitas.

Los sentidos de percepción externa es muy poco lo que alcanzan a percibir.

El Materialismo Dialéctico y la Metafísica resultan ahora extemporáneos y anticuados.

Nosotros los hermanos del Movimiento Gnóstico vamos por un camino distinto.

Es urgente que los hombres de ciencia estudien el "Tratado de Ciencia Oculta" del Doctor Rudolf Steiner, gran médico húngaro nacido en 1861. Amigo y discípulo de Nietzsche y de Ernesto Haeckel, fundador de la Sociedad Antroposófica.

Es indispensable que aquellos amantes de la ciencia investiguen a fondo la portentosa Sabiduría Oriental vertida como un río de oro en la páginas inmortales de "La Doctrina Secreta".

Esa obra consta de seis volúmenes y es un monumento de la Sabiduría Arcaica.

La Gran Maestra H.P.B. es la genial autora de ese tesoro precioso de la Sabiduría Antigua.

Aquellos que alcanzan la Supra-Conciencia, se convierten en verdaderos Clarividentes Iluminados. Ningún Auténtico Clarividente se vanagloria de sus facultades.

Ningún Legítimo Clarividente dice que es clarividente.

Cuando un Verdadero Clarividente ve algo importante da su concepto con suma cultura y respeto supremo al prójimo. Nunca dice: *"Yo estoy viendo"*. Siempre dice: *"Nosotros conceptuamos", "Nosotros hemos aprendido"*. Así es como todos aquellos que han llegado a las cimas inefables de la Supra-Conciencia, se distinguen por su caballerosidad, humildad y modestia.

Lea usted el "Kundalini Yoga" de Sivananda. Medite en la Bendita Logia Blanca. Escudriñe en tesoros Gnósticos. Medite en la profunda simbología contenida en cada uno de los Arcanos del Tarot.

Aquellos que alcanzan las alturas de la Supra-Conciencia entran en el Anfiteatro de la Ciencia Cósmica.

El triple camino de Ciencia, Filosofía y Mística Cósmica Revolucionaria, nos conduce a las regiones inefables de la Gran Luz.

La Gnosis es altamente Científica, altamente Filosófica y trascendentalmente Mística.

NOTA: Este capítulo es una transcripción del numeral 22 del libro "Nociones Fundamentales de Endocrinología y Criminología". Para que el discípulo complete su preparación para usar la Kábala de Predicción con toda la Pureza, que es el requisito indispensable, puede estudiar el capítulo No. 17: "Disciplina Esotérica de la Mente", del libro "Rosa Ignea", que es el complemento al capítulo aquí expuesto. Meditad profundamente en el número (85) y en sus Sumas Cabalísticas. Escudriñad con lo más profundo de vuestra Alma que ahí se encuentra la clave para la preparación a la Kábala de Predicción $85 = 8 + 5 = 13 = 1 + 3 = 4$

8 PACIENCIA

5 INTELIGENCIA

13 MUERTE MISTICA

3 TRABAJO CON LA MADRE DIVINA

1 VOLUNTAD

4 TRABAJO CON LA CRUZ, CON EL SEXO.

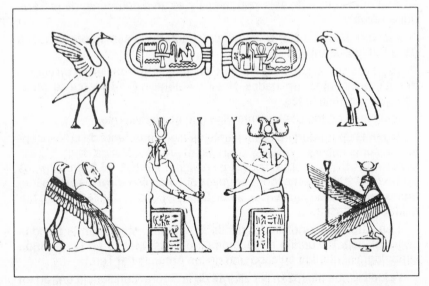

"Los símbolos deben ser analizados fríamente sin superstición, malicia, desconfianza, orgullo, vanidad, fanatismo, prejuicio, preconceptos, odios, envidia, codicia, celos, etc".

CAPITULO 66

PREDICCION SINTESIS

ARCANO 1   EL MAGO: El Hombre:
"Espada. Voluntad. Poder".

ARCANO 2   LA SACERDOTISA: La Mujer del Mago:
"Ciencia Oculta. Favorable".

ARCANO 3   LA EMPERATRIZ: La Madre Divina:
"Producción Material y Espiritual".

ARCANO 4   EL EMPERADOR:
"Mando. Progreso. Exito. Misericordia".

ARCANO 5   EL JERARCA: El Rigor, la Ley:
"El Karma. Marte. Guerra".

ARCANO 6   LA INDECISION: El Enamorado:
"Victoria. Buena Suerte".

ARCANO 7   EL TRIUNFO: El Carro de Guerra:
"Guerras. Luchas. Expiación. Dolor. Amargura".

ARCANO 8   LA JUSTICIA: El Arcano de Job:
"Sufrimientos. Pruebas. Dolor".

ARCANO 9   EL EREMITA: La Iniciación:
"Soledad. Sufrimientos".

ARCANO 10   LA RETRIBUCION: La Rueda de la Fortuna:
"Buenos Negocios. Cambios".

ARCANO 11   LA PERSUASION: El Leon Domado:
"Favorece la Ley. Que no haya Temor. Marte".

ARCANO 12   EL APOSTOLADO: El Sacrificio:
"Pruebas y Dolor. Arcano A.Z.F. nos saca del dolor".

ARCANO 13   LA INMORTALIDAD: Muerte y Resurrección:
"Transformaciones. Indica Cambio Total".

ARCANO 14   LA TEMPERANCIA: Matrimonio Asociación:
"Larga Vida. Estabilidad. No cambio".

ARCANO 15   LA PASION: Tifón Bafometo:
"Fracaso Amoroso. Anuncia Peligros".

ARCANO 16   LA FRAGILIDAD: La Torre Fulminada:
"Castigo. Caída Terrible. Evítese esta fecha".

ARCANO 17   LA ESPERANZA: La Estrella de la Esperanza:
"Significa Esperanza y Espera".

ARCANO 18   EL CREPUSCULO: Enemigos Ocultos:
"Los Enemigos Ocultos saltan en cualquier momento. Enfermedades. No Negocios".

ARCANO 19 LA INSPIRACION: El Sol Radiante:
"Exitos. Buena suerte. La Piedra Filosofal".

ARCANO 20 LA RESURRECCION: La Resurrección de los Muertos: "Cambios favorables, aprovéchelos. Acabar con las debilidades".

ARCANO 21 LA TRANSMUTACION: El Loco, la Insensatez: "Desmoralización total para el mal. Llave mágica: Runa Olin. Antítesis, enemigos de Hiram Abiff".

ARCANO 22 EL REGRESO: La Verdad, la Corona de la Vida: "Triunfo. Todo sale bien. Poder. Fuerza. Buena suerte".

ARCANO No. 1

EL ARCANO No. 1 significa lo que se inicia, lo que comienza, lo que se siembra, lo que empieza.

Todo comienzo es dificil, hay que trabajar duro, hay que sembrar para poder cosechar.

Da aptitud para resolver los problemas. Confiere poder tanto para despertar como para dominar las pasiones en el Mundo Físico.

Propende a la organización de los elementos naturales y al dominio de las fuerzas en movimiento.

Da aptitud para adquirir, disponer, modelar, aplicar.

El Arcano No. 1 es la Unidad, el Principio de la Luz, el Padre, el Mundo como manifestación, el Hombre como unidad viviente, completa en si mismo, el Fundamento de la Razón de todos los actos, la Síntesis de todo, la Iniciación en los Misterios y el poder para descifrarlos y servirse de ellos, el Poder Volitivo. El Arcano No. 1 da el Triunfo pero con lucha debido al Karma.

Sephirote Kabalístico: "KETHER"

Letra Hebraica: "ALEPH"

Axioma Trascendente: *"Se en tus obras como eres en tus pensamientos".*

Elemento de Predicción: *"Promete dominio de los obstáculos materiales, nuevas relaciones sociales, felices iniciativas, el concurso de amigos fieles que ayudan al desarrollo de los proyectos y amigos celosos que los obstaculizan".*

ARCANO No. 2

El Arcano No. 2 es la Tesis planteando la Antitesis. Por medio de este Arcano se modela, se hace la Matriz donde toman forma las imágenes.

Es la Fuente que acumula las Aguas del Manantial.

Es la manifestación Dual de la Unidad. La Unidad al desdoblarse da origen a la Femineidad Receptora y Productora en toda la Naturaleza.

Sephirote Kabalístico: "CHOCMAH"

Letra Hebraica: "BETH"

Axioma Trascendente: *"El viento y las olas van siempre en favor de quien sabe navegar".*

Elemento de Predicción: *"Atracciones y repulsiones, pérdidas y ganancias, subidas y descensos. Inspiraciones favorables a la iniciativa y la secreta oposición de segundos para llevar lo iniciado a buen fin".*

ARCANO No. 3

El Arcano No. 3: Se dice que él es el modelador, claro está que por medio del Verbo se modela todo en la Creacion, en la Naturaleza.

EL Arcano No. 3 significa Exito, es producción tanto Material como Espiritual.

Sephirote Kabalístico: "BINAH"

Letra Hebraica: "GUIMEL"

Axioma Trascendente: *"Tejiendo está tu telar, telas para tu uso y telas que no has de usar".*

Elemento de Predicción: *"Multiplicación de los bienes materiales, prosperidad en los negocios, abundancia, riqueza, éxito. Obstáculos a vencer y satisfacciones a medida que se van venciendo".*

ARCANO No. 4

El Arcano No. 4: En el existen las cuatro concordancias. Estas son: Afirmación, Negación, Discusión, Seducción.

Sephirote Kabalístico: "CHESED"

Letra Hebraica: "DALETH"

Axioma Trascendente: *"Al trabajo de tus manos da bendición, y en el del pensamiento poned corazón".*

Elemento de Predicción:*"Promete logros materiales, bases para más altas empresas, resultados favorables en el esfuerzo invertido y condiciones penosas para lograrlos. Las amistades son simultáneamente ayuda y obstáculo. La suerte es propicia y adversa al mismo instante".*

ARCANO No. 5

El Arcano No. 5: Es !ndicacion, Demostracion, Enseñanza, Ley Kármica, Filosofía, Ciencia, Arte. Es la Ley, el Rigor.

Sephirote Kabalístico: "GEBURAH"

Letra Hebraica: "HE"

Axioma Trascendente: *"De oídas te había oído, mas ahora mis ojos te ven y mi corazón te siente".*

Elemento de Predicción: *"Libertad y restricciones, nuevas experiencias, adquisición de enseñanzas provechosas, amores y amoríos, viajes de prosperidad malograda. Amigos propicios y amigos de siniestro augurio. Seres y cosas que vienen y se van, los primeros para irse, los segundos para regresar".*

ARCANO No. 6

El Arcano No. 6: Es el Enamorado, Encadenamiento, Equilibrio, lucha terrible entre el Amor y el Deseo.

Unión amorosa de hombre y mujer, Enlazamiento.

Es la Suprema Afirmación del Cristo Interno y la Suprema Negación del Demonio.

En el Arcano No. 6 se encuentra uno en tener que elegir éste o aquel Camino.

En el Arcano No. 6 está la lucha entre los dos ternarios. Los misterios del Lingam-Yoni.

Sephirote Kabalístico: "TIPHERETH"

Letra Hebraica: "VAU"

Axioma Trascendente: *"Trabajos me das Señor, mas con ellos fortaleza"*.

Elemento de Predicción: *"Privilegios y deberes en las relaciones de los sexos. Antagonismos de fuerzas. Separaciones y Divorcios. Posesión de lo que se persigue y ardientes deseos que se cumplen, unos que satisfacen, y otros que defraudan"*.

ARCANO No. 7

El Arcano No. 7: Es Lucha, Batalla, Dificultades. El guerrero debe aprender a usar el Báculo y la Espada, así logrará la Gran Victoria.

Nuestra divisa es Thelema (Voluntad).

Sephirote Kabalístico: "NETZACH"

Letra Hebraica: "ZAIN"

Axioma Trascendente: *"Cuando la ciencia entrare en tu corazón y la sabiduría fuese dulce a tu alma, pide y te será dado"*.

Elemento de Predicción: *"Promete poder magnético, intelección acertada (unión de intelecto e intuición), justicia y reparaciones, honor y deshonor, logro de lo que se persigue con empeño, satisfacciones y contrariedades"*.

ARCANO No. 8

El Arcano No. 8: significa Duras Pruebas, es la Rectitud, la Justicia, el Equilibrio. Hay que buscar el bien cueste lo que cueste, pues los Maestros de Medicina cuando se trata de algún enfermo que esté muriendo, ellos intentan salvarlo porque esa es la Ley, ellos cumplen con hacer el bien.

En el Arcano No. 8 se encierran las Pruebas Iniciáticas.

Sephirote Kabalístico: "HOD"

Letra Hebraica: "CHETH"

Axioma Trascendente: *"Edifica un altar en tu corazón, mas no hagas de tu corazón un altar".*

Elemento de Predicción: *"Promete retribuciones, castigos y recompensas, gratitudes e ingratitudes. Compensación por servicios prestados".*

ARCANO No. 9

El Arcano No. 9: Es el Ermitaño, prudente y sabio, es la Soledad. En la Novena Esfera, hay grandes dolores.

En la Novena Esfera existe el Supremo Dolor, como lo dice el Dante en la "Divina Comedia".

Hay que aprender a entender, hay que aprender a sufrir, a ser resignados. Los que no lo son, fracasan.

Sephirote Kabalístico: "JESOD"

Letra Hebraica: "TETH"

Axioma Trascendente: *"Sube al monte y contempla la tierra prometida, mas no te digo que entrarás en ella".*

Elemento de Predicción: *"Promete ciencia para hacer descubrimientos, orden al realizarlos y cautela para servirse de ellos. Asociaciones propicias y asociaciones infaustas. Amigos que ayudan y amigos que obstaculizan. Luz de razón y luz de intuición, la primera para lo inmediato y la segunda para lo que ha de ser".*

ARCANO N0. 10

El Arcano No. 10 desde el punto de vista esotérico es realmente trascendental. El círculo con un punto en el centro es un símbolo totalmente fálico; el punto alargándolo se convierte en línea, el Lingam. Si la línea la ponemos a la izquierda, es el Número 10, en este número se encuentran todos los secretos del Lingam-Yoni, las Leyes de Irradiación y Absorción. No es posible llegar a la Auto-Realizacion Intima del Ser sin haber trabajado en el Sahaja Maithuna.

El Arcano No. 10 es la Rueda del Samsara, la Rueda Cosmogénica de Ezequiel. En esta rueda encontramos el Batallar de las Antítesis. En esta rueda se encierra todo el secreto del Arbol del Conocimiento.

El Arcano No. 10 es la Rueda de los Siglos; en la trágica rueda que es la antigua Ley del Retorno, es lógico que esta ley esté intimamente ligada con la Ley de Recurrencia, es decir todo vuelve a ocurrir tal como sucedió, más sus consecuencias buenas o malas, los mismos dramas se repiten, esto se llama Karma.

Sephirote Kabalístico: "MALKUTH"

Letra Hebraica: "IOD"

Cuando nosotros hacemos una petición, muchas veces nos contestan los ángeles mostrandonos el reloj. El Discípulo debe fijarse en la hora del reloj. Ese es el Reloj del Destino. En el horario está la respuesta. En alegoría esotérica siempre se le contesta a uno con el Reloj. Hay que aprender a entender el Reloj.

Horario: 1ª Hora de Apolonio: *"Estudio trascendental del Ocultismo".*

Axioma Trascendente: *"Costoso es el saber que compras con la experiencia y más costoso el que te falta por comprar".*

Elemento de Predicción: *"Promete buena y mala fortuna, elevaciones y descensos, posesiones legítimas y posesiones dudosas. Recomendaciones de pasadas contingencias y circunstancias que se repiten en distinta forma".*

ARCANO No. 11

El Arcano No. 11: Es el trabajo con el Fuego, con la Fuerza del Amor. La Persuasión en sí misma es una fuerza de orden Sutil, Espiritual.

La Sabiduría Oculta dice: *"Avivad la Llama del Espíritu con la Fuerza del Amor"*. La Persuasión tiene más poder que la Violencia.

Letra Hebraica: "KAPH"

Horario: "2ª Hora de Apolonio": *"Los Abismos del Fuego y las Virtudes Astrales Forman un Círculo a través de los Dragones y el Fuego"*. (estudio de las Fuerzas Ocultas).

Axioma Trascendente: *"Gozoso en la esperanza, sufrido en la tribulación sé constante en la oración"*.

Elemento de Predicción: *"Promete control de la dirección que se sigue, al dominio de los elementos, vitalidad, rejuvenecimiento, adquisición y pérdida de amigos por cosas de la familia. Penas, obstáculos, celos, traiciones y resignación para sobrellevar las contrariedades"*.

ARCANO No. 12

El Arcano No. 12: Implica Sacrificios, Sufrimientos, es la carta del Apostolado.

El Arcano No. 12 trae muchos sufrimientos, muchas luchas. Tiene una síntesis muy bonita porque 1+2=3 que significa producción tanto Material como Espiritual; es poderoso en lo espiritual y social.

Este Arcano promete lucha en lo económico y en lo social.

Letra Hebraica: "LAMED"

Horario: "3ª Hora de Apolonio". *"Las Serpientes, los Canes y el Fuego"*. (Magia Sexual. Trabajo con el Kundalini).

Axioma Trascendente: *"Aunque el Sol te fatigue de día y la Luna te contriste de noche, no lleves tus pies al resbaladero, ni duermas cuando haces guardia"*.

Elemento de Predicción: *"Promete contrariedades, angustias, caí-*

das. *Pérdidas materiales en unas condiciones de vida y ganancias en otras. Presentimientos que animan y presentimientos que descorazonan".*

ARCANO No. 13

El Arcano No. 13: Es Muerte, pero también puede significar algo nuevo, puede haber Riqueza, puede haber Miseria, es un número de grandes síntesis.

El Arcano No. 13 contiene el Evangelio de Judas. Judas representa la Muerte del Yo. El Evangelio de Judas es el de la Muerte, es la Disolucion del Ego. Judas simboliza al Ego, al que se tiene que decapitar.

Letra Hebraica: "MEM"

Horario: "4ª Hora de Apolonio": *"El neófito vagará de noche entre los sepulcros, experimentará el horror de las visiones, se entregará a la Magia y a la Goecia".* (Esto significa que el discípulo se verá atacado por millones de Magos Negros en el Mundo Astral; esos Magos Tenebrosos intentan alejar al discípulo de la Luminosa Senda).

Axioma Trascendente: *"La noche ha pasado y llegado el nuevo día, vístete pues con las Armas de la Luz".*

Elemento de Predicción: *"Promete desengaños, desilusiones, muerte de afectos, negativas en lo que se solicita, colapso, gozos puros y gratos al Alma, mejoras de doloroso disfrute, ayuda de amigos.*

Renovación de condiciones, las buenas para peor y las malas para mejor".

ARCANO No. 14

El Arcano No. 14: Es la Castidad, la Transmutación de las Aguas. Hay que trabajar duro cincelando la Piedra, sin la cual no se puede conseguir la Transmutacion Sexual.

Letra Hebraica: "NUN"

Horario: "5ª Hora de Apolonio": *"Las Aguas Superiores del Cielo"* (Durante este tiempo el discípulo aprende a ser Puro y Casto porque comprende el valor de su Líquido Seminal).

Axioma Trascendente: *"No seas como paja delante del viento, ni como viento delante de la paja".*

Elemento de Predicción: *"Promete amistades, afectos recíprocos, obligaciones, combinaciones químicas y de intereses, amores afligidos, amores devotos, amores traicioneros. Cosas que quedan y cosas que se van, las primeras para irse, las segundas para volver".*

ARCANO No. 15

El Arcano No. 15: Es el Yo Pluralizado, que esotéricamente se le dice el Satán. El Arcano No. 15 representa La Pasión, basada en el Fuego Luciferico. Es necesario saber que el defecto principal es la Pasión Sexual, la Lujuria. En la síntesis kabalística del Arcano No. 15 tenemos que 1+5=6, el 6 en sí mismo es el Sexo, esto significa que en el Sexo está la mayor fuerza que puede liberar al hombre pero también la mayor fuerza que puede esclavizarlo.

El Arcano No. 15 significa el trabajo con el Demonio. El proceso de Disolución del "Yo". El Eden es el mismo Sexo, y la Bestia Interna, el Yo Psicológico que nos cierra el paso al Eden, está a la puerta del Sexo para invitarnos a la Eyaculacion del Licor Seminal, o para desviarnos de esa puerta, haciéndonos ver escuelas, teorías, sectas, etc.

Letra Hebraica: "SAMECH"

Horario: "6ª Hora de Apolonio": *"Aquí es necesario mantenerse quieto, inmóvil, a causa del temor".* (Esto significa la prueba terrible del Guardian del Umbral, ante el cual se necesita mucho valor para vencerlo).

Axioma Trascendente: *"Hiciéronme guarda de viñas y mi viña que era mía no guardé".*

Elemento de Predicción: *"Promete controversias, pasiones, fatalidades. Prosperidad por vía de la legalidad y la fatalidad. Afectos nocivos al que lo siente y al que es objeto de ellos. Ansias vehementes y situaciones violentas".*

ARCANO No. 16

El Arcano No. 16: La salida del Eden coincide con el Arcano 16. El Eden o Paraíso hay que entenderlo como al mismo Sexo. Salimos por las puertas del Sexo y sólo por él retornaremos.

El Arcano 16 es muy peligroso. Es necesario Despertar la Conciencia para no andar ciegos. los ciegos pueden caer al Abismo. El iniciado que derrama el Vaso de Hermes, se cae inevitablemente.

Es terrible la lucha entre Cerebro, Corazón y Sexo. Si el Sexo domina al Cerebro, la Estrella de Cinco Puntas, el Pentagrama queda invertido y el hombre con la cabeza hacia abajo y sus dos piernas hacia arriba es precipitado al fondo del Abismo. Cae fulminado con el Arcano 16. El que se deja caer, cae con el Arcano 16 que es la Torre Fulminada, son los que han fracasado con la Gran Obra del Padre.

Letra Hebraica: "HAIM"

Horario: 7ª Hora de Apolonio: *"El Fuego reconforta a los seres inanimados, y si algún Sacerdote, Hombre suficientemente purificado, lo roba y luego lo proyecta, si lo mezcla al Oleo Santo y lo consagra, logrará curar todas las enfermedades con sólo aplicarlo a la parte afectada".* (El iniciado ve aquí su fortuna material amenazada y sus negocios fracasan).

Axioma Trascendente: *"Luz al amanecer, Luz de medio día, Luz de anochecer, lo que importa es que sea Luz".*

Elemento de Predicción: *"Promete accidentes imprevistos, tempestades, conmociones, muertes. Beneficios por conceptos de circunstancias buenas y malas. Reciprocidad en el amor y el odio, en la indiferencia y en el celo, en la traición y en la lealtad".*

ARCANO No. 17

El Arcano No. 17: La Estrella de Ocho Puntas representa siempre a Venus, el Lucero de la Mañana. En el Arcano No. 17 encontramos la Iniciación Venusta.

El símbolo de Venus nos muestra que el Círculo del Espíritu debe estar sobre la Cruz, el Sexo, es decir, Sexo bajo control del Espíritu. El signo invertido representa que el Espíritu está dominado por el Sexo.

Letra Hebraica: "PHE"

Horario: 8ª Hora de Apolonio": *"Las Virtudes Astrales de los Elementos, de las simientes de todo género".*

Axioma Trascendente: *"Unos hombres piden señales para creer y otros piden sabiduría para obrar, mas el corazón esperanzado lo tiene todo en sus esperanzas".*

Elemento de Predicción: *"Promete intuición, sostenimiento, iluminación, nacimientos, breves aflicciones y breves satisfacciones, enfados y reconciliaciones, privaciones, abandonos y ganancias".*

ARCANO No. 18

El Arcano No. 18: La síntesis Kabalística del Arcano 18 es 1+8=9, Novena Esfera, el Sexo. Si sumamos 9+9=18, en ello hay un balance.

Un 9 es el aspecto positivo y el otro es el aspecto negativo, pero, en sí mismo, el 18 resulta negativo, nefasto, los Enemigos Secretos del Arcano del Crepúsculo. Pues en el trabajo de la Novena Esfera se tiene que luchar demasiado, porque hay que aprender a sublimar la Energía Sexual, ahí está la clave o llave de todos los Imperios.

En el Arcano 18 hallamos los peligros de la Iniciación, los Enemigos Ocultos y Secretos que se proponen dañar la Iniciación. La lucha subterránea en los dominios de la Novena Esfera.

En el Arcano 18 tenemos que librar sangrientas batallas contra los Tenebrosos. La Logia Negra, el Abismo, la Tentación, los Demonios...que no quieren que el iniciado se escape de sus garras.

Esta es la senda del Filo de la Navaja. *"Esta es la Senda que está llena de peligros por dentro y por fuera"* como dice el Venerable Maestro Sivananda.

En los Mundos Internos los Tenebrosos del Arcano 18 asaltan al estudiante violentamente.

En el terrible Arcano 18 hallamos la Brujería de Tesalia, ahí está la cocina de Canidio, ceremonias mágicas eróticas, ritos para hacerse amar, peligrosos filtros, etc. Debemos advertir a los Estudiantes Gnósticos que el filtro más peligroso que usan los Tenebrosos, para sacar al estudiante de la Senda del Filo de la Navaja, es el Intelecto.

Letra Hebraica: "TZAD"

Horario: 9ª Hora de Apolonio. *"Aquí nada ha terminado todavía. El iniciado aumenta su percepción hasta sobrepasar los límites del Sistema Solar, más allá del Zodíaco. LLega al Umbral del Infinito. Alcanza los límites del Mundo Inteligible. Se revela la Luz Divina y con ellos aparecen nuevos temores y peligros".* (Estudio sobre los Misterios Menores, las Nueve Arcadas por las cuales tiene que subir el estudiante).

Axioma Trascendente: *"Sea tu Caridad granero inagotable y tu Paciencia no menos inagotable que tu Caridad".*

Elemento de Predicción: *"Promete la inestabilidad, la inconstancia, celadas, confusión, cambios, situaciones inciertas, largas deliberaciones, impedimentos inesperados, resultados tardíos, triunfos y fracasos aparentes".*

ARCANO No. 19

El Arcano No. 19: En la Kábala de predicción promete Victoria Total, ya sea con esfuerzos propios o con ayuda de otras personas.

El Arcano 19 es el Arcano de la Victoria, o sea de los Exitos. Esa Victoria se relaciona con todos los aspectos de la vida, en lo económico, social, político, moral, etc.

La síntesis kabalística del Arcano 19 es 1+9=10, el 10 es un número profundamente sexual, ahí está el círculo y la línea, los misterios del Lingam-Yoni. No es posible llegar a la Auto-Realización sino mediante la Transmutacion de la Energia Sexual.

En el Arcano 19 se establece una Gran Alianza entre dos Almas. Hombre Y Mujer deben matar el Deseo para lograr la Gran Alianza, para realizar la Gran Obra.

Letra Hebraica: "COPH"

Horario: 10ª Hora de Apolonio: *"Las puertas del cielo se abren y el hombre sale de su letargo".* (Este es el número 10 de la 2ª Gran Iniciación de Misterios Mayores que permite al iniciado viajar en Cuerpo Etérico o en Estado de Jinas. Esta es la Sabiduría de Juan Bautista: La Decapitación).

Axioma Trascendente: *"Toma el escudo de tu Fe y avanza con paso decidido ya sea en favor del viento o contra todos los vientos".*

Elemento de Predicción: *"Promete el aumento de poder, éxitos de los empeños. Dicha en los actos que se realizan. Beneficios por concepto de esfuerzos propios y de los demás. Herencias. Claridad de lo que se desea, fuego que consume lo deseado".*

ARCANO No. 20

El Arcano No. 20: Es el de la Resurrección de los Muertos. Realmente la Resurrección del Alma sólo es posible por medio de la Iniciación Cósmica. Los seres humanos están muertos y sólo pueden resucitar por medio de la Iniciación.

Letra Hebraica: "RESCH"

Horario: 11ª Hora de Apolonio: *"Los Angeles, los Querubines y los Serafines vuelan con rumores de alas; hay regocijo en el Cielo, despierta la Tierra y el Sol que surge de Adan".* (Este proceso pertenece a las Grandes Iniciaciones de Misterios Mayores, donde sólo reina el terror de la Ley).

Axioma Trascendente: *"Flor en el manzano, fruto en la viña sembrado en madurez".*

Elemento de Predicción: *"Promete elecciones armoniosas, iniciativas afortunadas, trabajos, ganancias. Compensaciones por lo bueno y por lo malo. Amigos fieles que anulan la acción de los amigos traidores. Celos por el bien de que se disfruta. Aflicciones por pérdidas".*

ARCANO No. 21

El Arcano No. 21: Se le puede representar con la Estrella Pentagonal invertida, que representa la Magia Negra.

El Arcano No. 21 es el Fracaso, la Insensatez, El Loco del Tarot. El que trabaja en la Auto-Realización está expuesto a cometer locuras. Hay que trabajar con los 3 Factores de la Revolución de la Conciencia:

1.- Morir. 2.- Nacer. 3.- Sacrificio por los Demás.

Transmutación: Indica que hay que Transmutar. El Cerebro debe controlar al Sexo, cuando el cerebro pierde el control sobre el sexo, cuando el Sexo llega a dominar al Cerebro, entonces la Estrella de 5 Puntas, el Hombre va de cabeza al Abismo. Este es el Pentagrama Invertido, el símbolo de la Magia Negra.

En este Arcano el peligro lo indica con precisión el Cocodrilo.

Letra Hebraica: "SHIN"

Horario: 12ª Hora de Apolonio: *"Las Torres del Fuego inquietan".* (Esta es la entrada triunfal del Maestro en la dicha sin límites del Nirvana o bien renuncia a la dicha del Nirvana por amor a la Humanidad y se convierte en Boddhisattva de Compasión).

Axioma Trascendente: *"En su secreto no entra mi alma, ni en su puerto mi navío".*

Elemento de Predicción: *"Promete privación de algo de que se disfruta, ofuscación al tratar de conseguir lo que se quiere, ruina en lo que más envanece, peligro de aislamiento, regalos pérfidos, promesas engañosas, desilusiones, final de unas cosas y comienzo de otras".*

ARCANO No. 22

El Arcano No. 22: Es la Corona de la Vida , el regreso a la Luz, encarnacion de la Verdad en nosotros.

La síntesis kabalística del Arcano No. 22 es 2+2=4, Hombre, Mujer, Fuego y agua; el Iod-He-Vau-He; Hombre, Mujer, Phalo, Utero. He aquí al Santo y Misterioso Tetragrammaton, el Santo Cuatro.

Letra Hebraica: "THAU"

Horario: *"Existe una Hora Trece, que es la de la Liberación".*

Axioma Trascendente: *"Sale el Sol y pónese el Sol y otra vez vuelve a su lugar donde torna a nacer".*

Elemento de Predicción: *"Promete larga vida, herencias, distinciones, disfrute de deleites honestos, rivales que disputan los afectos, amigos que velan por nosotros, obstáculos y aptitud para vencerlos, situaciones inciertas y contingencias que las aclaran".*

CONSULTA DEL TAROT

1.-Prender el altar o usar tres velas.

2.-Extender el Pentagrama.

3.-Separar los 22 Arcanos Mayores de los Menores.

4.-Signarse y cerrarse con la Estrella Micro-Cósmica. Invocarle al Padre y pedirle iluminación del Espíritu Santo.

5.-Barajar los 22 Arcanos Mayores, con la cara de las láminas hacia abajo; sacar un Arcano Mayor y apartarlo sin verlo.

6.-Barajar los 56 Arcanos Menores y sacar una carta; volver a barajar y sacar otro Arcano Menor. En total 3 cartas.

7.-Sumar el Arcano Mayor con el resultado de la suma de los dos dígitos de cada uno de los menores. Si el resultado es mayor de 22 se vuelven a sumar los dígitos, el resultante final es la carta de la Predicción, el Resultado. Este se aclara con la predicción de los 2 Arcanos Menores.

Ejemplo No. 1:

$$11$$

$$26 \qquad\qquad 42$$

$$7$$

El León Domado: 11   11

El Prodigio: 26 = 2 + 6 = 8   +8

Preminencia: 42 = 4 + 2 = 6   6

                                        25 = 2 + 5 = 7

Resultado: 7 El Triunfo. (Respuesta).

Ejemplo No. 2:

$$10$$

$$30 \qquad\qquad 59$$

$$18$$

La Retribución: 10	10
Intercambio: 30 = 3 + 0 = 3	+ 3
Revelación: 59 = 5 + 9 = 14 = 1 + 4 = 5	3
	18

Resultado: 18 El Crepúsculo. (Respuesta).

Es necesario conocer los 22 Arcanos. Después de que se conozcan, se usará la parte práctica de Predicción, inteligentemente, en casos de mucha importancia.

Es necesario conocer el significado de la Predicción. Se colocan las cartas desde el punto de vista Astral, Matemático; se pide la ayuda del Espíritu Santo, se usa el Número, las Matemáticas. Todas las Leyes están hechas por Números, Medida y Peso.

Muchas personas usan el Tarot en forma empírica, por lo que hacen mal. Lo último que se enseña en la Kábala es la Predicción Kabalista; para que usemos los números sabiamente hay que estudiar, comprender el significado de cada carta.

INDICE

Prólogo 7
Introducción 11

PRIMERA PARTE:
Descripción y Estudio Esotérico del Tarot..............15
Cap. 1.- Arcano No. 1, "El Mago"....................17
Cap. 2.- Arcano No . 2, "La Sacerdotisa".............21
Cap. 3.- Arcano No. 3, "La Emperatriz" 25
Cap. 4.- Arcano No. 4, "El Emperador"..............29
Cap. 5.- Arcano No. 5, "El Jerarca".....................33
Cap. 6.- Arcano No. 6, "La Indecisión" 37
Cap. 7.- Arcano No. 7, "El Triunfo"....................39
Cap. 8.- Arcano No. 8, "La Justicia"....................43
Cap. 9.- Arcano No. 9, "El Eremita" 47
Cap. 10.-Arcano No. 10, "La Retribución" 53
Cap. 11.-Arcano No. 11, "La Persuación" 59
Cap. 12.-Arcano No. 12, "El Apostolado" 61
Cap. 13.-Arcano No. 13, "La Inmortalidad".........67
Cap. 14.-Arcano No. 14, "La Temperancia".........71
Cap. 15.-Arcano No. 15, "La Pasión" 73
Cap. 16.-Arcano No. 16, "La Fragilidad" 77
Cap. 17.-Arcano No. 17, "La Esperanza" 79
Cap. 18.-Arcano No. 18, "El Crepúsculo".............81
Cap. 19.-Arcano No. 19, "La Inspiración"............85
Cap. 20.-Arcano No . 20, "La Resurrección"........89
Cap. 21.-Arcano No . 21, "La Transmutación" 93
Cap. 22.-Arcano No. 22, "El Regreso" 95

SEGUNDA PARTE:
La Iniciación a Través de los Arcanos del Tarot....99
Cap. 23.-Arcano No. 1 101
Cap. 24.-Arcano No. 2 105
Cap. 25.-Arcano No. 3 109

Cap. 26.- Arcano No. 4 111
Cap. 27.- Arcano No. 5 115
Cap. 28.- Arcano No. 6 125
Cap. 29.- Arcano No. 7 129
Cap. 30.- Arcano No. 8 135
Cap. 31.- Arcano No. 9 139
Cap. 32.- Arcano No. 10 145
Cap. 33.- Arcano No. 11 149
Cap. 34.- Arcano No. 12 153
Cap. 35.- Arcano No. 13 157
Cap. 36- Arcano No. 14 161
Cap. 37.- Arcano No. 15 167
Cap. 38.- Arcano No. 16 171
Cap. 39.- Arcano No. 17 175
Cap. 40.- Arcano No. 18 179
Cap. 41.- Arcano No. 19 183
Cap. 42.- Arcano No. 20 187
Cap. 43.- Arcano No. 21 191
Cap. 44.- Arcano No. 22 195
Cap. 45.- Combinaciones de los Arcanos:13, 2,
            3 y14 199

TERCERA PARTE:
La Kábala Hebraica 211
Cap. 46.- El Absoluto 213
Cap. 47.- El Arbol de la Vida 229
Cap. 48.- Los Sephirotes 235
Cap. 49.- Kether 241
Cap. 50.- Chokmah 243
Cap. 51.- Binah 247
Cap. 52.- Chesed 251
Cap. 53.- Geburah 255
Cap. 54.- Tiphereth 257
Cap. 55.- Netzah 261

Cap. 56.- Hod..265
Cap. 57.- Jesod...269
Cap. 58.- Malchuth...275
Cap. 59.- Los Kliphos 279
Cap. 60.- Daath, Conocimiento Tántrico 281
Cap. 61.- La Iniciación de Tiphereth....................285

CUARTA PARTE:
Numerología y Matemáticas Esotérica.................293
Cap. 62.- Tabla Numerológica..............................295
Cap. 63.- Las Siete Iglesias del Apocalipsis y su
relación con el Arbol de la Vida............................311
Cap. 64.- La Kábala del Año del Nacimiento........313

QUINTA PARTE: .
Kábala de Predicción 323
Cap. 65.- Preparación...325
Cap. 66.- Predicción y Síntesis..............................333

**El Tarot y Kábala de
Samael Aun Weor**
se terminó de imprimir en
noviembre de 2018.